KB120915

사람 중심으로 달라져야 할

4차 산업혁명 교육

초판 1쇄 인쇄일 2018년 01월 12일
초판 1쇄 발행일 2018년 01월 19일

지 은 이 김병호·이창길
펴 낸 이 양옥매
디 자 인 송다희 표지혜
교 정 조준경

펴낸곳 도서출판 책과나무
출판등록 제2012-000376
주소 서울특별시 마포구 월드컵북로 44길 37 천지빌딩 3층
대표전화 02.372.1537 **팩스** 02.372.1538
이메일 booknamu2007@naver.com
홈페이지 www.booknamu.com
ISBN 979-11-5776-517-1(03370)

이 도서의 국립중앙도서관 출판시도서목록(CIP)은 서지정보유통지원 시스템 홈페이지(http://seoji.nl.go.kr)와 국가자료공동목록시스템(http://www.nl.go.kr/kolisnet)에서 이용하실 수 있습니다.
(CIP제어번호 : CIP2017035832)

사람 중심으로 달라져야 할

4차 산업혁명 교육

김병호 · 이창길 지음

THE FOURTH
INDUSTRIAL
REVOLUTION

책과나무

| 추천사 I |

대변혁의 한복판에서
또 다른 색채와 빛깔로 말하다

송순재

전 감신대학 교수, 전 서울시교육연수원장

요즈음 들어 우리 사회와 교육이 어떤 절박한 변화의 기로에 서 있다든지, 혹은 어쩌면 그러한 길목에 일부 접어든 것이 아닌가 하는 느낌이 부쩍 든다. 물론 그동안 해 오던 대로 좋고 별문제 없다고 느끼는 이들도 상당수 되고, 또한 이들이 나름 안주해 왔던 체제와 자리와 사고방식에 대해 자긍심을 가지고 부동의 관점에서서 새로운 변화에 대한 요구나 변화 그 자체를 달가워하지 않는다든지 혹은 철저히 배격해야 할 것이라고 생각하고 있음에도, 실제 우리 사회와 교육의 어떤 영역에서 타오르고 있는 변화에 대한 열망과 요구는 하나의 시대정신이요, 거스를 수 없는 움직임이 아닌가라는 느낌 말이다.

그런 명백한 징후를 다시금 이 책에서 확인하게 된 것은 커다란 기쁨이 아닐 수 없다. 사학을 전공했고 세계 여러 언어에 정통한 외교관이자 교수였던 한 분과 또 실제 산업 현장에서 잔뼈가 굵은 전문 경영자이자 대학교에서 20년 가까이 강의를 이어 온 학자 한 분이 현 상황을 그대로 놓고만 볼 수 없어서 산고 끝에 낳아 놓은

옥동자 같은 책이다. 한마디로 이색적이면서도 도전적인 작품이다. 이색적이라 함은 최근 뜨거운 이슈로 떠오른 '4차 산업혁명'이라는 맥락에서 교육 문제를 다루고 있어 얼핏 최근 유행하는 담론을 다룬 또 하나의 책이라는 인상을 줄 수도 있겠으나, 실제 그 이상으로 또 다른 차원을 열어 내고 있기 때문이다. 도전적이라 함은 소위 교육 전문가가 아니면서도 자신들이 받아 온 학교교육의 경험과 우리에게 익숙한 학교교육적 관점들을 벗어나 다양한 일터에서 보고 듣게 된 새로운 지식과 경험을 배경으로 학문이론적으로 탄탄한 시각에서 우리 교육 현장의 문제에 맞서기 위한 실제적 방안들을 모색·제안하고 있기 때문이다.

> "우리의 교육이 마치 과거 운전면허 시험장에서 애를 먹이던 S자 코스의 선을 밟지 않으려고 조심하며 모든 신경을 썼던 것과 같은 인위적인 과정, 그러나 현실에는 아무 쓸모없는 경쟁에 아이들을 내몰고 국제경쟁력에도 아무런 도움이 되지 않는 교육을 우리 아이들이 강요당하고 있는 현실을 외면하기 어려웠고 뭔가를 말해야 하기 때문이다."

신랄하고 간곡하다. 이런 문제의식에서 저자들은 우리가 처한 '깡통'교육의 고루함을 드러내고 싶어 했고, 또 한편으로 4차 산업혁명의 소용돌이 속에서도 답답하게 갇혀 있는 현실을 돌파하기 위해 생각의 나래를 폈다. 인류 문명사와 산업의 발전 과정에 대한 역사학적 탐구는 마치 기나긴 험산 준령을 타고 가면서 그 변화무쌍한 기점들을 짚어 내야 하는 산행과도 같이 진한 흥미를 자아낸다. 그 결과 도달한 4차 산업혁명의 시대, 그것이 실제 뜻하는 바가 무엇인가, 그리고 이 새로운 삶의 환경에서 새롭게 성장하는 세대를 위한 교육은 또 어떻게 읽어 내야 하는가, 그 새로운 도전과 기회의 정체는 과연 무엇인가 하는 물음이 정공법으로 다루어지고 있다. 교육학적 논의에서 이러한 작업은 흔치 않은 사례로 보인다.

늘 그렇듯이 유행하는 담론은 흔히 수사로 엮여 그럴싸하게 제시되곤 한다. 하지만 저자들은 여기에 도사리고 있는 허구와 함정을 파헤쳐 보인다. 이를테면 거대 기업들은 4차 산업혁명이 갑자기 시작된 것처럼 말하고 마치 장밋빛 미래를 인류에게 선사할 것처럼 포장하고 있다는 것이다. 하지만 4차 산업혁명이란 3차 산업혁명의 연장선상에 있는 것이고 이미 진행된 지 오래된 것으로, 거대 기업들은 이를 빙자하여 노동의 대가로 생계를 유지해야 하는 수많은 사람들을 빈곤의 나락으로 떨어뜨릴 것이라고 한다. 이 환경에서 가장 크게 타격을 받게 될 이들은 전체 직업군 중 세 번째로 비중이 높은 사무직과 행정직 종사자들이요, 또한 인문학 전공자들이다. 우리의 교육은 이 새 형국을 과연 제대로 직면할 수 있을 것인가?

인상적인 부분은 저자들이 4차 산업혁명의 도전 앞에서 그 정당한 응전을 위해 정말 필요한 것은 진정한 의미에서의 교육의 새로운 패러다임이지만, 또한 그것은 기초학문이요, 인문학이며 또한 이색적으로 장인 문화의 소중한 가치에 대해서도 역설하고 있는 점이다. 여기에 더하여 또 하나, 우리 전통교육이 가진 힘과 지혜에 주의를 환기시키고 있는 점이 폐부를 찌른다. 하지만 참 애석하게도 우리는 종래 그 의미를 제대로 간파하지 못했으며 여전히 그 오류를 되풀이하고 있다는 문제의식도 토로되어 있다. 그리하여 저자들은 우리 상황과는 대조적인 서구, 특히 최근 새롭게 혹은 다시금 조명되고 있는 북미와 유럽 학교 및 교육의 의미 있는 세계들로 독자들을 초대하고 있다.

이 과제 앞에서 저자들은 틀에 갇힌, 획일적인, 고착화된 현재의 공교육 체제는 이 대변혁적 상황 앞에서 더 이상 목숨을 부지할 수 없을 것이라고 진단하는가 하면, 혹여 이것은 어쩌면 '대안교육'을 위한 본격적 화두가 아닐까 하는 질문도 과감하게 던지고 있다. 그러면서 저자들은 본격적으로 평생교육과 청소년·청년 일자리와 새롭게 탈바꿈한 노동시장이라는 논의의 장으로 독자들을 끌어들이고 있다.

글의 여러 주요한 부분과 맥락에서 의거하고 인용된 교육학의 문헌들은 교육학 전공자들이 아니면 쉬이 접근하기 어려운 것들이지만, 그 내용이 생기 있는 것은 이 주제를 다루는 문맥의 환경이 전형적이지 않기 때문이다. 또한 종래 교육학계에 드물게 소개되었거나 거의 다루어지지 않았던 이론과 사례들이 깊숙이 파헤쳐지고 있다는 점이 자극적이다. 전체적으로 보아 역사학과 경제학과 교육학과 철학적 혜안이 한데 어우러져 쓰인 보기 드물게 신선하고 도전적인 책이다.

저자들의 논의가 더욱 읽는 이의 마음을 끄는 것은 그 주장의 진정성뿐 아니라 이를 실천해 내고자 하는 간곡한 열망을 읽어 낼 수 있기 때문이다. 저자들의 오랜 경험과 살아 있는 문제의식의 결정체라 아니 할 수 없다. 이 책의 출간을 축하하며 이 책이 모쪼록 학문적 성과로서만이 아니라 우리 사회와 교육 현장의 실제적 변화를 위해 힘쓰는 이들의 기꺼운 동반자가 되기를 바라 마지않는다.

| 추천사 Ⅱ |

4차 산업혁명시대의 파고를 헤쳐나갈 해법, 우리 교육의 변화와 혁신에서 그 길을 찾다

곽수근
서울대학교 경영대학 교수

오늘날 우리 사회가 맞닥뜨린 가장 큰 과제 가운데 하나는 4차 산업혁명으로 인한 과학기술의 발전이 가져올 생활양식의 총체적 변화에 맞서 어떻게 효과적으로 또한 선제적으로 대처해 나갈 것인가에 관한 것이다.

4차 산업혁명은 "3차 산업혁명을 기반으로 한 디지털과 바이오산업, 물리학 등의 경계를 융합하는 기술혁명"으로서, 사이버물리시스템(Cyber Physical System : CPS), 사물인터넷(IoT), 클라우드 컴퓨팅, 인공지능(AI), 3D 프린팅, 생명공학 등 첨단 정보통신기술을 활용하여 실세계 모든 사물들의 지능화와 초연결(hyper-connection)을 지향한다. 4차 산업혁명이 우리 사회를 어떻게 바꾸어 나갈지는 분명치 않다. 그러나 지능정보화로 특징되는 4차 산업혁명은 단순히 과학기술의 진보적인 발전에만 그치지 않고 사회

전 분야에서 엄청나게 빠른 속도로 전개되면서 우리의 삶의 양식에 대한 총체적인 변화를 가져올 것으로 예상되는데, 이는 과거의 변화 경로에서 벗어나 파괴적(disruptive) 양상을 보이는 패러다임적 변화를 가져올 것이라는 점은 분명하다.

4차 산업혁명이 가져올 미래사회의 총체적 변화 상황에서 우리가 특히 주목해야 할 점은 첫째, 일자리 변동으로 인한 고용불안의 문제, 둘째, 미래사회에는 구체적으로 어떤 역량을 갖춘 인재가 필요한가의 문제이다.

2016년 1월, 스위스 다보스에서 개최된 세계경제포럼(World Economy Forum, WEF)은 '일자리의 미래(The Future of Jobs)'라는 보고서를 통해 기술진보가 인간의 일자리에 미칠 영향을 전망했는데, 이에 따르면 2020년까지 710만 개의 일자리가 사라지는 대신, 새로운 일자리 200만 개가 발생해 결국은 510만 개의 일자리 감소가 나타날 것으로 전망했다. 또한 현재 7세 어린이들 중 68%는 기술진보로 인해 지금은 알려지지 않은 새로운 일을 하게 될 것이라고 예측했다.

이와 더불어 4차 산업혁명이 우리 삶에 미칠 변화와 영향이 심대해질 미래사회에 필요한 인재는 복합적 문제해결과 융합적 사고, 비판적 사고와 창의력, 감성적 지능을 갖출 것을 요구하고 있다고 하였다.

이 두 가지 문제가 중요한 의미를 갖는 것은 4차 산업혁명이 전개되는 상황에서 제기되는 문제들에 적절히 대응하고 아울러 한 걸음 더 나아가 미래사회의 변화를 주도적으로 선도해 나가기 위하여 우리가 지금 어떻게 대응해 나갈 것인가에 대한 해답은 결국 사람의 문제에서 구해야 하는데 이는 곧 교육의 문제로 직결된다.

이 책은 4차 산업혁명이 가져올 사회적 변화와 이 시대에 미래 사회 인재가 갖추어야 할 핵심 역량을 고찰하면서, 이러한 사회 변화에 대비해 우리 교육은 얼마나 준비가 되어 있는지에 대한 반성을 통해 앞으로 우리 교육은 어떤 변화와 혁신을 추구해 나가야 하는지에 대해 조목조목 진지한 대안을 제시하고 있다.

이 책의 공동 저자인 김병호 전 대사와 이창길 사장은 본인과는 학문적 연원을 같이 하고 있다는 각별한 인연을 갖고 있으면서, 두 분 모두 공직사회와 산업 현장에서 각자 일가견을 이루며 성공적인 경력을 쌓아 온 모습을 지켜보면서 늘 마음으로부터의 성원을 보내 온 분들이다.

김병호 전 대사는 오스트리아 공사, 빈국제대표부 공사, 키르기즈공화국 대사, 덴마크 대사를 두루 거치면서 35년간 국제외교 무대에서 활약해 온 정통 외교관료 출신으로서 최근까지 대학교에서 강의를 해 왔다.

이창길 사장은 36년간 금융계에서 근무하며 최고경영자의 자리까지 오른 전문경영인이면서 현장에서의 경험을 토대로 19년간 대학교에서 강의를 병행해 온 특별한 경력을 가진 분이다.

이러한 소중한 경험이 있었기 때문에 4차 산업혁명과 우리 교육의 변화와 혁신이라는 다소 무거운 주제를 다루는 데 있어 용기를 낼 수 있었고 그래서 책의 내용이 신선하면서도 진지하다. 이들이 우리 대학교육의 현장에서 가졌던 경험을 전달하는 목소리는 그만큼 비장하고 또 간절하게 마음에 와닿는다.

"강의실에서 학생들에게 강의를 하면서 질문을 억지로 유도해도 아무런 반응이 없는 이상한 분위기, 그래도 시험 답안지엔 교수가 제시한 소소한 예시까지 빠짐없이 나열해 내는 놀라운 능력을 목도하면서 영혼 없는 강의실이 따로 없구나 하는 심정을 떨칠 수 없었다. 10년 뒤, 20년 뒤에 이들이 이끌어 나갈 우리나라의 미래 모습이 과연 어떠할까를 떠올리면 그저 막막함과 안타까움을 감출 수 없었다."

공직사회와 산업 현장에서 평생을 근무해 온 경력에도 불구하고 이 책이 다룬 내용은 결코 가볍지 않다. 오히려 생소할 수 있는 교육 관련 문헌과 선례 연구들에 이르기까지 꼼꼼하게 소화하고 인용하여 내용의 깊이를 더하고 있고, 향후 지속적인 탐구의 터전을 제시하고 있다.

저자들은 이 책을 통해 이렇게 소망하고 있다.

"대한민국의 경제발전을 견인해 온 원동력은 누가 뭐래도 '사람'이었고 그 토대는 언제나 '교육'이었다. 4차 산업혁명시대에 생존의 문제를 넘어 지속가능한 성장을 선도해 나가는 자랑스러운 국가로 당당히 서기 위하여 지금 당장 '사람혁신', '교육혁신'을 진행해 나가야만 한다."

이 책의 출간을 진심으로 축하해 마지않으며, 아무쪼록 우리 사회와 교육 현장의 변화와 혁신에 초석이 되기를 기원한다.

오늘날 인류는 이제까지 아무도 미리 내다보지 못할 정도로 빠른 기술혁신에 따른 4차 산업"혁명"시대를 맞이하고 있다는 목소리가 커지고 있다. 증기기관 발명으로 촉발된 1차 산업"혁명", 조립라인을 활용하여 대량생산 "혁명"을 불러온 2차 산업"혁명", PC와 인터넷을 통해 생산성 혁신을 이룬 3차 산업"혁명", 로봇 · 인공지능 · 사물인터넷(IoT) 등 최첨단 기술의 융합을 통해 이전에는 상상할 수 없었던 신시대 개막 도래를 예고하는 4차 산업"혁명"의 초입에 들어섰다는 것이다.(김정욱 외, 2016, 4쪽)

비약적인 인공지능과 로봇, 빅데이터와 클라우딩, 3D 프린팅과 퀀텀 컴퓨팅, 나노, 바이오 기술 등 지식정보 분야에서 눈부신 속도의 발전이 4차 산업"혁명"을 이끌고 있고(슈밥, 2016, 5쪽), 4차 산업"혁명"은 각 분야의 기술혁신을 모두 아우르는 개념으로서 우리 생활에 미치는 영향이 광범위하다고 한다. 자율 주행 자동차의 경우, 자동차에 인공지능을 집어넣었다. 인공지능 로봇도 마찬가지다. 각 분야의 최고 기술을 접목했다. 드론, 사물인터넷, 3D 프린팅, 나노 테크놀로지, 바이오테크놀로지 등이 모두 4차 산업혁명의 영역이라는 것이다.(김정욱 외, 2016, 23쪽)

그렇다면 과히 우리는 과학기술만능시대, 기술융합의 "혁명"시대에 살고 있는 셈이다.

"혁명적"이라고 하는데, 인류가 역사 이전과 이후에 겪어 온 급변 상황들석기-청동기-철기 3시대, 인지 · 농업 · 과학 3혁명, 역사시대에 들어서서 위기 · 급변 상황에서 인본적인 자세로 임한 소크라테스, 공자 등 기원전의 사례에 비추어 얼마나 "혁명적"인지를 짚어 볼 필요가 있어 1장에서 이를 다루었다. 17~18세기 과학시대에 들어서면서 보다 멀리, 보다 깊이, 보다 객관적인 법칙으로 세상을 본다면서 진보의 논리에 빠졌고, 급격한 산업화의 과정에서는 인간이 기계와 자본에 얽매이는 탈(脫)인본주의적 일탈도 지나왔다.

2부에는 이런 혁명적인 상황에서 미래의 일자리에 맞추어 기계와 경쟁하게 될지도 모르는 우리 아이들의 교육에 대한 문제가 당연히 대두된다. 무엇을 배워야 할지 어떤 직업을 머리에 두고 공부해야 할지, 가르치는 입장에서는 무엇을 가르치고 어떻게 가르쳐야 할지가 현실적인 문제이다. 제2장은 바로 이러한 문제를 염두에 두고 선구자들의 주장을 다룬다.

1부와 2부는 다소 이론적인 접근이라 쉽게 읽히지 않는 면이 있다.

4차 산업혁명시대에 과연 무엇을 어떻게 배우고 또 가르칠 것인가, 미래 직업의 모습은 어떻게 변모할 것인가, 그리고 이 시대에 평생교육이 지향해야 할 방향과 발전 과제와 같은 현실적인 문제를 먼저 보고 싶은 독자들은 2부의 3장 "무엇을 배울 것인가, 무엇을 가르칠 것인가? 어떻게 배우고, 가르칠 것인가?"에서 시작하여 3부, 4부, 5부으로 건너뛰었다가 다시 1부와 2부의 이론 부분으로 돌아가는 것도 이 책을 보다 쉽게 읽는 방법일 수도 있다.

이 부분에서는 오늘날 교육의 현장은 어떠한 문제를 안고 있는지에 대한 교육학적인 분석과 처방을 제시할 것이다. 3부에서는

'인공지능(AI)의 진화로 인간의 일자리는 사라지는가?', '기계가 인간이 할 수 있는 일을 대신하게 되면 인간은 무엇을 할 것인가?'의 질문에 진지하게 고민하면서 기술이 가져올 부정적인 영향을 최소화하고 긍정적인 영향을 극대화하기 위해 어떻게 준비하고 맞서 나갈 것인가에 관한 시사점을 구하고자 한다.

4부와 5부는 다음과 같은 문제의식에서 출발한다.

첫째, 4차 산업혁명시대에는 과학기술의 발전과 지식의 증가가 놀라운 속도로 진행되기 때문에 현장의 기술 혁신속도가 학교에서의 기술 혁신속도보다 빨라 학교교육만으로는 따라잡기가 어려워졌다. 둘째, 지금처럼 제도화되고 획일적인 학교교육 방식은 4차 산업혁명시대에 필요한 창의적이고 융·복합의 인간 양성에 적합하지 않다. 셋째, 4차 산업혁명이 가져올 기술 발전은 사회적 관점에서 디지털 기술이 다수가 아니라 소수의 전유물이 될 수 있고 이는 부의 불평등이라는 사회적 부작용을 야기할 수 있다는 점, 그리고 첨단기술의 발달로 인간과 기계의 상호작용을 통해 인간과 기계의 경계가 모호해졌을 때 인간을 어떻게 정의할 것인지, 로봇에게 자율성을 부여해야 하는지, 로봇이 가져야 할 윤리는 무엇인지에 대하여 진지하게 맞서야 할 것이다.

이와 같은 문제들의 해답은 결국 '사람의 혁신'이다. 신(新)수업모델의 도입, 특성화고등학교나 폴리텍, 학과 개편 등과 같은 학교교육의 혁신도 중요하다. 그러나 이와 같은 제도권 내의 정규교육의 혁신은 분할된 개별 학문 중심의 교과 편제, 교육 현장의 자기 파괴에 대한 저항 등과 같은 한계점을 지니고 있어 학교교육의 혁신만으로는 오늘날 우리가 직면한 끊임없는 기술 혁신의 변화에 적절히 맞설 수 없다. 그렇기 때문에 학교 밖의 평생교육의 역할이 보다 중요할 수밖에 없는 것이다.

4차 산업혁명시대는 새로운 지식을 배움과 동시에 낡은 지식이 되는 시대이고, 이 시대의 기술은 일의 성격을 완전히 바꾸는 파괴적 기술이기 때문에 끊임없이 학습하고 혁신하는 능력을 요구하고 있다. 이러한 관점에서 4차 산업혁명시대에 사람 혁신을 위한 방법론으로서 창의적이고 융·복합적 지식을 갖춘 인재의 양성을 위해 우리나라 평생교육이 지향해야 할 방향과 발전 과제를 다루고자 한다.

이 책이 나올 수 있도록 실로 많은 분들의 성원과 도움이 있었다. 일일이 거명하지는 못하나 이 자리를 빌어 그분들께 진심으로 감사의 뜻을 전한다. 특별히 바쁜 일정에도 불구하고 편집회의에 매번 빠짐없이 참석하여 저자들의 생각을 글로 정리하고 저술방향을 잡아가는 데 조언과 지도를 아끼지 않은 21세기 세계경영원 우광식 원장께 마음으로부터 깊은 감사를 드린다. 아울러 책 출판을 위해 처음부터 협조를 아끼지 않은 도서출판 책과나무의 양옥매 사장과 직원 여러분들께 고마움을 전하며 결실의 기쁨을 함께 나누고자 한다.

– 2018년 1월 11일

김병호 · 이창길

추천사 04
프롤로그 12

1부

4차 산업혁명과 인본주의 교육 담론

1장 | 혁명적인 변화 담론 22

가축화와 기마유목민족 담론
농경기술과 신석기시대 혁명
석기–청동기–철기문화 3분법과 3가지 혁명적 변화 담론

2장 | 역사적 위기 · 급변 상황에서의 인본주의 · 탈인본주의 담론 34

펠레폰네소스 전쟁에서 패배한 아테네의 소크라테스의 담론
춘추전국시대의 공자 · 맹자의 "인(仁)" 담론
르네상스 시대의 인본주의적 접근과 과학의 약진
과학지상주의 시대(Age of Reason)의 "진화" 담론
산업"혁명"담론
급격한 산업화와 마르크스 · 엥겔스의 공산주의사회 담론

3장 | 4차 산업혁명의 직업담론이 사회와 교육에 미칠 영향 48

인공지능의 가능성 · 한계
인공지능 시대의 인본주의와 전통적 인지발달론과 교육
4차 산업"혁명"과 일자리 담론

2부

4차 산업혁명과 교육의 방향

1장 | 세계경제포럼(WEF) 발 교육–일자리 경고 66

인문 · 사회 계열과 이공계 계열의 분리보다는 융합으로
소비자 기반(on–demand) 사회에 맞춘 우리 교육
전인교육과 족집게 맞춤형 교육
경험 축적과 머리 빌리기, 무등 타기
배움과 놀이, 끼 살리기 교육
쌍안경을 가지는 인문교육의 슬기를 잊지 않기

2장 | 우리 교육이 나아가야 할 길에 대한 성찰 78

다보스 포럼의 시사점 읽기
대학, 원래 목적과 성격을 살펴보기
근 · 현대 교육학자들의 가르침

3장 | 무엇을 어떻게 배우고, 가르칠 것인가? 116

대한민국 학교교육의 문제점
학교교육에 대한 혁신 노력과 방향
인공지능시대의 교육: 4차 산업혁명시대에 미래 교육이 갈 길

3부

4차 산업혁명과 미래 직업

1장 | 4차 산업혁명으로 대체될 일자리 148

자동화 대체 확률이 높은 직업
자동화 대체 확률이 낮은 직업

2장 | 4차 산업혁명과 떠오르는 일자리 162

미래 직업의 트렌드
4차 산업혁명과 함께 떠오르는 직업들의 단초

4부

4차 산업혁명시대 평생교육의 새로운 방향 모색

1장 | 4차 산업혁명과 미래사회의 변화 170

2장 | 4차 산업혁명과 교육시스템의 변화 178

3장 | 4차 산업혁명시대 평생교육의 중요성 185

4장 | 우리나라 평생교육의 현황과 문제점 192

5부

4차 산업혁명시대 평생교육의 방향과 발전과제

1장 | 4차 산업혁명시대 평생교육의 방향 206

평생교육의 목적 재정립
평생교육의 목표
평생교육의 내용적 혁신
평생교육의 방법적 혁신

2장 | 평생교육의 역할, 그 발전적 과제 232

창업의 시대를 위한 핵심 역량과 콘텐츠, 그리고 융 · 복합교육과정
공유의 시대의 플랫폼 경쟁과 협업
탈도시화, 분산의 시대에서의 시민교육
포스트휴먼시대의 인성교육

에필로그 262
참고문헌 284

1부

4차 산업혁명과 인본주의 교육담론

오랜 인류의 역사에 축적된 시간과 경험 때문에 가능해진 4차 산업혁명.
그 경험의 뿌리로 거슬러 내려가며 위기의 상황에 대처한
인류 나름대로의 대응과 애쓴 노력의 흔적을 살펴본다.

– 본문 중에서

* 1부는 강릉원주대 해람인문 44집(2017.8)에 실린 글쓴이의 글을 다듬고 재구성한 것이다.

1장

혁명적인 변화 담론

- 도구를 쓰는 사람, 가축화와 바퀴의 발명으로 기동력도 얻어
- 가축의 힘으로 농경, 수렵에서 벗어난 '신석기시대 혁명'과 취락 형성
- 석기-청동기-철기의 3시기를 거쳐 역사시대로
- 종이 · 활자 · 화약 · 나침판으로 인간의 자연 지배 시작
- 인류사의 혁명적 변화: 인지혁명 · 농업혁명 · 과학혁명

✿ 가축화와 기마유목민족 담론

가축화된 동물들: 개(*Caniuslups familiaris*)는 3만 년 전에, 양(*Ovis orientalis aries*), 돼지(*Sus scrofa domestica*), 염소(*Capra aegagrus hircus*)는 1.1만 년 전에, 소(*Bos primigenius taurus*)는 1만 년 전에, 닭(*Gallus gallus domesticus*)은 8천 년 전에, 나귀(*Equus asinus asinus*)는 7천 년 전에, 말(*Equus ferus caballus*)은 6~5천 년 전에, 라마(*Lama glama*), 거위(*Anser anser domesticus*), 누에(*Bombyx mori*), 낙타(*Camelus bactrianus*), 야크(*Bos grunniens*)는 5천 년 전에, 집비둘기(*Columba livia forma domestica*)는 4.5천 년 전에, 오리(*Anas platyrhynchos domesticus*)는 3천 년 전에 가축화된 것으로 추정된다.

* 출처: Wikipedia "Domestierung" (2017.7월 검색)

인류는 생물학적으로는 대자연 속에서 힘센 존재라기보다는 맹수들과 거대 동물에 비하면 보잘것없는 동물에 불과했다. 물론 유대-기독교의 창조설에서는 어느 피조물보다 뛰어난 영장류(靈長類)로서 하나님의 형상을 딴 존재로 부각되지만 다윈의 진화론에서는 인류가 여느 종(種)이나 마찬가지로 자연선택의 진화의 결과라는 것이다.

획득형질의 진화로만 보기에는 첫째, 인류가 도구를 쓴다는 점이 두드러진다. 물론 유인원(類人猿)에서도 도구를 쓰는 것은 인류학자들에 의해 관찰된다. 브라질 세라다카피바라 국립공원에 있는 카푸친원숭이(Capuchin monkeys, Sapajus libidinosus)들이 돌을 깨서

석기를 만드는 모습을 확인했다고 한다.[1] 둘째로, 다른 짐승을 집에서 기르는 가축(家畜)으로 만들어 그 힘을 이용하거나 그 고기를 먹게 된 점도 다르다. 고고학적 연구에 따르면 개는 이미 중석기시대에, 소 · 돼지 · 양 · 산양은 신석기시대에 가축화되었다고 한다. 오늘날 인간의 가축의 종류는 약 26종이라고 한다.[2]

가축화는 대단한 변화를 가져왔다. 돼지, 양, 소 등의 고기나 힘을 먹거나 쓰는 것 말고도, 말과 낙타는 인간이 타고 다니며 바퀴와 함께 혁명적인 이동수단의 변화를 가져왔다. 그 기동력은 정복 활동에도 이바지하면서 역사의 지도를 바꾸어 놓았다. 말의 순화는 대체로 기원전 3500~3000년경에 이루어진 것으로 보인다. 이는 매장된 말들의 두개골에 남은 앞니가 재갈에 의해 마모된 흔적에서 말들이 식용으로 잡은 야생마가 아니라 순화된 말임을 말해 준다. 순화된 말은 처음에는 기마보다는 마차에 사용되었다. 수레는 기원전 3500년경 서아시아 지방에서 원반 형태로 만들어져 소가 아니면 끌기 힘들었는데, 바퀴가 달린 가벼운 수레가 제작되면서 이를 말에 매단 이륜마차가 탄생했다. 바퀴살은 기원전 2000년께 서아시아와 유라시아 초원 지역에 광범위하게 사용되었고, 그로 인한 기동성 증대와 전투력 향상은 대규모 이동과 정복

---

1 영국 옥스퍼드대와 런던대(UCL), 브라질 상파울루대 등 국제 공동연구진은 국제 학술지 『네이처(*Nature*)』(2016년 10월 29일자)에 "야생원숭이가 석기(石器)로 깨다(Wild Monkeys flake stone tools)"로 발표했고(https://www.nature.com/articles/nature20112.), 같은 호에 "날카로운 날 하나로 도구가 되지는 않아(One sharp edge does not make a tool)"라는 사설도 게재되었다.

2 E. C. Curwen, G. Hatt Plough and Pasture: The Early History of Farming, New York Collier Books 1961 p. 78f. 이광규, 『문화인류학개론』, 일조각, 1985(수정증판), 137쪽

을 가능케 하는 결정적 요인이 되었다.[3]

농경기술과 신석기시대 혁명

셋째, 식물을 재배하게 된 점이다. 기원전 1만 년께 중동에서 곡물 재배가 시작된 것으로 전해진다. 투쌩-사마는『음식의 역사』에서 여리고(Jericho, Jordan)에서 밀이, 9천 년 전 시리아에서 곡물이, 비슷한 시기에 중국에서 쌀과 기장이 재배되기 시작했다면서 "곡물들의 대장정(大長征)"을 표로 정리했다.[4]

【표 1】 곡물들의 대장정

LA LONGUE MARCHE DES CÉRÉALES

10000	*Jéricho* (Jordanie) : blé non brisant (engrain-amidonnier) et orge à deux rangs ;
8600	*Mureybet* (Turquie) : engrain brisant ;
8000	*Dordogne* (France) : graminées sauvages ;
7500	*Haman-Subo/Hokkaido* (Japon) : sarrasin, orge et diverses céréales sauvages ;
6500	*Carpates du Sud* (Roumanie) : diverses graminées ;
6000	*Kyrokhitra* (Crète) : amidonnier ; *Mexique :* maïs ; *Europe centrale de l'ouest et Hongrie :* graminées à gros grains ; *Mauritanie :* millet sauvage ; *Balkans :* millet sauvage, engrain et amidonnier ;
5000	*Kyushu* (Japon) : millet ; *Europe méridionale :* engrain ; Cova *de l'or* (Espagne) : quatre blés et deux orges ;
4500	*Panp'o* (Chine du Nord) : millet puis sorgho ;
4000	*Danemark :* petites céréales ; *Égypte :* blé ; *Sibérie :* millet ; *Chine du Sud :* riz ;

3 김호동, 『아틀라스 중앙유라시아』, 사계절 2016, 24쪽.

4 투쌩-사마, 『음식의 역사』 Toussaint-Samat, *Histoire naturelle et morale de la nourriture*, Éditions Bordas, coll. « Cultures » 1987, p. 108의 표.

3000	*Inde* : millet, riz ; *Babylonie* : orge, millet, sésame, amidonnier ; *Afrique* : millet (d'est en ouest) ; *Éthiopie* : gros mil « cafre », orge et blé ;
2000	*Europe centrale* : seigle ; *Mauritanie* : millet cultivé ;
500	*Perse* : blé ;
400	*Italie-Grèce* : blé tendre puis blé dur ;
300	*Chine du Nord* : blé tendre de printemps (d'ouest en est) ;
300 av. J.-C.	*Japon* : riz ;
100 apr. J.-C.	*Kartboum* (Soudan) : orge, sorgho ; *Europe* : seigle (d'est en ouest) et avoine cultivée ; *Sahel - Tchad* : sorgho-éleusine ;
1400	*Lombardie* (Italie) : riz ;
1520	*Amérique* : blé ; *Europe* : maïs ;
1640	*Camargue* (France) : riz ;
vers 1800	*Australie* : blé.

그런 인간은 자신의 근력 대신 동물의 힘을 이용하고 쟁기와 같은 도구를 사용하여 집약농경시대에 이르러 농업생산력이 높아져 식량의 잉여생산이 가능해졌다. 고고인류학계에서 고든 차일드(V. G. Childe) 같은 이는 농업에 의한 생산기술의 개발을 "신석기시대의 혁명(Neolithic revolution)"이라고 부른다.[5]

집약농경을 시작하면서 인간은 한 지역에 정착하여 농업촌락을 이루게 되었고, 사회의 규모도 커졌으며 토기를 사용하여 이 시대의 문화가 그때까지 전혀 없었던 새로운 생활양식으로 들어가는 전환의 계기를 마련해 주었기 때문이다. 지금으로부터 1만1천 년 전부터 9천 년 전 사이에 인류는 농경기술을 발견한 신석기혁명 이후 수렵채집경제에서의 기아의 공포로부터 해방되었으며 생활

5 한상복, 이문웅, 김광억, 『문화인류학개론』, 서울대학교출판부 1991(수정판), 99쪽.

이 안정되어 정착하면서 취락을 이루고 사회생활을 견고하게 하였다[6]는 것이다.

석기-청동기-철기문화 3분법과 3가지 혁명적 변화 담론

인간이 선사시대로부터 겪은 엄청난 변화의 수만 년의 시기를 3개의 시대로 구분하는 이른바 석기→청동기→철기의 3시기(3-Ages)이론이 있다. 이는 덴마크 고고인류학자 톰슨(Christian Jürgensen Thomsen, 1788~1865)이 북유럽을 중심으로 한 많은 고고학적인 발굴에 바탕하여 석기→청동기→철기 3단계로의 발전이 "인류 전체에 일반적"이라고 주장에서 연유하며,[7] 이를 대체로 받아들인다.

그렇게 인류는 선사시대를 지나면서 선진 도구를 쓰는 종족이 씨 · 부족을 아우르며 고대 국가들의 탄생을 보게 되었고 바야흐로 역사시대에 들어서게 된다.

역사시대에도 인류는 대단히 혁명적인 변화를 겪었다. 인류가 발명한 위대한 발명들, 즉 종이 · 활자 · 화약 · 나침반은 문화, 파괴, 정복의 길을 열어 주었다. 오늘날에 더 다가오면 과학 지식을 활용한 여러 가지 도구들일할 때 쓰는 연장을 통틀어 생산도구는 물론, 천체 관측 망원경 등 연구 · 관찰도구도 포함과 기계의 사용은 과학혁명으로 이어졌다. 경험의 축적은 인간이 자연을 지배하려는 경향화약과 나침반이 그 경향을

6 이광규, 『문화인류학개론』, 일조각, 1985(수정중판), 137쪽.

7 Christian Jürgensen Thomsen, "Kortfattet udsigt over midesmaeker og oldsager fra Nordens oldtid", in the *Nordisk Tidsskrift for Oldkyndighed* (Scandinavian Journal of Archaeology), 1832, 1833. https://en.wikipedia.org/wiki/Three-age_system (2017.7.20 검색)

재촉과 결합되면서 혁명적인 변화를 낳았다.

인간이 자연에 순응해 오면서도, 다른 한편으로는 불의 사용과 화전(火田) 개간에서 보듯이 자연을 제 뜻대로 바꾸려는 경향은 "생육하고 번성하여 땅에 충만하라, 땅을 정복하라, 바다의 물고기와 하늘의 새와 땅에 움직이는 모든 생물을 다스리라"(창세기 1:28)는 유대의 헤브라이즘의 전통이 이어지는 서양에서 두드러지게 나타났다. 물론 동양의 대규모 치수(治水)사업을 놓고 아시아의 전제주의 담론도 있다.[8]

언어도 인지의 발달에 크게 기여하였음은 말할 필요도 없다.[9] 영(0)과 같은 추상적인 숫자 개념을 쓰는 것도 발달된 인지 덕분이다. 영(0)의 어원사전[10]을 보면 아랍권에서는 "없음(naught)"을 뜻하는 숫자이며, 서양에서는 영(0)이 프랑스에서 약 1600년부터 제로(zéro), 또는 이탈리아에서 제로(zero)로 나오기 시작하며 이것이 중세 라틴어로 제피룸(zephirum)로 나오는데 이는 아랍어의 시프르(sifr "cipher")에서 나오며 아랍어는 산스크리트의 "수냐-ㅁ"(sunya-m), 즉 빈 곳 · 사막 · 무(empty place, desert, naught)의 번역이라는 것이다. 기원전 700년 무렵 수메르의 키시에서 제작된 계산 기록에서 0은 두개의 줄로 표기한 쐐기문자로 표현되고 있다고 하며, 기원전 300년 무렵 바빌로니아의 수학자들은 계산의 편의를 위해서 0

---

8 비트포겔(Karl August Wittfogel, 1896~1988)은 『아시아적 전제주의』(*Oriental Despotism: A Comparative Study of Total Power*, 1957)에서 많은 힘이 필요한 치수관개(治水灌漑)에서 시작되었고, 이 권력형태는 빠르게 확산되어 몽골과 몽골에 의해 지배받은 러시아에까지 영향을 미쳤다는 "동양적 전제주의"를 주장했다.

9 일리인, 동완 역, 『인간의 역사』, 범한출판사, 1982, 106~107쪽.

10 Douglas Harper (2011), Zero, Etymology Dictionary.

을 사용하기 시작하였다지만, 어원을 따지고 보면 인도가 영(0)의 근원지라는 말이다.[11]

영(0)뿐만 아니라 음수와 같은 추상적인 숫자 개념의 사용은 인간이 정신적인 측면에서 두드러진 존재임을 웅변해 준다. 이처럼 호모 사피엔스(homo sapiens)[12] 중 인간은 여러모로 두드러진 존재이다.

인간은 스스로 누구인가를 사유한다. 데카르트(René Descartes, 1596~1650)의 『철학원리』(*Principia Philosophiae*, 1644)에 나오는 "나는 생각한다. 고로 존재한다.(*cogito ergo sum*)"로 요약되는 사유의 형식이 그 대표적인 예다. 또 초(超)자연적인 힘이나 존재에 대한 믿음에 바탕을 둔 종교도 인류를 동물과 구분해 주는 중요한 점이다. 카알라일이 『영웅숭배론』에서 "가장 미개한 이교도라도 아무것도 숭배하지 않는 '말'보다는 월등 훌륭하였다.(The rudest heathen [⋯] was superior to the horse that worshipped nothing at all)"고 한 것은 이를 대변해 준다.[13]

막스 베버는 종교를 사회의 핵심 세력(core force)의 하나로 보았

---

11 Kaplan, Robert. (2000). The Nothing That Is: A Natural History of Zero. Oxford: Oxford University Press. 존 그리빈, 최주연 역, 『과학의 역사』 1, 에코리브르, 2005년, 41쪽.

12 "호모 사피엔스"가 처음 사용된 것은 스웨덴의 린네(Carl Linné 1707~1778년)가 1730년 그의 저서에서 생물을 표시할 수 있는 체계적인 방법을 제시하면서 사용하였다. Carl von Linné (1758). *Systema naturæ. Regnum animale*. (10th ed.). pp. 18, 20. 이전 (2009), 「인류의 진화에 관한 논의」 『사회과학연구』 27, pp. 27~45. http://www.dbpia.co.kr/Article/NODE06679512 (2017년 7월 검색)

13 Thomas Carlye, *Hero-Worship and the Heroic in History*, p. 352 in: *Sartor Resartus, On Heros* with Introduction by Prof. W. H. Hudson, Everyman's Library No. 278, London, 1926.

다.[14] 그는 종교적인 행동으로 나타나는 것으로 의식, 설교, 예배, 희생, 축제, 신들림, 장례, 명상, 기도, 음악, 춤 등 여러 문화 형태를 들었다. 문화인류학자로 신문화사에 영감을 준 기어츠(Clifford Geertz)가 우주적 "생존질서"라고 한 것도 이와 무관하지 않다.[15]

이처럼 인류가 선사시대와 역사시대에 겪어 온 혁명적인 변화를, 이스라엘 히브리대학교 유발 하라리(Yuval Noah Harari) 교수는 2011년에 저술하여 베스트셀러가 된『사피엔스: 인류의 약사』[16]에서 인류사의 혁명적 변화 세 가지로 꼽았다. 그는 약 7만 년의 인류역사를 꿰뚫는 대단한 변화를 인지혁명, 농업혁명, 과학혁명으로 뭉뚱그렸다.

그 첫째는 약 7만 년 전의 인지혁명이다. 7만 년에서 3만 년 전의 인지혁명 덕분에 인류는 전에 없던 방식으로 생각할 수 있게 되었고, 완전히 새로운 유형의 언어를 사용해 의사소통을 할 수 있게 되었다는 것이며, 하라리는 인지혁명을 성경 속 금단의 열매를 맺는 지식의 나무(The Tree of Knowledge)로 표현하였다.[17]

둘째는 12000년 전의 농업혁명이다. 약 12000년 전 수렵사회가 농경사회로 전환된 대사건을 앞에서 보았듯이 인류학자들은 "신

---

14 Kenneth D. Allan, *Explorations in Classical Sociological Theory: Seeing the Social World*, 2005, Pine Forge Press. p. 153.

15 Clifford Geertz, "Religion as a cultural system". *The interpretation of cultures: selected essays, Basic Books,* New York, 1973, pp. 87~125.

16 Yuval Noah Harari, Yuval Noah Harari, *Sapiens: A Brief History of Humankind*, Vintage Books, London, 2011. 조현욱 역, 『사피엔스』(2016, 김영사). 영문 문고본은 498쪽이며 번역본은 600쪽을 넘는다.

17 Harari, *Sapien* P. 50

석기시대의 혁명"이라고 불렀는데, 하라리는 인간이 농경에 눈을 뜬 이후 인류의 삶의 질이 발전되었을 것이라는 일반적인 인식은 환상이자 "역사의 대사기극(history's biggest fraud)"이라는 것이다. 말더스의 『인구론』에서 인구의 폭증으로 위기를 말한 '맬서스 트랩(Malthus trap)농업생산의 양은 투입에 비해 체감하는 형태로 비례하여 증가하지만, 인구의 증가는 지수적으로 증가하기 때문에, 인류의 1인당 소득(삶의 질)이 항상 정체되어 있을 수밖에 없다는 것, 밀 같은 일부 작물에 의존하였기 때문에 수렵사회에 비하여 영양분의 고른 섭취가 어렵고 기근 등의 위협에 취약하게 되었다고 주장과 같은 것'으로 치부했다.[18]

셋째는, 약 500년 전에 시작된 과학혁명으로, 하라리는 과학혁명을 500여 년 전 즈음의 인류의 자연 탐구에 대한 인식의 변화로 설명하고 있다. 과학혁명은 사실 '무지의 혁명'이라고 했다. 우리가 모른다는 것을 깨닫고 과학자들이 자신들이 무지한 부분을 공개적으로 인정하고 있다는 점에서 기존의 지식 전통과 차별된다고 과학혁명을 자리매김했다.[19]

하라리는 과학혁명이 두 가지 '주의'와 결합되어 폭발적인 발전을 이루었는데, 그중 하나는 자본주의이고, 다른 하나는 제국주의라면서, 과학혁명의 연장선인 산업혁명을 통한 변화를 예로 든다. 먼저 산업혁명은 시간표와 조립라인에 따라 인간 활동을 시간이라는 규격에 맞추어 지내도록 만들었고, 도시화, 농민의 소멸, 산업 프롤레타리아의 등장, 가부장제의 해체 등 사회를 급변시켰다. 무엇보다 가족과 지역 공동체가 붕괴되고 국가와 시장이 그 자리를

---

18 Harari, *Sapiens* part I. cognitive revolution pp. 1~69.

19 Harari, *Sapiens* pp. 85ff.

대신하게 되었다는 점을 지적했다.

사회문제로 개인이 겪는 어려움들을 국가와 시장의 개입으로 해결할 수 있다고 믿기도 했지만 국가와 시장으로 인해 소외되고 위협당한다는 느낌을 받는다는 것이다. 지난 기간 동안 '자연선택'이라는 일관된 원리가 자연과 사회를 지배해 왔다면 이제 인류가 생명을 조작하고 만들어 내는 '지적설계'가 새로운 지배원리로 떠오르고 있고, 생명공학의 발전은 어쩌면 유인원을 세상의 주인으로 만든 인지혁명과 같은 변화를 일으켜 새로운 인류를 만들어 낼 수도 있을지 모르며 이는 돌이킬 수 없는 발걸음은 아닌지, 하라리는 걱정한다.[20]

인지의 발달, 과학의 발달이 급속도로 진행되면서 어느 순간 임계점에 이르러 폭발적인 힘으로 분출하면서 우리의 일상을 크게 바꾸고 있는 모습은 오늘날 인공지능(AI)의 약진과 사물인터넷(IoT)에서 목격된다. 하라리는 미래에 대한 걱정을 『호모데우스』[21]에서 토로하고 있다.

이는 오랜 인류의 역사에 축적된 시간과 경험 때문에 가능해진 것이다. 그 경험의 뿌리로 거슬러 내려가며 위기의 상황에 대처한 인류 나름대로의 대응과 애쓴 노력의 흔적을 인본주의적 담론으로 살펴본다.

---

20 이상은 두꺼운 하라리 책을 잘 요약하여 소개해 준 장필성, 「사피엔스 : 인류의 현재와 미래에 대한 소크라테스적 물음」 『과학기술정책』 26-4 (2016), pp. 54~57 참조.

21 Yuval Noah Harari, *Homo Deus: A Brief History of Tomorrow*, Vintage, 2017.

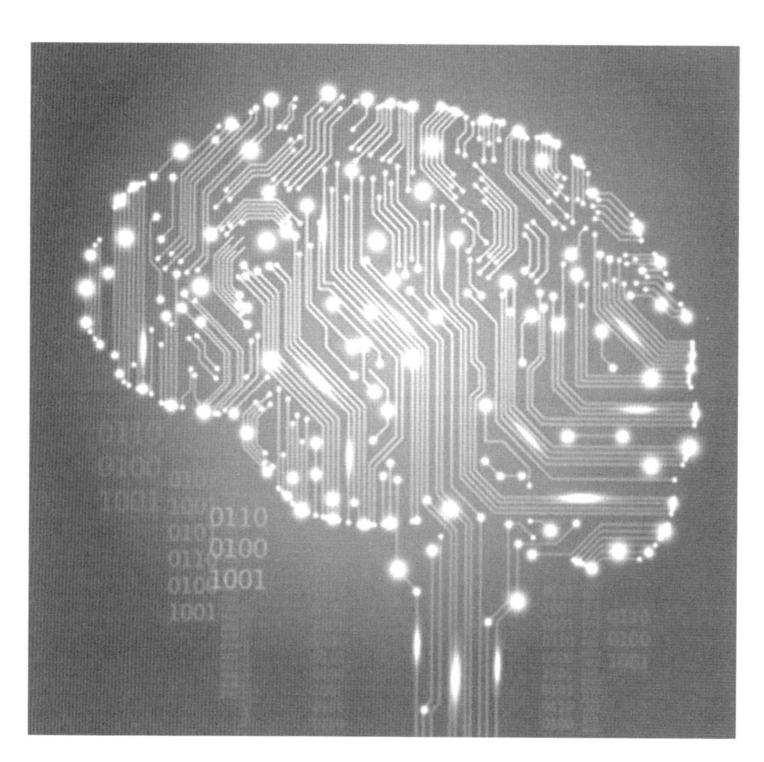

* 출처 : https://teens.drugabuse.gov/blog/post/your-brain-better-any-computer

2장

역사적 위기·급변 상황에서의 인본주의·탈인본주의 담론

- 위기의 아테네에 소크라테스의 '너 자신을 알라',
  춘추전국시대의 공자 · 맹자의 인(仁)의 가르침
- 르네상스 인본주의의 '개인적 정신' 강조와
  종교개혁의 개인적 믿음의 강조에 담긴 인본주의
- 과학지상주의 시대: '자연선택의 법칙'의 사회적 진화론 대두
- 종이 · 활자 · 화약 · 나침판으로 인간의 자연 지배 시작
- 공장제 중심의 산업혁명과 마르크스 공산주의 사회 담론

여기서 인본주의란 굳이 그리스 · 로마의 고전고대의 문헌과 철학에 대한 관심이나 현세의 인간사 및 사상에 있어서의 인간의 역할에 대한 관심을 깨우치는 운동으로서 르네상스 휴머니즘(humanism)에 국한된 개념[1]도 아니요, 인간이 만물의 척도가 되며 자연을 대상으로 삼는 인간중심주의를 표방하는 것도 아니다.

인간의 생명, 가치, 창조력을 존중하며 스스로의 노력에 의해 자아를 완성해 가는 의미에서 인간이 한가운데에 서는 그런 의미의 인본주의인간에 대한 믿음, 자아를 완성해 가는 가능성에 대한 믿음, 인류의 통합, 관용과 평화, 이성, 자신을 실형하고 스스로 될 수 있는 것이 되는 힘으로서의 사랑에 대한 신뢰로 특징지어질 수 있는 휴머니즘[2]와 공자와 맹자의 사람을 사람답게 만드는 목적 달성을 위해 인(仁)을 내세운 그런 인본주의를 포함하는 넓은 개념이다.

❖ 펠레폰네소스 전쟁에서 패배한 아테네의 소크라테스의 담론("너 자신을 알라")

고대 그리스에서 민주주의의 꽃을 핀 아테네가 참주정치의 스파르타를 맹주로 하는 펠레폰네소스 동맹에게 져서 어려움에 처

---

1 차하순, 『서양사총론』, 탐구당 1990 (제4판), 270쪽.

2 에리히 프롬, "휴머니즘과 심리분석" (1963), p. 69 및 도입 p. vii. ("Humanism, both in its Christian religious and in its secular, nontheistic manifestations is characterized by faith in man, in his possibility to develop to ever higher stages, in the unity of the human race, in tolerance and peace, and in reason and love as the forces which enable man to realize himself, to become what he can be." Erich Fromm, "Humanism and Psychoanalysis" (1963f), p. 69; cf. Introduction (1965), p. vii.)

한 상황에서, "등에(쉬파리)"와 같이 등에 달라붙어 끊임없이 둔마(鈍馬)를 일깨우는 것처럼 집요하게 "너 자신을 알라"의 가르침으로 유명한 소크라테스(Σωκράτης, 기원전 469~기원전 399)는 기원전 399년에 사형을 받아 독배(毒杯)를 마시고 생을 마감한다. 소크라테스는 이러한 집요한 문답법을 통해 자신과 대화하는 사람의 삶 특히 어떻게 살아야 하는지, 정의란 무엇인지 등을 대상으로 삼아 "무지"를 깨닫고 스스로 답을 찾아가도록 하는, 마치 산파의 조산술처럼 진리 탐구의 방법으로 삼았다.[3]

그러나 정작 그는 어떤 글도 남기지 않았던 까닭에 소크라테스 자신은 누구이며 제자들의 글에 나타나는 그가 말한 것으로 기록된 것이 정말 그의 언설인지 아니면 제자들의 생각에 소크라테스를 끌어들인 것인지, 이른바 "소크라테스 문제"를 남기고 있다. 이 문제로 인해 구체적인 언설을 놓고 학자들 사이에 논란이 이어지고 있다.

여하간 그를 기억하는 제자들의 글에서 그의 정신세계와 가르침의 방법을 들여다볼 수 있다. 소크라테스의 문답법은 제자 플라톤이 소크라테스의 언설로 이어 가고 있는 『국가』(*Politeia*)에 잘 나타난다.[4] 그 3장에 문답법에 대한 소크라테스의 언급과 그 방법론에 대한 언설에 이어, 7장에 철인통치자를 위한 마지막 교육은 문

---

3 김석환, 「소크라테스의 논박술(elechos)과 플라톤의 방법론」 『교육철학』 48(2010) pp. 23~47 참조

4 플라톤 『국가』에 나오는 소크라테스의 문답법: *Politeia* Ⅲ장 324c에 *ἡ διαλεκτικὴ μεθοδος* (he dialektike methodos)로 나온다. *elenchos* (동사 *elenchein*), 논박법으로도 번역되는데, 기원전 5세기 민주화된 아테네에서 개개인의 뛰어난 언설로 민회나 법정에서 상대방의 잘못은 드러내고 자신의 무고를 주장하는 것을 뜻했다. 헬라어 원문: https://geoffreysteadman.files.wordpress.com/2012/06/platorepublic-july12.pdf.(2017년 7월 검색) 천병희 역, 플라톤 『국가』, 도서출판 숲, 2013 번역 참조.

답법이며, 문답법의 힘, 종류, 도달하는 길에 대해 상세한 언설이 이어진다. 한마디로 말하자면, 일대일 방식의 끝장토론이고 개개인이 스스로 무지를 깨닫도록 함으로써 자아 발전의 산파 역할을 한 인본주의적인 접근법이다.

❁ 춘추전국시대의 공자 · 맹자의 "인(仁)" 담론

지금으로부터 2500년 전 춘추전국시대(기원전 771~기원전 221)에 중국 사회는 큰 변혁을 맞으며 주(周) 왕실이 쇠약해지고 각지에서 군웅의 할거로 사회는 극도의 혼란 속에 빠졌던 당시, 주유(周遊)하며 가르침을 펼친 공자(孔子, 孔丘, 기원전 551~479)는 사람을 사람답게 만드는 데에 주력하였다. 그 목적 달성을 위해 인(仁)을 강조하며 인간성 회복 및 인간화 교육, 즉 인본주의 교육을 펼쳤다.

공자의 교육 원리는 피교육자의 성향과 능력에 따른 대상에 맞는 교육의 실시, 지적 능력의 배양보다는 군자(君子)를 양성하기 위한 참된 인간 교육의 중시가 그 근간이었고, 이는 제자들과의 문답법 교육으로 나타났다. 고대 그리스의 소크라테스보다 100여 년이나 앞섰다. 이 공자의 교육 원리야말로 인간학적 특색을 지니는 교육 사상이므로, 오늘날 위기에 처한 교육의 역기능적 현실과 지구촌 사회의 몰(沒)인간적 교육 행태를 시정하기 위한 지도 원리의 진단과 처방에 있어, 시사하는 바가 크다.[5]

5 이광소, 「공자의 교육방법적 원리」『한국어문학국제학술포럼 Journal of Korean Culture』 29(2015.5) pp. 177~215.

공자의 가르침을 인본교육으로 본 이유를 들자면 다음과 같다. 첫째, 공자 교육의 중요한 원칙은 그 사람의 재능과 자질에 따라 가르쳤다는 점. 둘째, 스스로 배움에 열정을 바쳐 노력하는 자만 가르쳤다는 점. 즉 자발적인 학습을 지향하여, 하나를 가르쳐 주면 그로부터 다음을 유추하여 깨닫는 자에게만 가르침을 베풀었던 것. 셋째, 수학(受學)과 사고(思考)의 병행, 즉 배운 것을 외우는 것이 아니라, 그에 대해 깊이 숙고하고 추론하여 자기 것으로 터득하도록 요구했다는 것. 넷째, 배운 바를 이해하는 것으로 끝나는 것이 아니고, 그에 대한 실천이 뒤따라야 함을 강조했다는 점. 다섯째, 스승과 제자가 서로 주고받는 교육. 즉 교사가 일방적으로 제자를 가르치는 주입식 교육이 아니라, 늘 제자와 토론하며 서로 배우는 상보적(相補的) 교육이었다는 점. 여섯째, 대화 교육(對話 教育), 즉 제자들과의 문답식 교육이었다는 점. 일곱째, 솔선수범 교육의 실시. 공자는 특히 예를 행함(行禮)에 있어 스스로 모범을 보임으로써 제자들이 보고 따르게 했다는 것. 여덟째, 현실사회의 인간 교육. 공자의 교육 원리 중 가장 근본적인 것이 현실사회의 인간관계에 대한 문제였다는 점에서 인본주의 교사였다.[6]

공자 사후 약 백 년 후 맹자(孟子, 孟軻, 기원전 372?~289?)는 인간의 본성(人性)은 선(善)이라면서 성선설(性善說)을 주장하였다.[7] 반면, 순자(荀子, 荀況, 기원전 298?~기원전 238?)는 사람의 본성은 악하

6 이광소, 「공자의 교육방법적 원리」 177~178쪽.

7 胡適, 『中國古代哲學史』, 臺灣商務印書館 民國59년/66년(8판) 제10편 荀子以前的儒家 第2章 孟子 11면 “人的本質同是善的”

며,[8] 날 때부터 이(利)를 추구하고 서로 미워하기 때문에 그대로 두면 싸움이 그치지 않고 이를 고치려면 예의를 배우고 수련해야 한다는 주장을 폈다.

맹자는 인간의 마음에 인(仁) · 의(義) · 예(禮) · 지(智) 등 네 가지 덕(四德)의 사단(四端)이 있다고 주장했다. 인(仁)은 '측은(惻隱)의 마음', 즉 '남의 어려운 처지를 그냥 보아 넘길 수 없는 마음', 의(義)는 불의불선(不義不善)을 부끄럽게 알고 증오하는 '수오(羞惡)의 마음', 예(禮)는 사람에게 양보하는 '사양의 마음', 그리고 지(智)는 선악시비를 판단하는 '시비(是非)의 마음'의 4단(四端)이라는 것이다. 공자가 예를 실천하는 인간의 주체성을 '인(仁)'이라고 했다면, 맹자는 사단(四端)으로 공자가 말하는 '인'을 세분화(細分化)해서 그 가르침을 이어 갔다. 맹자의 가르침에는 인(仁)을 인간의 주체성으로 본 인본주의적 사상적 측면이 드러난다.[9]

르네상스 시대의 인본주의적 접근과 과학의 약진

로마 가톨릭 교회가 지배해 온 천년의 중세를 깨우는 14~16세기의 르네상스("문예부흥")는 본래 그리스 고전에 대한 '부활'이나 '재생'을 뜻하나, 중세기독교의 절대적인 신본(神本)주의와 로마 가톨릭 교회의 규범 및 전례에서 벗어나 고대 그리스의 인간 위주, 즉 인본(人本)주의로 돌아감을 뜻한다.

---

8 胡適, 『中國古代哲學史』, 民國59년/66년(8판) 제11편 荀子 第1章 荀子 33면 "人之性惡其善者僞也"

9 김준, 『맹자의 교육사상 : 인성론(人性論)를 중심으로』 울산대학교 교육대학원 석사논문 (2000) 2쪽.

르네상스 휴머니즘("인본주의")는 좁은 의미로는 그리스 · 로마의 고전고대의 문헌과 철학에 대한 관심에서 일어난 것을 뜻하고, 넓은 의미로는 현세의 인간사 및 지상(地上)에서의 인간의 역할에 대한 관심을 깨우치며, 인간성을 드높이며 세속생활을 강조하고 개성을 표현하며 비판정신을 기르는 경향을 뜻한다.[10] 『이탈리아 르네상스문화』 연구로 유명한 부르크하르트(Jacob Christoph Burckhardt, 1818~1897)는 이탈리아에서 [르네상스 바람이] 불기 시작해 [중세의] 장막을 거두면서 "인간이 정신적인 개인(geistiges Individuum)"이 되었고 "개인과 보편적인 인간다움의 인식과 묘사의 방식"[11]이 문학과 예술에 자리 잡게 되었고,[12] "15세기는 다면적인 인간의 세기"[13]로, "시대가 관찰하고 방향을 제시한다.(Die Zeit wird sichten und richten)"[14]고 언명한다.

중세~근대의 길목에서 코페르니쿠스(1473~1543), 갈릴레오(1564~1642), 케플러(1571~1630)의 지동설이 대표하듯이 서양의 관찰과 축적된 지식이 특히 과학 분야에서 돋보이며 뉴턴(1642~1727)에서 꽃피우게 된다. 동양에서 유래한 것으로 보이는 화약과 나침반이 어우러지면서 자연을 다스리고 환경을 인간의 뜻대로 바꾸며

---

10 차하순, 『서양사총론』, 탐구당 1990 (제4판), 270쪽.

11 Jacob Christoph Burckhardt, *Die Kutlur der Renaissance in Italien*, Sonderausgabe 2004 für Nikol Verlagesgellschaft mbH & Co.KG, Hamburg. (부르크하르트, 『이탈리아 르네상스』) p. 335. ([ ]는 필자의 첨삭)

12 Burckhardt, 『이탈리아 르네상스』, p. 161, 부르크하르트는 또 "개성의 발견은 자신과 다른 사람의 이해에 본질적으로 연관되게 되었다"고 보았다. p. 335.

13 Burckhardt, 『이탈리아 르네상스』. p. 168.

14 Burckhardt, 『이탈리아 르네상스』. p. 336

그 지평을 넓혀 가는 모습이 서양에서 두드러지게 나타난다.

중세기독교 로마 가톨릭 교회의 획일적인 믿음과 성사(聖事)의 독점에서 벗어나 인간 중심의 인본주의 정신은 개개인의 믿음에 따른 구원을 내세우는 루터(Martin Luther, 1483~1546)의 종교개혁으로 발전하였다. 루터는, "복음에는 하나님의 의가 나타나서 믿음으로 믿음에 이르게 하나니 기록된바 오직 의인은 믿음으로 말미암아 살리라 함과 같으니라."(『신약성경』 로마서 1장 17절)에서 "오직 믿음으로(sola fide)"를 핵심으로 제시하였다. 로마 가톨릭교회라는 기관의 그늘에 가려져 있던 개개인의 믿음과 이를 통한 스스로 완성의 길로 나아갈 수 있다는 가능성을 주었다는 점에서 인본주의는 종교에서도 빛을 발하게 되었다.

로마 가톨릭교회의 유권해석에 매어 있던 편협된 자연관과 우주관은 코페르니쿠스(1473~1543), 갈릴레오 갈릴레이(1546~1642)의 지동설과 프란시스 베이컨(1561~1626)에서 보듯이 자연관의 확대로 물러서게 되었다. 그 결과 하라리의 말대로 인류 역사의 수천 년의 기억보다는 근대에 들어 수백 년 사이에 일어나 우리가 피부로 느낄 수 있는 일상의 변화가 훨씬 더 강하다고 할 수 있다.[15]

과학지상주의 시대(Age of Reason)의 "진화" 담론

17세기의 과학혁명 이래 1830년대부터 1900년대에 이르는 시기는 그 어느 때보다도 자연과학의 진보가 눈부시게 이루어졌고,

15 Harari, *Sapiens*, pp. 395ff.

이때부터 과학이 시대를 이끌어 간다 해도 과언이 아니다. 19세기에 특히 생물과학과 의학의 발전은 특기할 만하다. 생물학에 있어서 놀라운 발전은 유기적 진화론(theory of evolution)의 예를 들 수 있다. 프랑스의 동물학자이며 철학자인 라마르크(Jean-Baptiste Lamarck, 1744~1829)는 근대적 진화론을 체계적으로 제시한 것으로 평가된다.

그의 모든 생물의 일정 방향 진화요인 내포, 환경적응능력, 자연발생적(spontaneous generation)획득형질 유전에 대한 주장은 찰스 다윈(Charles Darwin, 1809~1882)에게서 과학적인 진화론의 법칙으로 자리 잡게 된다. 베이컨의 귀납원리에 따라 아무런 이론 없이 방대한 사실들을 수집했던 다윈은 비글(Beagle)호를 타고 1831년부터 5년간 과학탐험에 나서면서 점차 진화론적 법칙으로 기울게 되었다고 한다. 수많은 관찰의 결과가 변이성과 자연선택의 '법칙'으로 자리 잡게 되었고, 새로운 것이 어떻게 발생하는가를 과학적 생물, 지질 데이터의 종합에 따른 진화이론으로 밝히고 창조자로서의 신, 본질주의의 거부, 목적론적 해석을 거부하기에 이른다.

그의 『종의 기원』(*The Origin of Species*, 1859)[16]은 급격한 산업화와 제한된 자원 속에 인구 증가를 배경으로 한 말더스(Thomas Robert Malthus 1766~1834)의 『인구론』(*An Essay of the Principle of Population*, 1798)의 "적자생존"에 영향을 받았다. 다윈은 적자생존의 자연보

16 다윈 『종의 기원』의 원래 제목은 "자연선택의 방법에 따른 종의 기원, 생존경쟁에서 유리한 종의 보존에 대하여"(*On the Origin of Species by Means of Natural Selection, on the Preservation of Favored Races in the struggle for Life*, London, 1859)로 꽤 긴 이름이다. 영문 원본: http://darwin-online.org.uk/converted/pdf/1861_OriginNY_F382.pdf (2017.7월 검색)

존원칙(the principle of preservation, the survival of the fittest)을 "자연선택(Natural Selection)"이라고 불렀다. 당시 관찰된 생물의 종과 화석으로 남아 있는 지질학적 흔적들을 보고 다윈은 "계속 진화하고 있다(are being evolved)"고 진화의 진행형을 강조하였다. 획득형질은 대를 이어가며 전해진다는데, 그 방면에서 동떨어지게 오스트리아의 수도사 멘델(Gregor Mendel, 1822~1884)의 완두콩 관찰 및 실험을 완성으로 결실을 맺었고, 바로 그해 1798년에『종의 기원』이 나온 것이다.[17]

자연과학분야에서의 생물학적 진화론은 사회학 쪽에서의 진화론과 걸음을 함께한다. 스펜서(Herbert Spencer, 1820~1903)는 말더스와 다윈의 "적자생존"을 사회 속의 개인의 자유의 측면에서 찾았다. 실증주의 사회학의 비조인 프랑스의 콩트와 마찬가지로 스펜서도 실증주의를 기치로 생물학, 심리학의 원칙 연구에 이어 사회학적 원칙, 윤리적 원칙 등을 아우르는 종합사회학을 지향했으니, 스펜서의『철학체계』[18]에 잘 드러난다.

그의『사회학』(*Study of Sociology*, 1850)은 중국에서 엄복(嚴復)에 의한 "군학이언(群學肄言)"으로 번역(1896)되었는데, 그 번역초고를 양계초(梁啓超)가 읽고 사회진화론적 시각에서 "세계사는 인종투쟁"이라고 주장하고 나서게 되었다. 이 사회적 진화론에 호적(胡適)도 영향을 받았으니 그가 본명 洪騂(홍성)을 적자생존의 適(적)자

17 1982년 다윈100주기 기념 진화론 심포지엄이 한국과학사학회 주관으로 열렸고, 동 학회지 4권1호에 결과를 싣고 있다. 양서영,「다윈100주기 기념 진화론 심포지엄 – 오늘의 진화론」한국과학사학회지 4권1호 (1982, 다윈100주기 기념 진화론 심포지엄), pp. 140~141, 140쪽).

18 Herbert Spencer, *System of Philosophy* 10 volumes, London. First Principles (1867); Principles of Biology(1864/1867); Principles of Psychology(1870/1874); Principles of Sociology(1874/1875); Principles of Ethics (1879/1892).

로 바꾼 데에서 잘 드러난다.[19]

생물학적 진화론과 사회학적 진화론이 자유경쟁과 적자생존의 원칙을 강조하는 가운데, 다윈주의는 사회적 다윈주의로 탈바꿈하여 더 우월한 민족, 더 우월한 국가가 열등한 민족, 열등한 국가를 지배하는 제국주의, 식민주의를 당연한 것으로 여기게 되는 탈(脫)인본주의로 치달았고, '진화(evolution)'와 함께 서양은 '진보(progress)' 신드롬에 빠졌다.

산업"혁명" 담론

인류의 에너지원(源)이었던 나무(木材)가 고갈되면서 그 대안으로 나타난 석탄, 철, 그리고 증기기관의 사용으로 촉발된 공장 중심의 급격한 산업화는 엄청난 속도로 도시화를 가져왔다. 공장제를 중심으로 이루어진 산업화는 정치적 혁명에 못지않게 광범위한 변화를 낳았기에, 프랑스의 대혁명(1789)이 가져온 정치사회적 격변의 "혁명"처럼, 이를 산업"혁명"이라고 불러야 한다는 것이다.

그 혁명적인 상황은 "인간의 숙련과 노역을 신속하고 규칙적이고 정확하며 지속적인 기계로 바꾸는 것, 생물적 동력을 무생물적 동력으로 바꾸고 그럼으로써 새롭고도 거의 무제한적인 에너지를 얻게 된 것, 그리고 새롭고 좀 더 풍부한 원료의 이용, 특히 식물 · 동물성 원료를 광물로 바꾸는 것"이라고[20] 변화의 깊이와

---

19 박성례, 「다윈100주기 기념 진화론 심포지엄 -양계초의 경우」『한국과학사학회지』 4권1호 (1982, 다윈100주기 기념 진화론 심포지엄), pp. 141~145.

20 D. S. Landes, "Technical Change and Industrial Development in Western Europe, 1750~1914",

넓이를 강조한다. 그러나, 산업"혁명"은 '잘못된 이름'이고 '신화'이며 기껏해야 '조용한 혁명'에 지나지 않는다는 이견도 있다.[21]

✲ 급격한 산업화와 마르크스 · 엥겔스의 공산주의사회 담론

급격한 변화는 오직 도시의 산업화로만 온 것은 아니었고, 농촌의 위기도 한몫했다. 처음에는 양을 키우기 위해 그리고 산업화 과정에서는 판매용 곡물 재배를 위해 울타리가 쳐진 인클로저(Enclosure)로 농촌의 농민들은 공유지를 잃었고, 농촌에서 삶의 터전을 빼앗긴 농민들은 도시의 공장으로 내몰렸다. 부에 대한 부자들의 획득욕과 탐욕에서 비롯된 인클로저 운동은 소수인에게로 부의 집중 현상과 더불어 농촌사회의 몰락을 초래하였고, 그 결과 많은 빈민과 무산계급이 발생하였다. 빈민들은 부랑자나 도적으로 화하였고, 이들에 대한 정부의 가혹한 형벌은 오히려 잔인한 범죄의 증가만을 조장하였다.[22] 산업화는 엄청난 도시화에 대규모 빈곤 계층의 대두, 아동 및 부녀 노동, 건강과 주거 등 여러 사회

H. J. Habkkuk and M. M. Postan eds. *The Cambridge Economic History of Europe*, vol. 6, part 1, Cambridge University Press (1965), pp. 274~601. 김영석「영국산업사회의 성립과 노동계급」, 안병직 외 지음, 『유럽의 산업화와 노동계급』, 까치 1997, 20쪽에서 재인용.

21 M. Fores, "The Myth of a British Industrial Revolution" *History* 66 (1981) pp. 181~198; R. Cameron,"A New View of European Industrialization Economic History Review, 2nd Ser., 38:1(1985) pp. 1~23; D. N. McCloskey, "The Industrial Revolution 1780~1860: A Survey" in R. Floud/D.N. McCloskey eds. The Economic History of Britain since 1780, Cambridge University Press (1981), pp. 103~127. 김영석,「영국산업사회의 성립과 노동계급」, 안병직 외 지음, 『유럽의 산업화와 노동계급』, 까치 1997, 19쪽에서 재인용.

22 토마스 모어 『유토피아』 Thomas More, *Utopia* : The Yale Edition of the Complete Works of St. Thomas More, Vol. 4. E. Surtz/J. H. Hexter(eds.), New Haven, 1965, p. 105. 김영한 『르네상스의 유토피아 사상』, 탐구당, 1989, 36쪽에서 재인용.

문제 등 심각한 후유증을 낳았다.

초기 산업화에서 앞장선 영국의 현장에서 이런 실상을 직시한 엥겔스(Friedrich Engels, 1820~1895)와 영국에서 방대한 문헌을 섭렵한 마르크스(Karl Marx, 1818~1883)는, 자본주의가 내적인 모순으로 붕괴하고 새로운 사회(공산화)로 치달을 것으로 예상했다. 그 대표적인 예가 엥겔스의 1845년의『영국노동계급의 상황』[23], 그리고 마르크스와 엥겔스가 함께 1847년 집필하여 이듬해인 1848년 발표한『공산당선언』[24]이다.

물론 그 예상은 빗나갔다. 가장 앞선 자본주의 체제에서 사회주의 혁명이 일어나지 않았고 가장 후진적인 유럽국가로서 농노제의 제정 러시아에서 사회주의 혁명이 났다. 중국의 공산정권 수립으로 이어지는 데에 그쳤지만, 세계 역사의 흐름을 바꾸어 놓기에는 충분했다. 소외된 인간을 되살리자는 인본주의적인 취지에서 출발한 "마르크시즘"[25]은 볼셰비즘과 스탈린주의를 거치면서 인간 박탈적인 전체주의로 치달았다.

러시아 못지않게 늦게까지 노예제를 시행했던 미국이 부상하면서토크비유는 그의 저서『아메리카민주주의』서문에서 당시 노예제도를 시행 중이던 러시아와 미국이 강대국으로 부상할 것을 1830년대에 예상[26] 영국을 제치고 강대국 자리를

23 Friedrich Engels, *Die Lage der Arbeitenden Klasse in England*, Barmen (Rhenan Prussia), (1848. 3.15 자 엥겔스의 서문이 있는『영국 노동자계급의 상황』. dtv 문고본(1973).

24 Kommunist Manifesto. 영문전문 Manifesto of the Communist Party by Karl Marx and Frederick Engels https://www.marxists.org/archive/marx/works/download/pdf/Manifesto.pdf(2017년 7월 검색)

25 필자가 괴팅겐에서 강의를 들은 헬가 그레빙이 마르크시즘의 휴머니즘적 요소를 강조한 대표적인 이론가로 기억된다. Helga Grebing, *Geschichte der deutschen Arbeiterbewegung*, 박경서 옮김,『독일 노동운동사』참조.

26 Alexis Tocqueville, *Démocratie Amérique* (1835) GF-Flammarion (1981) Tome 1. Conclusion

차지하게 되었는데, 이는 인류가 전기[27]를 사용하게 되면서 컨베이어 벨트로 대량생산이 가능해진 것과 관련이 있다.

급격한 공장 위주의 산업화, 조립라인에 의한 대량생산, 퍼스널 컴퓨터(PC)와 인터넷으로 생산성 혁신과 연결성(connectivity)으로 전 세계 경제는 비약적으로 발전했고 삶의 질도 높아졌다. 자동차의 기동성(mobility), 모스 부호를 이용한 전보, 축음기, 전화, 라디오, 활동사진(영화), TV 등은 인류에게 기동성과 전기-전파에 의한 연결과 소통과 함께 인류의 생활에 큰 변화를 가져왔다. 화학 분야의 발전으로 인류는 소재를 만들어 내게 되었다.

0, 1 이진법(binary)으로 자료를 처리하는 컴퓨터시대는 PC를 본격적으로 쓰기 시작하는 1970년대에 도래하였다. 휴스턴 NASA 본부에는 인류 최초의 달 착륙 아폴로 우주선1969년 7월 20일, 최초로 인간의 달 착륙에 성공한 미국의 우주선의 궤도를 전산 처리한 통제센터(command center)가 보존되어 있는데, 2002년 그곳 방문 시 안내자는 그 전체 용량이 당시 PC 1대 용량이라고 귀띔해 주었다. 옛 우주통제센터에 맞먹는 정보처리능력을 가진 개개인은 가공할 만한 정보를 생산해내고 있다. 정보의 홍수 속에 '인간-인간의 접촉'이 '기기-기기의 접촉'으로까지 진전되면서 탈(脫)인간화의 진행형과 미래형에 기대 반 걱정 반으로 갈린 상황이다.

p. 541. https://ebooks.adelaide.edu.au/t/tocqueville/alexis/democracy/complete.html(2017년 7월 검색)에 토크비유 『아메리카 민주주의』 영문전문.

27 전기의 발명 하면, 에디슨을 떠올리나 그는 직류전기를 고집했었고, 당초 교류 전기는 니콜라 테슬라(Nikola Tesla, Никола Тесла, 1856~1943)가 그 발명가다. '테슬라' 전기 자동차와 같은 이름이다.

3장

4차 산업혁명의 직업담론이 사회와 교육에 미칠 영향

- 인터넷 기술과 재생에너지 세계로 바뀌는 진행 과정에서 4차 산업혁명의 물결
- 유비쿼터스 시대와 빅브라더가 늘 관찰하는 데 산다는 걱정
- 인공지능과 로봇이 일자리를 빼앗는다는 강박감
- 종이 · 활자 · 화약 · 나침판으로 인간의 자연 지배 시작
- 루소가 길을 튼 아동의 인지발달단계, 각 단계에 맞는 교육의 피아제, 상호작용과 공동작업으로 단계를 넘을 수 있다는 비고츠키

수렵사회나 농경사회에서 노동과 휴식은 가정 속에서 분리되지 않았고, 노동시간도 수렵사회의 경우인류학자의 아프리카 쿵 부시맨, 호주의 원주민 등의 연구에 따르면 건기의 열악한 환경에서도 식량 확보를 위해 주 12~19시간 정도였고 일주일에 2~5일만 일하는 정도라고 한다.[1]

한편, 농경시대에는 농번기를 제하면 농한기는 일거리가 없이 쉬는 시간이었다. 고대 그리스의 아테네 시민이나 로마의 시민들은 노예를 거느리며 번거로운 노동은 그들에게 맡기고 지적 생활이나 향락을 즐겼다. 본래 삶의 현장이 일터였고 쉼터였으나, 산업화가 삶의 공간과 일의 공간을 분리시켰다.

인공지능의 가능성 · 한계

증기기관과 석탄과 섬유산업 공정의 기계화로 인간의 육체노동과 숙달기술이 기계의 노동과 기술로 대체되었다면, 인지능력 · 학습능력 · 추론능력으로 대변되는 인간의 지적 노동은 컴퓨터의 지능정보기술들로 대체되었다. 이로써, 인간은 이제까지 톱니바퀴와 컨베이어 벨트의 대량생산의 공장 노동이나 사무실의 화이트

---

1 R. Lee "Kung Bushman Subsistence: An Imput-Output Analysis" in: A. Vayde (ed.) *Environment and Cultural Behaviour*, N.Y. Natural History Press, 1969; F. D. McCarthy/M. McArthur, "The Food Quest and the Time Factor in Aboriginal Economic Life", C. F. Mountford (ed.) *Records of the Australian-American Scientific Expedition to Arnhem Land* Vol. 2. *Anthropology and Nutrition*, Melbourne: Melbourne University Press, 1960. 고일홍, 「문명이전의 풍요로운 사회」, 강성용/고일홍 외 (공저), 『문명 밖으로: 주류문명에 대한 저항 또는 거부』, 서울대학교 HK 문명연구사업단 문명공동연구 0-2, 2011 pp. 19~38. 27~28쪽에서 재인용.

칼라(White Collar) 노동으로부터 상당 부분 자유로워지게 되었다.

컴퓨터는 전산처리 밖에도 많은 컴퓨터 언어가 말해 주듯이 광범위하게 쓰였고, 통신체제에도 큰 변화를 가져왔다.

산업화가 분리시킨 삶의 공간과 일의 공간은, 모든 것이 초연결된 상황컴퓨터를 통한 연결성(connectivity)은 빅 데이터(Big Data), 인공지능(AI), 사물인터넷(IoT: Internet of Thing), 로봇(Robot)으로 대표되는 제4산업"혁명"의 상황에서는 재택근무와 유연근무제가 시간이 갈수록 더욱 진행되면서 더 이상 분리되지 않게 되고, 사무실이나 공장에서의 일과 같은 기본 패턴이 지배하지 않게 되고, 일하는 시간도 줄어듦으로써 잃었던 인간 삶의 본모습을 되찾을지도 모른다. 인공지능을 가진 기기가 그런 기회를 조만간 되찾게 해 줄지도 모른다. 첨단기술 덕분에 인간이 노동으로부터근육노동으로부터 그리고 정신노동으로부터도 자유로워져 마치 옛 아테네의 시민이나 로마 시민들이 누렸던 자유를 느끼며, 번거로운 노동은 그들에게 맡기고 지적 생활이나 친구 방문이나 취향에 따르는 시간을 보다 많이 가지며 삶을 즐길 수 있는 상황이 기술적으로 가능해져 보인다. 그런 가능성에 기대를 거는 측면이다.

산업화의 과정에서 생활의 편리와 함께 도시화와 노동문제와 빈곤층의 사회문제가 발생했듯이, 4차 산업"혁명"의 과정과 그 예상 결과에 대해서 기대와 우려가 교차한다. 지능정보 기술들은 인간이 필요로 하는 다양한 물건들과 서비스의 생산 및 유통의 과정을 바꾸고 인간-사물의 관계, 인간 사이의 관계에도 큰 변화를 예고한다. "세계 질서를 새롭게 만드는 동인"이자 "인류에게 새로운 삶

을 가져올 대변혁의 시작"을 예고하고 있다.[2]

인터넷 기술과 재생 가능한 에너지들이 세계를 바꾸는 것이 아직도 진행형인데 4차 산업"혁명"의 물결이 밀려오는 셈이다. 산업화, 조립라인 공정, 기동성(mobility), 연결성으로 인류는 화석연료를 과도히 사용했고, 그 과정에서 초래된 에너지 · 환경의 위기상황을 극복하려는 노력이 미완성인 채, 4차 산업"혁명"이 도래한다니, 이러한 문제들에 또 어떤 함의를 가지게 될지 궁금하다.

한편, 우려되는 면으로는 유비쿼터스(ubiquitous)언제 어디서나 존재하는 전재(全在)의 뜻이나 번역 없이 자주 사용 시대에 자신의 데이터가 누군가에 의해 감시될 수 있다는 우려가 크다. 조지 오웰(1903~1950)의 소설 『1984』(1948)[3]에서 "빅 브라더가 너를 지켜보고 있다.(Big Brother is watching you)"는 말은 모세혈관처럼 거리, 건물 곳곳에 감시 카메라(CCTV)가 설치된 오늘날의 사회에 사사하는 점이 있다. 물론 오웰은 모든 인간의 일거수일투족이 감시되고 '빅 브라더(Big Brother)'의 감시체계에 의해 조작되는 초(超)전체주의 체제그 소설이 쓰인 1948년 당시 공산국가 소련의 현실를 고발하기 위함이었다.

이는 미셸 푸코(1926~1984)의 『감시와 처벌』[4](*Surveiller et punir*, 1975)에서의 감옥 담론과도 연관된다. 푸코는 "관찰, 규범적 판단, 검사"의 실례들로 감옥, 병원, 학교 등을 들고 있다. 그는 사

---

2 김정욱 · 박봉권 · 노영우 · 임성현, 『2016 다보스 리포트: 인공지능발 4차 산업혁명』, 매일경제신문사, 2016, 83쪽.

3 오웰, 권지야 역, 『1984』, 을유문화사, 2012; George Owell, *Nineteen Eighty-Four. A Novel*, 1948.

4 푸코, 『감시와 처벌』 Foucault, Michel (1975). *Surveiller et punir : Naissance de la prison*, Paris : Gallimard, 1975

회 전반에 걸쳐 감시하고 규율하는 '규율 사회'로의 예를 정신병원, 종합병원의 역사적 발달에서 파헤친다. 이미 1787년 벤담의 책[5]에 한 사람이 한곳에서 모두를 감시할 수 있는 판옵티콘[6](Panopticon, 그림 참조) 감옥 구조가 나온다. 어디서나 늘 누군가에게 관찰당하는 인간의 걱정은 근대 과학의 발전과 함께해 왔다.

【그림 1】 제레미 벤담 판옵티콘 중범죄자 감옥의 구조

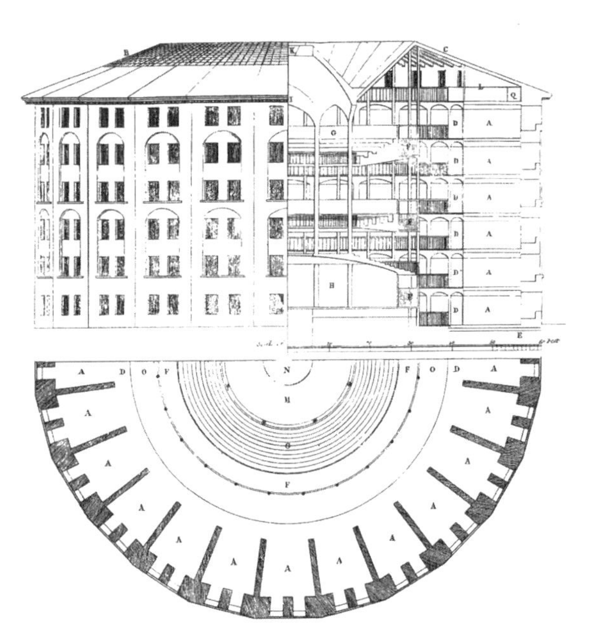

* 출처: Willey Reveley의 1791년 그림,
Wikipedia https://en.wikipedia.org/wiki/Panopticon, 2017.7월 검색

---

5 Jeremy Bentham, Panopticon: or the Inspection House, Thomas Byrne, Dublin, 1787, 원문: https://books.google.co.kr/books?hl=ko&lr=&id=NM4TAAAAQAAJ&oi=fnd&pg=PA1&dq=jeremy+bentham+panopticon+writings&ots=Y1hMBWXT4z&sig=JuC0TT0NVdswkLGrHmtexiMSKi8#v=onepage&q=jeremy%20bentham%20panopticon%20writings&f=false (2017년 7월 검색)참조.

6 그리스 신화에 나오는 온몸에 눈이 있는 판옵테스(Argus Panoptes)에서 유래. 한 곳에서 전체를 감시할 수 있는 구조의 중형자 수형시설. pan(all)+opticon(←opticos=optic).

【그림 2】 온몸에 눈(眼)이 있는 판옵테스, 헤르메스(Hermes)가 죽이는 장면

* 출처: https://en.wikipedia.org/wiki/Argus_Panoptes#/media/File:Hermes_lo_Argus.jpg (2017.7월 검색)

인공지능과 로봇에 대해서는 명암이 교차된다. 인간의 지능에 가깝게 기계에 데이터를 입력하여 학습시킨 결과, 인공지능이 인간에 버금가거나 이제는 인간을 뛰어넘는 현상을 보이고 있는데 2016년 3월 15일 구글의 알파고(AlphaGo)가 이세돌 바둑 9단을 4:1로 이긴 사건에 이어, 알파 제로가 인간의 기보(棋譜) 학습 없이 딥러닝의 기계학습으로 "신의 한 수"를 두면서 인간을 능가해 가고 있는 것이 그 대표적인 예이다.

그런 인공지능에 거는 기대와 낙관론 못지않게 걱정과 비관론[7]

7 "2030년 인간의 의식을 컴퓨터에 업로드 가능하다." (레이커즈와일 미래학자) "비(非)지도학습이 획기적으로 진전하여 50년 후에는 인간을 능가할 것이다." (개리 코트렐교수), "안전한 AI를 만들 확률은 5~10%에 불과하다." (일론 머스크, 테슬라 창업자) "인간의 사악한 면모를 못 닮게 가르쳐야 한다." (크리스토프 말스버그교수) 동아일보 (2017년 12월 11일자)

도 만만치 않다. 당장에 제기되는 걱정 중의 하나는, 공장생산 공정에 등장했던 로봇이 이제는 의료 등 우리 생활에 가까이 다가오면서 사람의 일자리를 로봇이 빼앗아가는 것은 아닌가라는 것이다. 2016년 1월 다보스 세계경제포럼(WEF)에서 세계경제포럼 회장 클라우드 슈밥은 4차 산업혁명시대의 도래를 선언하면서, "기술이 급격히 진화하면서 노동자들의 일자리가 줄어드는 등 우리 삶 전반에 거대한 영향이 미칠 것"이라고 말했다.[8] 일자리에 큰 영향을 끼친다는데, 그런 상황에서 아이들 교육은 어떻게 해야 하며 일자리에 영향을 받게 될 성인들의 교육은 어떠해야 할지 고민하지 않을 수 없다.

✵ 인공지능 시대의 인본주의와 전통적 인지발달론과 교육

2016년~2017년 초등학교에 입학한 어린이들의 3분의 2는 현재 존재하지도 않는 일자리에서 일하게 될 것이라는 상황이 도래한다는 전망을 읽으면서 우리 교육에 대해 다시 생각해 보게 되는 계기가 되었다. 더불어 아이들에게 '무엇을, 왜 가르칠 것인가'를 둘러싼 질문들은 우리를 인본주의 교육 담론과 연계된다. 기계가 섬유공정의 일을, 로봇이 자동차 조립의 일을 해 주었듯이, 앞으로 단순한 지식의 습득이나 지식들의 조합은 인공지능을 장착한 로봇이 훌륭히 해내는 상황을 상정하고 과연 어떠한 교육을 해야 할지에

---

8 Klaus Schwab, Richard Samans *The Future of Jobs*, WEF, 2016. www3.weforum.org/docs/Media/WEF_FutureofJobs.pdf (2017년 7월 검색) 참조.

대해 깊은 성찰이 필요할 때이다.

이제까지는 뭘 좀 아는 것(know-what)이나 어떻게 하는 방법(know-how)이 중요했고 이를 테스트해 왔다면, 앞으로 이런 것들은 인공지능 시대에 그리 중요하지 않고, 인간은 기기가 할 수 없는 보다 근본적인 문제를 "왜"라는 질문과 함께 문제의 핵심을 파고드는 "노 와이(know-why)"의 자세가 더 중요해진다. 인공지능의 기기가 잘할 수 있는 어느 특정 분야에 국한된 지식과 경험보다는, 두루 꿰뚫어 아우르고 슬기로운 판단을 내리는 지혜로운 사람이 되는 것을 지향해야 한다. 그런 종합적인 시각과 사유를 할 수 있는 사람을 길러 내는 교육이 그 어느 때보다 필요해진다.

2015년 세계경제포럼(WEF)이 "미래의 교육 비전"(World Economic Forum, *New vision for education: Unlocking the potential of technology*. Colony/Geneva, 2015)에서 제시한 4차 산업혁명시대에서 요구되는 핵심 기술은 (1) 기초 문해(foundation skills), (2) 역량(competencies), (3) 인성 자질(character qualities)이다. 먼저, (1) 기초 문해는 일상생활에서의 핵심 기술의 적용과 관련되는 인지적인 역량을 뜻한다. 그리고 (2) 역량은 ① 비판적 사고/문제해결(critical thinking/ problem-solving), 즉 학습자의 비판적인 사고능력과 이를 토대로 한 문제 해결 과정이 중요하게 인식됨에 따라 문제 해결 과정 전체를 아우르는 학습자의 역량, ② 창의성(creativity), 즉 새로운 지식을 탐구하고 창출할 수 있도록 창의력, ③ 의사소통(communication), ④ 협력(collaboration)으로 이루어진다. 마지막으로, (3) 인성 자질은 ① 창의성(creativity), ② 주도성, ③ 일관성/도전정신, ④ 적응력, ⑤ 리더십, ⑥ 과학 및 문화로 이루어진다.

연결과 융합의 4차 산업"혁명"이 가져올 엄청난 변화가 곧 다가올 미래에 대처하고 적응할 수 있는 능력을 키워야 한다. 교육심리학적 측면에서 역량과 인성 자질의 요소를 살펴보면, 역량과 인성 자질을 구성하는 하위 요인들이 서로 중복되어 있음을 알 수 있다. 이 요소들을 바탕으로 하는 교육의 목표는 '복합적인 문제 해결력과 융합적인 사고, 로봇으로 대체 불가능한 감성적 지능을 가진 인재 양성'이라고 할 수 있다.

무엇보다 적응하는 태도로 미래를 준비하려면 가장 필요한 것은 유연한 사고가 가능한 창의적인 인재를 양성하는 것이다.[9] 융·복합의 4차 산업"혁명"에 그런 인재가 필요하다는 것인데, 인공지능의 모델인 인간의 인지 발달에 대한 고전적인 견해를 살펴봄으로써 현재·미래를 가늠해 볼 수 있는 실마리를 찾을 수 있다.

(1) 계몽주의 시대의 루소의 담론('자연으로 돌아가라')

그 첫 실마리는 18세기의 계몽주의 사상가 가운데 루소(Jean-Jacuqe Rousseau, 1712~1778)에서 찾을 수 있다. 그는 "인간은 본래 자유인으로 태어났다. 그런데 어디서나 쇠사슬에 묶여 있다."는 문장으로 그의 명저『사회계약론』[10](1762)을 열고 있다. "인간은 태어나면서 선(善)하고 사회는 그를 타락시킨다."라는 그의 언명에는 논란이 뒤따른다.

---

9 이선영, 「4차 산업혁명시대의 교육심리학」『한국교육학연구』 23권 1호, 2017 pp.231~260, 239쪽 인용

10 루소, 이환 역, 『사회계약론』 서울대학교출판부 (1999), 185쪽. 사회계약론 상세 내용은 *The Social Contract, or Principles of Political Right* (*Du contrat social*, 1762) http://www.gutenberg.org/files/46333/46333-h/46333-h.htm(2017년 7월 검색) 참조.

루소의 성선설적 주장에 대해, 부르크하르트는 프랑스혁명 이래 인간성이 대체로 나쁜 방향으로 변하였다고 보면서 그 이면(裏面)에 루소가 있다고 지적했다. 그렇게 나쁜 방향으로 바뀐 원인으로 "첫째 성선설이라는 근본적으로 잘못된 해로운 교설(敎說)이며, 그 교설은 루소가 사람들의 뇌리에 심어 놓은 것으로서 그것이 끝없는 탐욕과 거칠 것 없는 진보에서 믿음을 사람들 속에 눈뜨게 하였다고 말한다. 또 이 성선설의 영향에 더하여 기계, 석탄과 철에 의한 경제생활에서의 영국의 범례(範例)의 영향이 있었다고 부르크하르트는 생각한다."[11]

루소의 첫 데뷔작 『인간불평등기원론』(1754)[12]에 인간 본성의 근본선(善) 논증이 있다. 그에 따르면, 문명의 발전으로 말미암아 사람들의 자연스러운 행복 · 자유 · 도덕이 타락하고, 부자연스럽고 부당한 불평등이 발전했다는 것이다. 루소는 소설 『신 엘로이즈』(*Nouvelle Héloise*, 1760)에서 인위적이고 퇴폐적인 문명을 비판하고 소박하고 단순한 생활로 돌아가라고, 그리고 『에밀』[13](*Émile*, 1762)에서 교육의 목적이 지식의 주입보다는 개인의 잠재능력과 개성을 계발시키라고 주장하였다.

『에밀』에 담긴 교육 철학적 담론을 "자연으로 돌아가라"로 요약

---

11 프리드리히 마이네케 「랑케와 부르크하르트」 Friedrich Meinecke "Ranke und Burckhardt" in Meinecke, *Aphorismen und Skizzen zur Geschichte*, Stuttgart pp. 143~165. 이광주(편), 『역사와 문화』, 문학과지성사 1992(7판), pp. 75~95 「랑케와 부르크하르트」 83쪽에서 인용.

12 루소, 『불평등기원론』 *Discours sur l'origine et les fondements de l'inégalité parmi les hommes*, 1754.영어 번역문 전문 http://www.constitution.org/jjr/ineq.htm(2017년 7월 검색)

13 루소, 『에밀』 *Émile, ou de l'éducation*, 1762. *Emile, or On Education*, http://www.gutenberg.org/files/30433/30433-h/30433-h.htm. (2017년 7월 검색). GF-Flammarion,Paris 1966.

해 말하지만, 사실 루소는 어느 저서에서도 이런 말을 남기지 않았다.[14] 그보다 루소의 일관된 주장은 인간의 본성의 회복이라고 할 수 있다. 또 아동은 어른의 축소판이 아니며 또 그렇게 다루어서도 안 된다고 주장한다. 개개인이 아직 사회에 의해 타락하지 않은 자신의 태생적인 선한 본성을 발전시킬 수 있어야 한다는 점을 강조한다.[15] 한 소년이 어린 시절부터 성인이 되어 결혼할 때까지 지혜가 뛰어나고 매사에 간섭하는 가정교사 밑에서 자라난다는, 매우 비현실적인 이상을 제시했지만, 루소는 아동의 성장에 있어 매우 중대한 통찰을 보여 주었다.

또 아동의 정신적 발전 단계에 따른 맞춤식 교육의 필요성을 강조하였다. 루소의 『에밀』 제1권은 영유아기를, 제2권은 2세~12세의 아동을, 제3권은 12~15세의 아동을, 제4권은 15~20세의 청소년을, 그리고 제5권은 20~25세의 청년을 다루고 있는데, 인간 발전 단계를 다섯 단계로 구분해 볼 수 있다. 즉, 유아기감각을 의식하기 이전 단계, 아동기제1의 자연적 성향인 쾌락의 원칙에 따라 행동하는 시기, 소년기제2의 자연적 성향인 유동성의 원칙에 따라 지적능력이 개발되는 시기, 청년기제3의 자연적 성향인 이성적 판단에 따라 독립적으로 행동하는 시기, 성년기제4단계 밖의 한 단계가 있어 개인적으로 성숙한 남녀가 만나 사랑과 이성적 판단을 하여 가정을 이루는 시기이다.[16] 2~12세, 12~15세, 15세~20세의 각 단계마다 지 · 덕 · 체(智德體)

---

14 Wolfgang Mieder: Verkehrte Worte, Wiesbaden 1997.

15 Leslie Forster Steveson, David L. Haberman, Ten Theories of Human Nature, Oxford University Press, 1998, 레슬리 스티븐슨. 데이비드 L. 헤이비먼, 박중서 옮김, 『인간의 본성에 관한 10가지 이론』, 갈라파고스 2006, 217~218쪽에서 인용.

16 김명윤, 「『에밀』에 나타난 루소의 교육방법」, 상명대 『인문과학연구』 14(2004) pp. 1~19.

교육을 골고루 강조하고 있는 점[17]이 주목된다.

(2) 피아제와 비고츠키의 고전적 인지발달론과 유전-환경담론

그런 선구적인 인지 발달 가설에 대해 스위스의 교육철학자 장 피아제(Jean Piaget, 1889~1980)는 관찰 결과를 바탕으로 아동의 구체적인 인지발달설로 대응한다. 그는 2세 미만의 감각운동기(La période de l'intelligence sensorimotrice)를 보다 세분하여 1~6단계)로 나누어, 자극에 대한 단순한 반사적 행동의 제1단계(0~1개월), 반사적 행동이 변화하여 엄지손가락을 빠는 등 손과 입의 협응(協應, coordination)행동의 제2단계(1~4개월), 사물을 만지작거리는 같이 사물로 아동의 행동이 지향해 가는 제3단계(4~8개월), 처음으로 지능의 활동을 이루는 제4단계(8~12개월), 장난감 같은 사물을 다루는 제5단계(12~18개월), 어른 손에 쥔 동전과 같이 숨은 물건에 관심을 보이는 제6단계(18~24개월) 등에 대해 수많은 관찰을 바탕으로 기술하고 있다.[18]

그에 따르면, 2~7세의 전(前)조작적 사고기(La période de l'intelligence préoperatoire)에는 언어와 사고, 행동의 사회화, 미술적 직관과 운동기능 습득이 가능해지며, 7~11세의 구체적 조작기(La période des operations concrète/La période de l'intelligence operatoire)에는 보존개념 습득 및 서열화 · 계열화가 가능해지며, 11세 이후의 형식

---

17 *Émile, ou de l'éducation* GF-Flammarion,Paris 1966. Introduction pp. 16~18.

18 Barry J. Wadsworth, *Piaget's Theory of Cognitive Development: An Introduction for Student of Psychology and Education*, 1972, David Mckay Company, New York, 1972, 정태위(鄭兌煒) 옮김 『피아제의 인지발달론』 교육신서 19, 박영사, 1993(중판) 64~101쪽.

적 조작기(La période des operations formelles)에는 추상적 · 이상적 사고 발달이 이루어지는 등 단계적 발전이 이루어지므로, 이를 무시하고 강요된 교육의 무용론을 주장하였다.

지금의 인공지능이나 이를 탑재한 로봇이 구체적인 사물의 개념적 이해 그리고 더 나아가 추상적인 개념을 소화해 내는 능력에 대해서는【그림 3】이 시사하는 바가 있다.

【그림 3】

* 출처: Barry J. Wadsworth, 정태위(鄭兌煒) 옮김, 『피아제의 인지발달론』 29쪽

서방에서 피아제가 제시한 인지발달이론이 아동 스스로에 맞춰가며 개인적인 측면을 강조하고 태생적 · 유전적인 면을 강조한 것이라면, 폴란드 출신의 븨고츠키(Lev S. Vygotsky, Лев Симхович Выгодский, 1896~1934)는 아동을 둘러싼 사회성을 강조하며 피아제의 태생적 발달단계별 층계를 넘어마치 건물을 세우거나 고치려고 비계

(scaffolding)를 설치하여 높은 곳에 이를 수 있듯이 선생이나 월등한 또래와의 상호작용을 통한 공동작업으로 이를 뛰어넘을 수 있다고 주장한다. 비고츠키는 아동 스스로 문제 해결을 할 수 있는 실제 발달수준과 다른 사람의 도움이나 지도 아래 문제를 해결할 수 있는 잠재적 발달 수준에는 차이가 있다는 "근접발달지대/영역, 가능적 발달범위(Zone of Proximal Development: ZPD)"이론을 제시하였다. 개개인의 태생적인 요인 못지않게 개인을 둘러싼 사회적 · 환경적 요인도 중요하다는 점과 실제인지능력과 잠재인지능력의 갭(Zone)을 강조한 것이다.[19]

피아제가 인지발달에서 개인적인 심리적 생물학적 차원을 강조한 것이라면 비고츠키는 인지발달에서 사회문화적, 즉 환경적 요인을 강조하여, 인지발달에 대한 고전적인 이론에서도 서방진영 대 사회주의 진영의 유전 대 환경의 거대 담론이 읽힌다.

4차 산업"혁명"과 일자리 담론

4차 산업혁명이 주제였던 세계경제포럼(WEF)에서 슈밥 회장은 "인재 부족, 대량 실업, 불평등 심화 등 최악의 시나리오를 피하고 시대적 변화를 추구하기 위해서 국가들은 노동시장 변화를 위한 투자에 나서야 한다."고 주문했다. 교육 분야, 특히 성인 교육 프로그램에 대한 투자는 노동시장 개혁을 위한 첫걸음이 될 수 있

19 심우엽, 「Vygotsky의 이론과 교육」『고등교육연구』 16-1, 2003, pp. 207~223. 이근재, 「사회적 상호작용학습을 통한 가능적 발달범위(ZPD) 연구」『부산교육학연구』 15권 1호. 2002 pp.143~154는 "가능적발달범위"로 풀어 새겼다.

고, 올해 초등학교에 입학한 어린이들의 65%는 현재 존재하지도 않는 일자리에서 일하게 될 것이며 이에 미래 변화에 대비할 수 있는 교육이 핵심이라는 점을 강조했다.[20]

슈밥이 2016년 WEF에 앞서 15개국 350개 기업의 임원을 대상으로 한 조사 결과를 담은 "일자리의 미래"보고서(Klaus Schwab, Richard Samans, *The Future of Jobs*)에는 지능정보화 기술의 발전은 2015년에서 2020년까지 단 5년 사이에 세계적인 규모의 직업군의 변화를 일으킬 것이며, 그 영향을 전 세계 고용자 중에서 약 3분의 2의 노동자가 받을 것으로 보았다. 즉, 2020년까지 전 세계에서 710만 개의 직종이 사라질 것이며, 200만 개의 직종이 새로 생겨나 대략 510만여 개의 직종이 순감(純減)할 것이라는 예측이다.[21]

여기서 주목해야 할 점은 화이트칼라 노동자들이 가장 타격을 받을 것이라는 점이다. 사무직 · 행정직군들은 전체 직업군들 중에서 세 번째로 높은 비중인데, 4차 산업혁명에서 가장 큰 타격을 받을 것이라고 한다.[22]

20 Klaus Schwab, Richard Samans *The Future of Jobs; Employment, Skill and Workforce Strategy for the Fourth Industrial Revolution, Global Challenge Insight Report*,(WORLD ECONOMIC FORUM Publishing, 2016. www3.weforum.org/docs/Media/WEF_FutureofJobs.pdf (2017년 7월 검색).

21 *The Future of Jobs*, 2016, p.13.

22 *The Future of Jobs*, p.14.

COMMITTED TO
IMPROVING THE STATE
OF THE WORLD

Executive Summary

The Future of Jobs

Employment, Skills and Workforce Strategy for the Fourth Industrial Revolution

January 2016

2부

4차 산업혁명과 교육의 방향

지 · 덕 · 체를 균형 있게 발전시키는
기본적인 교육의 내용은 지킬 필요가 있다.
젓가락을 쓰는 손재주, 놀이문화 등 우리 나름대로의 장점을 살리고,
언젠가 서양의 축적된 경험과 시간이 막다른 골목에 이를 때
그 대안을 우리의 과거 시간과 경험에서 찾을 수 있다.

– 본문 중에서

1장

세계경제포럼(WEF) 발 교육-일자리 경고

- 자연과학과 철학이 늘 함께 가는 서양의 전통, 융합 교육을 강조하는 WEF: 인문사회-이공계의 분리 반성
- 지 · 덕 · 체의 전인교육 기조는 지켜야
- 개별 발표와 토론 속에 서로 배우는 교육을 지향해야
- 대중을 상대로 하는 개방형 온라인 교육시스템(MOOC) 못지않게 중요한 소규모 교육수요에도 적극 부응해야
- 축적된 경험의 서양과 동양의 문 · 사 · 철 전통을 살리는 교육이라야 먼 미래에는 승산
- 놀면서 배우는 레고의 정신과 우리의 끼를 살리는 교육이 되어야
- 고전의 과거, 현대의 현재의 쌍안(雙眼)을 가지는 고전교육을 살려야

❁ 인문 · 사회 계열과 이공계 계열의 분리보다는 융합으로

사무직 · 행정직군들이 4차 산업혁명에서 가장 큰 타격을 받는다는 것은 인문 · 사회계열에 속한 전공 학생들의 일자리의 악화, 청년 실업률의 증가를 뜻한다. 국내 인문 · 사회 계열 학생들의 취업 문제는 이미 2000년대부터 악화 추세인데 엎친 데 덮친 격이다.[1] 특히 인문학 쪽이 바짝 긴장할 대목이다. 그렇지 않아도 취업과는 다소 거리가 먼 이들 학과의 구조조정 문제가 현안인 상황에서 악재인 셈이다.

그런 상황에 돌파구는 근시안적으로 그런 전공은 줄이고 융 · 복합 학과들을 세우기만 하면 되는 것인가? 아니라고 본다. 대다수 졸업생들이 컴퓨터 전문가나 공학 기술자로 취업한다는 것은 구조적으로 불가능한 일이기 때문이다.[2] 기초과학에 기반 하지 않는 첨단공학의 발전은 어느 정도 포화상태에 이르면 한계를 갖기 마련이라는 주장이다.

우리보다 앞서간다는 서양에서 자연과학과 철학이 늘 함께 가는 전통이 있다는 점을 염두에 두어야 한다. 과학"혁명"의 시기라 할 수 있는 17세기에 활약한 베이컨(Francis Bacon, 1561~1626)은 네 가

---

1 이은정, 「변곡점에 선 한국의 대학교육과 4차 산업혁명 : 지식담론에서 교육담론으로의 전환 필요성」(명지대) 『인문과학연구논총』, 38(2), 2017.5, 141~181. 한국교육개발원, 「2015 고등교육기관 졸업자 건강보험 및 국세DB연계 취업통계연보」, 교육통계서비스 공개자료실 http://kess.kedi.re.kr(2017년 7월 검색)

2 이은정, 「변곡점에 선 한국의 대학교육과 4차 산업혁명 : 지식담론에서 교육담론으로의 전환 필요성」(명지대) 『인문과학연구논총』, 38-2 (2017.5), pp. 141~181. 156쪽.

지 우상(idol)으로부터 인류를 해방시키는 것이 자연에 대한 참다운 지식에 도달하게 할 수 있는 열쇠라고 강조하였다. 그 자신은 밖에서 얻은 닭을 관찰하다가 독감에 걸려 죽기도 할 정도로 경험을 중요시하였다. 베이컨의『신기관』(1620)[3]LII에 나오는 ① 종족의 우상(idola tribus), LIII~LVIII에 나오는 ② 동굴의 우상(*idola specus*), LIX~LX에 나오는 ③ 시장의 우상(*idoa fori*), LXI~LXII에 나오는 ④ 극장의 우상(*idoal theatri*)상.

우상(idols)이란 진리를 오도하는 이미지(delusive images of truth)로서, 동굴의 우상은 플라톤의『국가』에 등장하는 동굴의 비유를 연상시키며, 종족의 우상은 인간성에 내재한 모든 인간에 공통된 우상으로서 수많은 모습으로 나타난다. 이 둘이 인간의 자연적인 성향에서 생기는 '자연적 우상'이라고 한다면, 시장의 우상은 (국제) 시장에서 서로 말이 달라 엇갈리는 것으로 가장 성가신(troublesome) 우상이고, 허구(fiction)의 극화에 빠지는 극장의 우상으로 전통적인 권위 등에 반성 없이 매달려서는 안 된다는 것이다. 이 둘은 사람들과의 사회적인 관계에서 생기는 '사회적 우상'이라 할 수 있다.

"나는 생각한다. 고로 존재한다.(*cogito ergo sum*)"의 철학자 데카르트(René Descartes, 1596~1650)는 포병장교 출신에 걸맞는 "기하학(*La Dioptrique*, 1637)"뿐 아니라 "굴절광학(*La Dioptrique*, 1637)"을 비롯한 많은 자연과학적인 성찰도 했다. 데카르트의『철학의 원리』(*Principia Philosophiae*, 1644)에서는 "기계류를 능숙하게 다루는 사람들이 기능을 아는 특정 기계를 택해 그 구성부들의 일부를 살펴봄

---

3 *Novum Organum* http://www.constitution.org/bacon/nov_org.htm(2017년 7월 검색)

으로써 나머지 볼 수 없는 부분들의 설계를 쉽게 추측"하듯 자신도 "자연에서 감지할 수 있는 효과와 부분들을 숙고한 후 이를 일으키는 지각 불가능한 원인과 입자들을 찾아내고자 하였다."[4]

아리스토텔레스는 말할 것도 없고, 철학자 칸트(Immanuel Kant, 1724~1804)도 과학적인 저술이 꽤 있고 실증주의 철학의 비조 콩트(Auguste Comte, 1798~1857)의 『실증철학요강』(*Cours de Philosophie Positive*, 6권, 1830~1842)[5]의 제1권은 일반서설에 이어 수학, 천문학, 물리학, 화학, 생물학을 다룬 다음 사회과학을 다루어, 자연과학의 분야들을 섭렵하고 실증사회학으로 나아가고 있는 것이다.

우리 고등학교 과정이 문과와 이과로 나누어져 있고 대학도 이공계와 인문 · 사회계로 나뉘어 분절된 채 협업이 잘 이루어지지 않는 점과 대조적이다.

소비자 기반(on-demand) 사회에 맞춘 우리 교육

플라톤이 이상 국가를 꿈꾸며 싸움은 용기 있고 힘센 사람들에게 맡기고, 돈 버는 일은 절제의 덕을 갖춘 사람에게 맡기되, 지혜로운 사람에게 나라를 맡기자는 주장을 편 것[6]은 스파르타에 패배한 아테

---

4 *Principia Philosophiae* CSM Vol. I. pp. 288~289. 김봉국, 「연장된 신체로서의 도구: 데카르트의 망원경 이론」 『한국과학사학회지』 30권 1호 (2008) pp.79~108에서 재인용.

5 M. Auguste Comte, *Cours de Philosophie Positive* 콩트, 『실증철학요강』 원문 http://www.gutenberg.org/files/31881/31881-h/31881-h.htm 참조(2017년 7월 검색)

6 Platon, *Der Staat* (*Politeia*), Reclam, Stuttgart 1997, Buch V~VII, 특히 V 17~VI 14.) 물론 동양에서도 철학자를 지도자로 삼아야 한다는 주장이며, 공자 · 맹자는 물론 묵자(墨子)같은 이도 "성인[=철학자]이 한 나라 · 천하를 다스리면 그 나라 · 천하의 부를 증가시킬 수 있다"(節用 上)고 주장했다.

네의 정치 상황에서 스승 소크라테스가 '악법도 법'이라면서 독약을 먹고 죽는 정치 상황에 환멸을 느낀 그 당시 분위기에서 이해해야 한다. 그런 배경에서 그가 꿈꾼 국가는 현실과는 동떨어진 이상 국가요, 서양의 인위적, 철저한 통제 하의 독재국가 같은 발상이라는 비판은 받아 마땅하지만, 위기 상황에서 나온 유토피아적 성찰의 결과로서는 참고할 점이 없지는 않다. 이상적인 플라톤적 사유 방식에서는 철학을 가장 쓸모 있는 만학(萬學)의 학으로 부각시켰다.

그런 플라톤보다는 오히려 "네 자신을 알라"는 1:1의 질문으로 가르친 그의 스승 소크라테스에게서 우리는 더 지혜로운 시사점을 얻을 수 있다고 본다. 왜냐하면 1:1의 대응이 그 어느 때보다 중요해지는 사회가 도래하기에 그렇다. 19세기의 급격한 산업화에서 공장 위주의 대규모 생산에 장인(匠人)식 맞춤 생산은 그 설 자리를 잃었고, 미국에서 시작된 컨베이어 시스템의 연결 조립방식의 공정으로 획일화된 대량생산에 사람들은 기성(ready-made)제품에 맞추는 소비에 익숙해졌다. 그러나, 이제 첨단기술의 융·복합과 정보통신기술과 범세계적 공유에 의해 백만 개의 대량생산이 아니라 개개인의 취향에 맞는 백만 개의 개별 생산의 소비자 기반(on-demand) 생산이 새로운 추세로 자리매김해 나갈 것이라고 한다.

1:1 대응이 그 어느 때보다 중요해지는 시대에 우리는 와 있다. 또 3D 프린팅 기술과 여러 분야의 협업으로 인해 개개인의 아이디어로도 시제품의 생산이 수월해져, 개개인의 맞춤이 대세가 될 것이라고 한다. 그렇다면 교육도 그 추세를 따를 필요가 분명 있다고 본다. 획일적인 교과서식 교육보다는 학생의 특성과 적성에 맞는 맞춤식 교육이 바람직하지 않을까?

전인교육과 족집게 맞춤형 교육

지 · 덕 · 체를 균형 있게 발전시키는 기본적인 교육의 내용은 지킬 필요가 있다. 아테네에서는 교육을 '무시케(mousike)'라 부른 정신교육과 '김나스티케(gymnastike)'라고 부른 체육교육으로 나누어 지(智) 못지않게 덕(德)과 체(德)를 강조했다. 1440년 영국의 헨리 6세가 설립한, 3~18세 남학생을 위한 사립 중등학교 이튼 칼리지는 제일 중요한 과목 중에 하나로 체육을 든다. 체육을 통해 '함께하는 정신'을 강조하는 교육이다. "건강한 신체에 건전한 정신이 깃든다.(Sound mind in sound body)"는 서양의 격언은 이런 배경에서 나온다. 우리 근대화의 기점이 되는 갑오경장 때 고종은 교육입국조서(敎育立國詔書)[7]에서 지 · 덕 · 체를 교육의 근간으로 삼았다.

이를 구현하는 교육의 방법에서 얼마든지 학습자의 관심과 특기를 살릴 수 있다. 학습이나 교수방식에서 교과서식 교재나 참고자료에 의거한 강의식 교습보다는, 학생이 발표하고 질문하며, 교사나 교수는 그 논의 방향을 이끌고 그 결과를 프로젝트 실행으로 이어지는 세미나식 혹은 토론식 교육이면 된다.

유럽, 특히 독일에서 경험한 철학계 수업은 강의(Vorlesung)와 세미나(Seminar)로 나뉘는데, 그중 세미나에 중점이 놓인다. 강의는 수강신청만 하고 출석이나 시험은 없이 학생들이 필요한 정보를 학습하도록 방임하는 한편, 세미나에서는 학생들이 주제를 정하

7 고종 2년 (1985년) 2차 갑오개혁 중 발표된 "교육에 관련된 특별 조서"(1895년 2월 2일). "① 오륜의 행실을 닦는 덕양(德養), ② 체력을 기르는 체양(體養), ③ 격물치지(格物致知)의 지양(智養)을 교육의 3대 강령으로 삼는다. 널리 학교를 세우고 인재를 기르겠다."는 내용이다.

여 발표하고 난 후 발표 내용에 대해 참가 학생들의 질문에 답변을 하고, 교수는 이를 지켜보면서 발표자가 사용한 문헌과 논의 내용 등에 대해 코멘트하고 도출된 결론에 대해 평가하여 적격 · 부적격을 최종 평가하는 방식으로 진행된다. 이는 랑케(Leopold von Ranke, 1795~1886)가 1차 사료를 학생들과 함께 읽고 코멘트하며 정리해 나간 전통이 자리 잡은 것이다.[8]

필자도 대학교 학부나 대학원 과정에서 이 방식을 적용하여 학생들의 스스로 연구하는 능력과 발표 능력이 눈에 띄게 향상되는 것을 체감하였다. 같은 주제를 다루더라도 학생 스스로 관심 있는 세부 분야를 택하여 연구하고 발표하니 확실히 관심도와 집중도가 높았다. 또 듣는 학생들도 또래 학생이 애쓰면서 준비해서 발표하는 내용에 관심을 가지고 들으며 동료 간에 거리낌 없는 질문과 토론으로 이어졌다. 일방적으로 가르치는 것을 듣는 것보다, 학습자들이 동료의 눈으로 문제를 보면서 서로 배우는 시너지 효과를 보게 된다. 가르치는 이는 질문가끔 엉뚱한 질문들을 주제의 핵심에 나아가도록 해석해 주고 이끌면 된다. 여기에 덧붙여 프로젝트 이행을 위한 협업의 결과물을 내는 성취의 교육이 된다면 더 바람직하다.

또 1:1의 교육도 고려할 필요가 있다. 우리 대학에서 숫자나 비용에만 매달린 나머지, 과 정원의 절반 정도가 수강해야만 개설된 강의가 존속되는 대학의 현실은, 작지만 의미 있는 교육 수요를 충족하려는 것과는 거리가 멀다. 하버드 대학에서 단 1명이 수강한 페르시아어강의를 통해, 그 수강생이 오늘날 페르시아 문헌을

---

8 조지형, 『역사의 진실을 찾아서: 랑케 & 카』 김영사, 2006 「랑케 근대 역사학의 아버지」 93쪽.

번역하여 우리나라 학계에 공헌하는 인재로 커 간 사례는 우리 대학 행정에 일침을 가한다.

또 다른 형태의 잠재 수요를 충족하고 교육 기회의 외연을 넓히는 온라인공개강좌(MOOC)도 필요하겠지만, 1:1의 소비자 수요를 충족시키는 4차 산업혁명의 생산방식을 교육계도 배워야 한다.

작은 수요에 부응하는 것이 글로벌 기업의 생존전략이라는 것은 알려진 비밀이다. 글로벌 기업하면 큰 시장을 쫓아다니는 것으로 생각하기 쉽지만, 소규모 주문에도 부응하는 생산라인을 구축해 틈새시장(niche market)을 촘촘히 짜서 큰 시장에 어려움이 올 때 이들 틈새시장의 수요로 위기 상황을 극복하는 선진 유럽의 글로벌 지향 기업들의 예는 많다. 마치 큰 동맥이나 큰길이 막혔을 때 실핏줄과 세부 도로망이 정체를 더는 역할을 하도록 우리 몸의 구조가, 그리고 선진 교통 체제가 되어 있는 것도 같은 원리다.

✿ 경험 축적과 머리 빌리기, 무등 타기

서양에서 어느 날 갑자기 오늘날 인공지능, 빅데이터, 클라우딩 등 4차 산업"혁명"의 물결이 일고 있는 것처럼 보이나, 거기에는 오랜 시행착오의 경험이 축적된 수백 년의 기초 연구, 그리고 릴레이 하듯마치 야구에서 1루에 나간 선수를 번트로 2루에 보내고 3루에 진출한 타자를 희생플라이로 홈에 불러들이듯 선행 연구에 후속 연구나 세부 연구가 뒤따르는 전통을 바탕으로 하고 있다.

그런 전통을 가지고 있지 못하고 원천적인 기초를 결하고 있어 그 대열에 뒤쳐져 따라가기에 버거운 상황이라면, 국제화된 세상의 네트워킹을 통한 국제 협업비고츠키의 비계(scaffolding)나 동료나 선생의 어깨 위에 무등 타기의 도움을 받아야 한다. 이러한 국제 간 학계 협업을 적극 꾀함으로써 우리 키 넘어 잠재능력을 끄집어낼 필요가 있다.

보다 근본적인 방안은 우리가 잘하는 것손재주, 놀이 같은 것을 충분히 활용하고, 축적해 온 경험과 가르침에서 우리에게 보다 와 닿는 돌파구나 방법을 찾는 지혜를 구해야 하지 않을까? 동아시아의 특징을 젓가락을 쓰는 문화에서 찾는 학자도 있고,[9] 중앙유라시아인의 특징을 기마 문화에서 찾기도 한다. 실제 젓가락을 쓰는 손재주는 이미 기능올림픽에서 국제적인 정평이 나 있고 최근에는 유전자 · 의술 분야에서 두각을 내고 있다. 놀이문화는 우리 삶에 노래와 춤이 녹아 있는 전통[10]과 신바람 문화가 그 예다.

공자가 죽어야 나라가 산다는 말에도 일리는 있겠지만, 공자 · 맹자의 "인"의 인본정신에서, 그리고 스스로 깨우침의 가르침에서, 그리고 노자의 '쓸모없음의 쓸모 있음'과 '빔의 쓸모 있음'(老子, 『道德經』 13장)의 가르침[11]에 익숙한 우리는 거기서 오히려 돌파구를 찾을 수 있지 않을까? 당장은 쓸모없어 보이는 교양이 긴 인생에서 유용해지고, 당장 취업에 도움이 되지 않는다고 외면하고 비어버리고 싶은 문 · 사 · 철(文史哲)이 지혜의 샘이 될 수 있다.

---

9 Reinhard Zöllner, *Einfürung in die Geschichte Ostasiens*, Erfurter Reihe zur Geschichte Asiens, Band 1, Iudicium, München 2007, p.7

10 後漢書 東夷傳(韓) "常以五月田竟(=境), 祭鬼神, 晝夜酒會, 群聚歌舞"는 우리의 오랜 가무의 전통에 대해 전하고 있다.

11 老子, 道德經 13장 "三十輻共一轂, 當其無, 有車之用. 埏其以爲器, 當其無, 有器之用.鑿戸牖以室, 當其無. 有室之用. 故有之以爲利, 無之以爲用. 輻(폭)은 (수레)바퀴살(spokes), 轂곡은 hub, 軸(굴대: axis)이며 수레바퀴 통이 비어야 바퀴 역할을 하고, 흙을 빚을 때 비어야 하고 그릇이 되고, 방이 비어야 쓸모가 있다는 빔의 쓸모를 논하고 있다.

획일적이고 국제적인 경쟁력 없는 교육에 변별력 없는 시험으로 모든 학생들을 의미 없이 줄 세우고, 그런 획일적인 순서를 매겨 주눅 들게 하고, 실수를 허용치 않는 풍토가 큰 문제다. 시행착오의 경험이 쌓일 수도 없고, 또 기초적인 탐구와 연구가 이루어질 수 없는 풍토, 당장 눈앞의 성과에 집착하도록 학자들을 몰아가는 우리 교육당국의 지원정책, 갈수록 입지가 좁아지는 기초학문에 악순환의 고리가 있다.

이제는 무용지용(無用之用)을 꾀하는 지혜를 가지고 백년지대계(百年之大計)를 세워야 한다. 우리 나름대로의 장점을 살리고, 당장 오늘은 빛을 보지는 못하겠지만, 언젠가 서양의 축적된 경험과 시간이 막다른 골목에 이를 때 그 대안을 우리의 과거 시간과 경험에서 찾을 수 있다고 말하는 것은 시대착오적인 발상일까? 한시가 급한데 "사과나무를 심겠다"는 발상이라고 내치기보다는 온고지신에서 우리의 남다른 점이 언젠가 드러날 수 있다는 가능성에 기대를 건다.

✿ 배움과 놀이, 끼 살리기 교육

지금은 없는 새로운 직업을 대부분 가지게 될 아이들의 교육에 미래가 달려 있다. 교육과 놀이의 접합은 또 다른 방향의 돌파구가 될 수 있다. 목공인 할아버지 때에 출발한 덴마크의 레고(LEGO)에는 놀면서 배운다는 교육철학이 숨어 있다고, 그 3대 CEO가 창업자 조부의 창업 정신을 필자에게 귀띔해 주었다.

아이들은 놀면서 배운다. 그런데 우리는 유치원부터 선행학습으로 배움의 첫 단추를 잘못 끼운다. 글자를 배우는 유치원, 초등학교 입학생이 글자를 깨치지 못하면 부끄러워하는 현실은 선행학습과 조바심이 낳은 잘못이다. 굳이 루소나 피아제의 예를 들지 않더라도 아동에 맞는 그때그때의 교육이 있다. 유아는 부모의 품에서 떨어져 나와 다른 아이들과의 사회성을 기르는 것이 가장 중요하다. 뭘 배운다는 지식학습은 그다음, 정규학교의 몫이다.

과도한 경쟁과 줄 세우기식 교육에 불안한 학부모들이 아이들을 선행학습과 과외학습에 내몰면서 정규 학교교육은 등한시되고 있다. 아이들은 학원식 주입식 교육에 기계적으로 퀴즈 풀 듯하며 배움의 기쁨을 잃고, 이에 교육의 기초가 흔들리고, 기초 학습 능력은 점수에 가려져 쇠약해지고 있다. 자신의 끼를 잃은 아이들은 점수에 따라 적성과는 거리가 먼 과에 진학해 어려움을 겪는다.

교육이란 아이들이 다른 아이들과 어울리며 서로에게서 배우면서 함께 사는 법을 배워야 한다. 그런 가운데 다른 아이들보다 스스로 잘할 수 있고 배울수록 흥미가 나고 더 배우고 싶은 것을 배워야 끼가 살고 장점을 키울 수 있다.

쌍안경을 가지는 인문교육의 슬기를 잊지 않기

영국의 케임브리지 · 옥스퍼드 대학에서 고전교육을 받은 서양의 지성인들은 고전의 과거에서 현대의 현재를, 그리고 현대의 현재에서 고전의 과거를 양방향으로 보는 쌍안(雙眼)을 가지고 있음에 자부심을 가지고 있다. 토인비(Arnold J. Toynbee 1889~1975)는 『역사의 연구』 결어 부분에서 "왜 역사를 연구하는가?"라는 질문과 함께 의미 있는 자신의 관찰을 언급하고 있다.

> " '혼란시기'에 태어[난] 필자[토인비]는 다행히도 근대 서유럽 초기의 '르네상스' 이래 실시되고 있었던 헬라스(Hellas)문화의 교육을 그대로 받을 수 있었다. 라틴어를 15년간 배웠고 그리스어를 12년간 배웠다. 서유럽의 사회적 환경이 제기하는 역사적 문제들을 정신적인 고향인 헬라스 선례들과 비교해 [볼 수 있었다]. 서유럽 세계의 현대사와 헬라스 고전교육의 두 요소가 작용하여 필자[토인비]의 역사관은 쌍안(雙眼)적인 것이 되었다. […] 어떤 파국적인 사건에도 '어떻게 서유럽의 역사에서도 헬라스의 역사처럼 발생했을까' 마음속에 떠올리며 2가지 항목으로 이루어지는 비교를 보게 되었다. 이 쌍안적 역사관의 가치를 인정하고 찬양할 만한 사람은 필자[토인비]와 동시대의 극동의 학자들이리라."[12]
>
> *[ ]은 필자의 첨삭.

우리도 그럴 잠재력을 일깨워야 한다. 과거 고전 교육의 중요성은 오늘날 입시와 점수에 쫓기는 교육 현장에서는 찾아보기 어렵다. 점수가 되지 않는 고전 교양 교육이나 다른 시대나 문화를 알려는 노력은 무용지물로 외면받고 있다. 두 눈(雙眼)을 잃고 스스로 외눈으로, 그것도 근시안에 특정 교과에 한정된 좁은 우물 안에 갇혀 있다면, 세상을 넓고 깊게 보는 눈을 잃게 된다.

12 토인비(서머벨 편), 노명식 역, 『역사의 연구』 II (삼성출판사, 1983) 396~397쪽.

2장

우리 교육이 나아가야 할 길에 대한 성찰

- 두루 아우르는[통섭형(統攝型)] 인재를 위한 융합교육의 제도화가 절실해
- 첨단과학사업 분야, 삶의 질 · 복지 · 공공안전 분야, 건강하고 안전한 사회 분야에서 유망한 직업들에 주목해야
- '길드'로 출발한 서양의 대학: 배움 · 실행의 순서를 강조한 동양의 대학(大學=太學)과 과거(科擧)전통
- 근 · 현대 서양교육학자들의 가르침을 반추해 보며 오늘을 살펴보아야
  - ◎ 루소의 개인의 잠재력과 개성 강조
  - ◎ 페스탈로치의 '가정=학교'와 생활교육 강조
  - ◎ 그룬트비의 삶을 위한 교육 · 평생교육
  - ◎ 톨스토이의 교육에서의 사랑 강조
  - ◎ 존 듀이의 삶과 사회 속의 실용교육
  - ◎ 몬테소리의 아동 눈높이 교육, 아동교육에서 작업의 중요성

❁ 다보스 포럼의 시사점 읽기

4차 산업혁명의 초연결, 융 · 복합사회에서는 "두루 아우르는[통섭(統攝,[1] consilience)]"형 인재를 필요로 한다고 한다.[2] 과거에는 지식과 기술로 능력을 평가했다고 한다면, 지금은 창조적 사고력을 중시하며, 미래는 두루 아우르는(통섭적) 사고력을 중시한다는 것이다. 특정 기술이나 특기를 갖추었더라도 인문학적 소양을 갖춘 "두루 아우르는(통섭)"형 인재 양성이 필요하다는 점에 주목해야 한다.

"두루 아우르는(통섭)"형 인재란 이것저것 조금씩 잘하는 제너럴리스트를 뜻하는 것이 아니라, 자기가 잘하는 한 가지 전문분야에도 충분한 소양을 갖추면서 다양한 지식을 두루 겸비한 사람을 뜻한다. 한마디로 팔방미인이 아니라 특기는 있지만 그렇다고 다른 것들은 외면하는 꽉 막힌 사람이 아니라 이리저리 소통이 가능한 사람을 4차 산업혁명의 시대가 필요로 한다는 뜻이다.

한국고용정보원은 4차 산업혁명으로 앞으로 유망 직업 · 기술로는 (1) **첨단과학 및 사업 분야**에서, 인공지능전문가, 빅데이터 전

---

1 통(統)은 '큰 줄기' 또는 '실마리'의 뜻이고, 섭(攝)은 '잡다' 또는 '쥐다'의 뜻이고 둘을 합치면 '큰 줄기를 잡다'는 의미다. 통섭은 원효의 화엄 사상에 관한 해설에 자주 나오고, 조선 말기 실학자 최한기의 기(氣) 철학에도 종종 등장하는 용어이며, 정치적으로는 '총괄하여 관할한다'는 뜻이다. 최재천, 생명의 본질과 지식의 통섭(統攝) http://astro1.snu.ac.kr/home/kor/colloquium/file/jchoi.pdf(2017년 11월 검색) 참조.

2 한석수(한국교육학술정보원) 4차 산업혁명과 미래교육 http://cms.dankook.ac.kr/web/generaledu/-15?p_p_id=Bbs_WAR_bbsportlet&p_p_lifecycle=2&p_p_state=normal&p_p_mode=view&p_p_cacheability=cacheLevelPage&p_p_col_id=column-2&p_p_col_count=1&_Bbs_WAR_bbsportlet_extFileId=66794(2017년 11월 검색)

문가, 가상현실 전문가, 사물인터넷 전문가, 공유경제 컨설턴트, 로봇 윤리학자, 스마트 의류개발자, 착용 로봇 개발자, 드론 운항 관리사, 스마트 도로 설계자, 개인 간 대출 전문가, 외교정보 분석사, 스마트 팜 구축가, 액셀러레이터 매니저 등이고, (2) **삶의 질 · 복지 · 공공안전 분야**에서는, 사이버 포렌식 전문가, 범죄예방 환경 전문가, 동물매개 치료사, 도그 워크, 크루즈승무원, 메이커스 랩 코디네이터, 감정노동 상담사라면서, 4차 산업혁명 시 유망 직종을 로봇윤리과학자, 공유경제컨설턴트, 가상현실 전문가, 의료정보분석사, 동물매개 치유사로 꼽았다.

또, 미래 트렌드에 따른 10대 유망 미래 기술로는, (1) **초연결사회의 심리 기반**에서 빅데이터 기반 사기방지 기술, 온라인 모바일 금융거래 보안기술을, (2) **근로와 여가의 균형**에서, 사물인터넷(IoT) 보안, 딥 러닝 기반 디지털 어시스턴트, 여가용 가상현실(VR)기술을, (3) **건강하고 안전한 사회**에서 정신건강진단 · 치료기술, 소셜로봇(공감로봇기술), 빅데이터 기반 감염병 예측 · 경보 시스템, 시스템 기반 미세먼지 대응 기술을 꼽았다.[3]

일자리에 큰 변화를 예고한 세계경제포럼(WEF)의 4차 산업혁명과 교육(다보스 포럼 보고서)에서 "20세기 교육제도의 유산인 문과-이과 분리교육을 중단해야 하며, 인문사회와 과학기술의 융합교육이 제도화되어야 한다"는 요지의 교육체계의 혁신 방향을 읽을 수 있고, "학교에서 배운 것으로 죽을 때까지 먹고살 수는 없다.

3 한국고용정보원, "기술변화에 따른 일자리 영향연구"(2017), "인공지능 로봇 일자리대체 전망"(2017.1.3 보도자료)

새로운 기술을 지속해서 습득할 수 있는 사회적 장치가 필요하다"는 뜻의 평생교육의 장려를 읽을 수 있다. 또 "4차 산업혁명시대의 복잡한 환경에서 기업은 경쟁보다 공생하는 전략이 생존에 필수불가결하다는 사실을 명심하지 않으면 안 된다"는 취지의 기업 간 협조체제 구축을 읽을 수 있다.[4]

다보스 포럼의 메시지는 "우리 정신과 마음, 영혼을 함께 모아 지혜를 발휘해야만 우리에게 닥칠 문제들을 의미 있게 다룰 수 있다. 파괴적 혁신이 가진 잠재성을 잘 파악하고 끌어내 활용해야 한다."는 것이다.[5]

대학, 원래 목적과 성격을 살펴보기

서양의 대학

12세기 르네상스의 학문과 교육의 진흥, 특히 12세기 유스티아누스 법전의 발견이 촉발한 법 연구의 붐으로 아리스토텔레스의 학문체계가 부활하면서 논리학, 신학 및 그 밖의 학문이 발달하였고, 유클리데스의 기하학, 아라비아 숫자에 바탕을 둔 새 수학이 도입된 시대의 요청에 따라 볼로냐, 파리, 옥스퍼드 등에 "대학(*universitas*)"이 들어섰다.

"대학"이라는 새로운 교육시설과 제도는 본래 교수·학생의 집

4 한석수(한국교육학술정보원), "4차 산업혁명과 미래교육"

5 클라우드 슈밥, 『4차 산업혁명』

단으로서 조합(gild)이었고, 13세기 대학은 공동이익 보호 공인조합이라 할 수 있다. 당시에 왕 · 교황의 대학에 대한 인가장(charter)은 기정사실의 추인일 뿐이었고, 인가장으로 대학은 법적 지위를 얻었고, 교수나 학생에게는 병역의 면제, 도시 사법권으로부터의 면제가 이루어졌다. 또 대학은 주교의 관찰로부터 자유로웠고, 교수단에게 학생징계 권한이 위임되었고[6] 대학은 자유로웠다.

교양학부과정(3~5학년에 3학과 *Trivium* 천문법, 수사, 변증)을 마치면 문학사 B. A(*baccareatus artium*)로 교단에 서기도 했다. 문학사 후에는 4학과(*Qadrivium* 산수, 기하, 천문, 음악) 과목, 특히 아리스토텔레스 저작에 치중했다. 7교양학과[7]를 마치면 석사M.A.(*magister artium*) 학위로 교수 활동이 가능했다.

대학생들에 기숙사 생활의 편의를 준 것은 파리대학이 처음이다. 독지가 로베르 드 소르봉(Robert de Sorbon)에 의해 설립되었고(1275년 신학박사과정 16명 혜택), 가장 오랜 단과대학(collège←collegium)인 소르본대학의 기원이 되었다. 이 기숙사는 영국에서도 모방되었다.[8]

---

6 물론 교황이 대학운영 세칙(細則)을 내렸다. 예를 들어 인노센트 3세(Innocent III)는 파리대학에 석사학(M. A.)은 30세 이상에게만 허용하였고, 신학교수는 35세를 넘도록 규정하는 등 세칙을 내렸다. 대학세칙에 대학입학은 13세 이상이고, 6~8년 지나 교양학부과정 졸업(3~5학년에 3학과 Trivium 천문법, 수사, 변증)하면 문학사 B. A: baccareatus artium)로 교단에 서기도 했다.

7 '7자유학과'(seven liberal arts)의 'art'는 희랍어 techne(기술)에 대조되는 개념인 'arete'에서 온 말로서 그 뜻은 '선' 또는 '좋은 것'을 추구하는 학문, 즉 포괄적인 진리를 추구하는 학문 또는 삶을 전체적으로 조망해 볼 수 있도록 해 주는 학문이라는 의미에서 7교양학과로 새겼다.

8 옥스퍼드 대학(1167년)은 교황의 주목을 받지 못한 가운데 성장하였고, 경시된 4학과Qadrivium(산수, 기하, 천문, 음악)에 중점을 두었다. 아라비아 수학과 자연과학을 수용했고, 아리스토텔레스에 대해서도 경험적 · 과학적 측면에 관심을 두었는데, 이는 영국의 경험주의 전통과 맥이 통한다. 케임브리지대학 (1209년), 이탈리아 살레르노 대학, 체코의 프라하 대학 (1347년), 14세기에 오스트리아 빈 대학, 독일 하이델베르크 대학 (1368년) 등 1400년까지 유럽 대학은 50개에서 중세 말에 75개에 이르렀다. 차하순, 『서양사총론』, 탐구당 1990 (제4판), 231~237쪽.

동양의 대학

한편, 동양의 유교문화권의 학문의 기초에 대해서는 4서3경의 『논어(論語)』에 그 요지가 잘 밝혀져 있다. 공자는 글(文), 행함(行), 충성(忠), 믿음(信)으로 가르친다[9] 했고, 이는 곧 동양 유교전통사회의 교육의 기본이 되었다.

이를 보다 구체화한 교육의 목적이 『대학(大學)』에 나온다. 그 길(道)은 "밝은 덕(明德)을 밝히는 데에 있고, 백성을 새롭게 하는 데에 있고, 지선(至善)에 머무르는 데에 있다"10라고 『대학(大學)』 첫머리에 나온다. 대학의 도를 밝히고 나서 길(道)에 이르는 순서를 정해 놓았다. "머무름을 안(知止) 뒤에 정(定)함이 있고, 정(定)해진 뒤에 능히 동요되지 않을 수(安) 있으며, 동요되지 않은(安) 뒤에 능히 안존(靜)할 수 있으며, 안존한(靜) 뒤에 능히 생각할(慮) 수 있으며, 생각한(慮) 뒤에 능히 얻을(得) 수 있다."[10]는 것이다.

구체적으로 일과 물건에 있어서도 근본과 곁가지를 구분하였고 앞뒤를 구분하는 것이 도에 가깝다고 했다. "물(物)에는 근본(本)과 끝(末)이 있고 사(事)에는 마침(終)과 비롯함(始)이 있으니, 그것의 선후를 알면 곧 도(道)에 가까운 것이다."[11]고 먼저 할 일과 나중 할 일을 밝혔다.

아울러 교육의 궁극적인 목적인 밝은 덕(明德)을 온 누리에 밝히기에 앞서 할 것을 밝혔다. "옛날 명덕을 천하에 밝히려는 자는 먼

---

9 『논어』 述而 7:25 子以四敎 文行忠信. 공자께서 네 가지를 가르치셨으니 文(경전)과 行(덕행)과 忠(충성)과 信(신의)라.)

10 知止而后有定, 定而后能靜, 靜而后能安, 安而后能靜, 靜而后能慮, 慮而后能得.

11 物有本末, 事有終始, 知所先後, 則近道矣.

저 그 나라를 다스렸고, 그 나라를 다스리려는 자는 먼저 그 집안을 가지런히 했으며, 그 집안을 가지런히 하려는 자는 먼저 그 몸을 닦았다."[12] 또한 "몸을 닦으려는 자는 먼저 그 마음을 바르게 했고, 그 마음을 바르게 하려는 자는 먼저 그 뜻을 튼튼하게 했으며, 그 뜻을 튼튼하게 하려는 자는 먼저 그 앎을 제대로 했는데, 앎을 제대로 함은 사물을 똑바로 하는 데 있다."[13]

여기서 금과옥조처럼 여겨지는 '격물치지(格物致知)'와 '수신제가…(修身齊家…)'의 구절이 나온다.

> "사물이 똑바로 된 뒤에야 앎이 제대로 되고, 앎이 제대로 된 뒤에야 뜻이 튼튼해지고, 뜻이 튼튼해진 뒤에야 마음이 바르게 되고, 마음이 바르게 된 뒤에야 몸이 닦여지고, 몸이 닦여진 뒤에야 집안이 가지런해지고, 집안이 가지런해진 뒤에야 나라가 다스려지고, 나라가 다스려진 뒤에야 천하가 화평해질 것이다."[14]

그리고 위정자에서 백성에 이르기까지 적용될 한 가지 간단한 진리로『대학』의 서론을 매듭짓는다.

> "천자(天子)로부터 서민에 이르기까지 한결같이 몸을 닦음을 근본으로 삼아야 한다. 근본이 어지러운데도 가지가 다스릴 수 없고 두

---

12 古之欲明明德於天下者, 先治其國 ; 欲治其國者, 先齊其家 ; 欲齊其家/者, 先修其身.

13 欲修其身者, 先正其心 ; 欲正其心者, 先誠其意, 欲誠其意者, 先致其知, 致知在格物.

14 物格而後知至, 知至而後意誠, 意誠而後心正, 心正而後身修, 身修而後家齊, 家齊而後國治, 國治而後天下平.

텁게 해야 할 것을 얄팍하게 하고 얄팍하게 해야 할 것을 두텁게 하는 일은 결코 있을 수 없다."[15]

이러한 유교적인 목적과 가르침의 순서가 우리나라에서 자리 잡게 된 것은 고구려 소수림왕 2년(372년)에 국학기관인 '태학'이 세워진 것에서 비롯하는데 大學의 주석에 대학=泰學이었고 泰學=太學으로 태학, 즉 대학이 수도에 세워진 것이다.[16] 지방에 세워진 경당(扃堂) 교육은 경전을 외우고 활쏘기를 연습하는 것(誦經習射)이었다.

『구당서』에 이르기를, 경당의 교재는 『5경』과 『사기(史記)』, 『한서(漢書)』, 『후한서(後漢書)』, 『삼국지(三國志)』, 『춘추(春秋)』, 『자통(字通)』, 『자림(字林)』, 『문선(文選)』이었다고 한다. 경당의 성격에 대한 『구당서』의 기술 가운데 다음의 문장이 우리의 주목을 끈다.

> "풍속이 서적을 좋아하여, 누추한 문에 땔나무를 해서 사는 집에 이르기까지 각기 네 거리에 커다란 집을 짓고 이를 일컬어 경당이라 하는데, 자제들이 결혼하기 전까지 밤낮으로 여기서 독서와 활쏘기를 한다."[17]

글만 배우는 것이 아니라 체력을 단련했고, 다른 나이의 아이

---

15 自天子以至於庶人, 壹是皆以修身爲本. 其本亂而末治者否矣, 其所厚者薄, 而其所薄者厚, 未之有也! 此謂知本, 此謂知之至也. http://peace.snu.ac.kr/oho/personal/daehak.html(2017년 11월 검색) 번역도 참고하여 필자가 다듬은 번역.

16 신라에서는 신문왕 2년 (682년)에 국학(國學)이 설치되어 통일신라의 최고학부로 자리 잡아, 주역(周易), 상서(尙書), 모시(毛詩), 예기(禮記), 춘추좌씨전(春秋左氏傳), 문선(文選)을 3개 코스로 나누어 박사와 교수들이 가르쳤다.

17 『구당서』 권199상 열전 149상 東夷 高麗조.

들이 밤낮 같이 시간을 보낸 것이다. 신라의 화랑도는 유(儒) · 불(佛) · 선(仙) 3교를 포괄하는 것이며, 『삼국사기』에는 화랑도에 대하여 "혹은 서로 도의를 닦고, 혹은 서로 노래와 음악을 즐기고 산수를 돌며 놀았는데 아무리 먼 곳이라고 해도 가지 않은 데가 없었다. 이를 통해 그 사람됨이 나쁜지 좋은지를 알아내어 좋은 사람을 택하여 조정에 천거하였다."[18]라는 내용도 있다. 임신서기석(壬申誓記石)에 보이는 것처럼 화랑들이 시(詩), 상서(尙書), 예(禮), 춘추(春秋) 등을 공부하기로 맹서한 것[19]만 보면 글 배우는 것, 즉 지(智)에만 치중한 것 같은데, 사실은 덕(德) · 체(體)가 함께하고 있다.

통일신라 원성왕 4년(788년)에 독서3품과라는 관리를 선발하는 시험이 치러졌으며, 『곡례(曲禮)』, 『효경(孝經)』, 『논어(論語)』, 『예기(禮記)』, 『춘추좌씨전(春秋左氏傳)』, 『문선(文選)』 등으로 시험을 보아 뽑았다.(試取) 우리나라에 공무원 시험, 고시의 첫 도입이다.[20]

과거(科擧)라는 인재 선발 방식이 이미 8세기에 한반도에 자리잡아 성균관이건 향교건 사원이건 아이 적부터 이 과거에 매달리던 것이 고시(考試)로 표방되는 좁은 문에 우리 교육이 주인자리를 내주고 갖가지 시험에 시달리고 있는 것이다.

---

18 김부식, 『삼국사기』 권4 신라본기4 진흥왕.

19 신미년 7월 22일에 크게 맹세하였다. 곧 시경(詩經) · 상서(尙書) · 예기(禮記) · 춘추전(春秋傳)을 차례로 3년 동안 습득하기로 맹세하였다."(壬申年六月十六日二人并誓記天前誓詩尙書禮傳)

20 이원순, 윤세철, 허승일 공저, 『역사교육론』, (삼영사 1980) 75~76쪽.

❁ 근 · 현대 교육학자들의 가르침

오늘날 우리의 교육은 우리의 전통적인 태학, 성균관, 경당, 서원의 전통은 잇지 못하고 근대 서양 교육의 흐름을 타고 있다.

앞서 루소의 『에밀』을 인지발달과 관련해 간단히 소개했는데, 거기서 우리는 교육이 지식의 주입보다는 개인의 잠재능력과 개성을 계발시키는 쪽으로 가야 한다는 것을 알 수 있다. 『에밀』을 읽고 '자연으로 돌아가라'는 메시지로 읽은 사람들은 철학자 교육학자들에 그치지 않고 왕실에도 입김을 끼쳐 루이 16세의 마리 앙투아네트는 궁전에 농가를 짓고 소젖을 짜거나 시녀들과 함께 고기잡이를 할 정도로 큰 영향을 주었다. 결론적으로 교육은 삶의 문제와 분리되어 생각될 수 없다는 것도 『에밀』이 주는 시사점으로, 루소의 교육사상은 오늘날에도 높이 평가된다.[21]

또한 학생 스스로 자신의 문제를 해결하도록 하는 것은 중요한 점이다. 루소는 매 발달 단계마다 학생이 스스로 자신의 문제를 해결해야 한다는 원칙을 주장한다. 가르치는 이는 학생의 자존심에 늘 어느 정도 여지를 남겨 두어야 한다. '나는 알고 있다', '나는 이해한다', '나는 행동하고 있다', '나는 스스로 배우고 있다'[22]라고 아이들이 생각할 수 있도록 그 여지를 두어야 하고, 아이들이 실천하도록 지켜보아야 한다.

"자신이 보는 모든 것을 미련하게 다 묻지는 않을 것이다. 그 스스

---

21 김명윤, 「에밀에 나타난 루소의 교육방법」, 『상명대학교 인문과학연구』 제14권 (2004) pp. 1~19

22 『에밀』 p. 445 (청년기)

로 그것들에 대해 알아볼 것이다. 자신이 알고 싶은 것은 묻기에 앞서 알려고 노력할 것이다."[23]

"사랑하는 에밀, 너는 너보다 경험이 더 많다. 그러므로 네 계획의 난관에 대해서도 더 잘 알고 있다. 하지만 그것은 훌륭하고 정직한 계획이다. 그 계획은 과연 너를 행복하게 만들어 줄 것이다. 그러니 그것을 실천에 옮기도록 노력해 보자."[24]

루소 자신이 『에밀』은 아이를 키우는 부모들에게 구체적인 교육 방법을 제시하는 교육실천안이 아니라 교육원리를 논한 철학서라고 말한 바 있다. 그 『에밀』을 읽고 교육의 길로 나아가 근대교육의 기둥을 세운 페스탈로치를 빼놓을 수 없다.

페스탈로치

페스탈로치(Johann Heinrich Pestalozzi, 1745~1827)는 스위스의 교육자이자 사상가로 루소의 영향을 받아 고아 · 아동 교육에 생애를 바쳤고, 지능 · 신체 · 도덕의 조화로운 발달을 교육의 목표로 삼아, 근대 유럽의 교육 사조에 큰 영향을 주었다. 그는 많은 글을 쓰기도 했지만,[25] 실천으로 유명한 교육자의 모범이다.

우리 교과서에 한때 어린이들이 노는 곳에서 유리조각을 줍는

---

23 『에밀』 p. 289 (아이 시절의 끝)

24 『에밀』 p. 829 (어른 시절)

25 소설 『린하르트와 게르트루드』(*Lienhard und Gertrud* 4권, 1781~1787)로 페스탈로치는 유럽에서 꽤 유명해졌다. 그의 저술로는 『은자(隱者)의 황혼녘』(*Die Abendstunde eines Einsiedlers*, 1780), 『크리스토프와 엘제』(*Christoph und Else*, 1782), 『입법과 아동살해』(*Gesetzgebung und Kindermord*, 1783), 『예 또는 아니요?』(*Ja oder Nein?*, 1793), 『인간 성(性)의 발달에 있어서 자연적 경과에 대한 연구들』(*Meine Nachforschungen über den Gang der Natur in der Entwicklung des Menschengeschlechts*, 1797), 『우화집』(*Fabeln*, 1797) 등을 들 수 있다.

모습이 실리기도 한 인물이다. 고아들의 대부(代父)이며, 어린이 교육에 있어 조건 없는 사랑을 실천한 것으로 유명하다. 어린이를 하나의 인격체로 간주했다. 1799년 스위스 정부의 요청으로 고아원의 책임자가 되기도 했다. 필자가 스위스에 근무했던 당시(1986~1989년)만 해도 우리나라 출신의 페스탈로치학교[26] 선생과 몇몇 페스탈로치 학교 출신 학생들이 있었기에 페스탈로치의 교육 실천 사례를 개인적으로 관심 있게 바라보았다.

"가정은 도덕상의 학교다."라고 페스탈로치는 갈파했다. 이 말을 좀 더 자세히 살펴보자.

> "가정에서의 인성 교육은 중요하다. 가정의 단란함이 이 세상에서 가장 빛나는 기쁨이다. 그리고 자녀를 보는 즐거움은 사람의 가장 거룩한 즐거움이다. 가진 것이 없다는 것은 하나님께 모든 것을 의지할 수 있다는 것이다. 사람이 가난하면 감격하기를 잘한다. 마음이 겸허하기 때문이다. 가진 것이 없고 항상 부족하게 생활한다는 그 자체가 가난한 사람을 겸허하게 하고, 감격하게 하는 것이다. 건강한 몸을 가진 사람이 아니고는 조국에 충실히 봉사하는 사람이 되기 어렵다. 우선 좋은 부모, 좋은 자식, 좋은 형제, 좋은 이웃이 되기 어렵기 때문이다. 자신을 위해서뿐만 아니라 식구를 위해서 나아가 이웃과 나라를 위해서도 건강해야 한다. 요새(要塞)를 지키듯 스스로 건강을 지키자. 고귀한 지혜를 가진 사람일지라도 자신에게 순수한 인격이 없다면, 어두운 그늘이 그를 둘러쌀 것이다. 그러나 천한 오막살이에 있을지라도, 교육된 인격은 순수하

26 스위스 트로겐(Trogen)에 있는 페스탈로치 학교. Pestalozzi Children's Foundation in Trogen, Switzerland에 대해서는 www.pestalozzi.ch(2017년 11월 검색)참조.

고 기품 있는 만족된 인간의 위대함을 발산한다. 고난과 눈물이 나를 높은 예지로 이끌어 올렸다. 보석과 즐거움은 이것을 이루어 주지 못했을 것이다. 교육은 사회를 개혁하기 위한 수단이다."

루소의 사상, 특히 그의 불평등, 일반의지(volonté générale) 이론이 프랑스 혁명에 영향을 끼쳤다면, 페스탈로치의 실천 교육은 프랑스 혁명의 소용돌이 속에서 교육 분야에서 그 몫을 했다고 볼 수 있다. 프랑스국민의회는 1792년 그를 스위스 사람으로는 유일하게 프랑스의 명예시민으로 삼았을 정도다.

프랑스 혁명의 와중에서 1798년 프랑스 군대가 스위스에 들어오고 스위스도 혁명에 휩싸인 가운데, 페스탈로치는 "헬베티아 민보(*Helvetischen Volksblatt*)"의 편집자로서의 활동을 통해, 그리고 1799년 스위스의 슈탄스(Stans)에 고아원 및 빈민공생원의 지도자로서의 활동을 통해, 프랑스어가 3대 공용어인 스위스에서 그 나름대로의 역할을 했다. 슈탄스 고아원/공생원에서 그의 근본적인 교육학적 경험을 쌓게 되었다.

이후 그는 수도 베른지역의 부르크도로프(Burgdorf)에 그의 교육기관을 세우고 그 나름대로의 교수 · 교육방법론을 개발한다. 이는 그의 소설 『게르투르드는 어떻게 그 자녀들을 가르치는가』(*Wie Gertrud ihre Kinder lehrt*, 1781)에 잘 나타난다. 그는 국민교육의 방향을 다음과 같이 세워야 한다고 주장한다.

"논란의 여지가 없이, 국민교육으로의 길은, 가정 안에서 삶의 힘을 국민의 도덕, 정신 그리고 예술 교육으로 강화할 수 있어야 하며, 이 땅의 부모들을 보다 유능하게 만들어 그들이 자녀들에게 아침부터 저녁까지 조언과 행동으로 옆에 서 있으면서 자녀들의 하는 일과 내맡기는 일에 진정으로 건설적인 영향을 끼칠 수 있도록 하는 데에로 작용할 수 있어야 한다. [⋯] 국민교육은 국민이 제도 · 시설을 그들끼리 사용하고 그들끼리 모든 어려운 상황에서 스스로 자발적으로 도울 수 있도록 국민의 힘을, 국민 안에서 전반적으로 활성화시키고 백만 배 높이는 것이라야 한다.[27]

* [ ]은 필자의 첨삭.

1804년 페스탈로치는 이 교육기관을 칸톤 보(Vaud)의 이베르동-레-벵(Yverdon-les-Bains, 독일어권에서 이페르텐Iferten으로 불림)으로 옮겨 그의 조력자들과 함께 그의 교수 · 교육방법론을 발전시켰고, 이는 그의 주저 『이 시대와 조국의 결백, 진지함, 고상함에 대하여』(*An die Unschuld, den Ernst und den Edelmut meines Zeitalters und meines Vaterlandes*, 1815)와 『백조의 노래』(*Schwanengesang*, 1825)에 잘 나와 있다.

그의 주장의 본질은 기초교육의 이념은 자연스러운 교육 · 학습이어야 하며, 머리지적 능력, 가슴윤리도덕-종교적 능력, 손수공업 능력과 조화를 이루며 펼쳐져야 한다는 주장이다. 페스탈로치는 인간은 누구나 인간성의 능력이라는 씨앗을 하느님으로부터 선물로 받고 태어난다고 믿었고, 귀한 머리로 상징되는 지적 능력(智)과 가슴으로 상징되는 도덕적 능력(德) 그리고 손으로 상징되는 신체적 능력(體)

27 Heinrich Pestalozzi *Lienhard und Gertrud. Ein Buch für das Volk*. Vierter Band 1820 (Ausgabe 1869): Kapitel 76. pp. 260~261.

을 부여받았다고 생각했다. 그 능력의 씨앗들을 고루 키워 인격을 갈고 닦아야 한다며 페스탈로치는 지 · 덕 · 체(智德體)의 교육을 역설하였다.

루소의 열렬한 추종자로서 『에밀』(1762) 등 루소의 사상으로부터 깊은 영향을 받은 페스탈로치는 어린 시절 목사였던 할아버지의 감화로 목회자의 길을 걷기 위해 신학을 공부하였으나, 가난과 궁핍한 생활을 하는 민중을 위해 변호사가 되려고 법률 공부로 뜻을 바꾸게 되었다고 한다. 그러다가 민중인 농민들을 위해 페스탈로치는 대학에서 공부하는 것을 단념하고 농부, 농업경영자로 2년간 수업을 거친 뒤 아내와 함께 농촌 현장으로 뛰어들었다. 그는 인간에 대한 신뢰와 선함에 바탕을 둔 교육으로 인류를 구하고 더 나아가 사회를 바꿀 수 있다는 신념으로 교육운동가로서의 실천적인 삶을 살았다. 민중교육을 실천한 그는 조화로운 인간발달론, 지 · 덕 · 체의 전인교육을 강조한 교육실천가였다.

"인간은 자기가 종사하고 있는 노동을 통해 세계 인식의 기초를 찾아야 하며, 머릿속의 공허한 이론을 앞세울 것이 아니라 자신의 손노동 그 자체로부터 자신의 견해를 이끌어 내야 한다."며 생활 속 교육은 일을 중심으로 집약되어야 한다고 강조하였다. 페스탈로치는 일의 교육으로 '가정에서의 일'을 강조했다. 가사 활동의 일은 어린이들의 주의력을 집중시키고 그 판단력을 날카롭게 하며, 또 반복되는 활동을 통해 그 심정이 높은 경지까지 올라갈 수 있기 때문에 교육적으로 효과가 있다고 보았고, 기초교육에서 '일하면서 배우고 배우면서 일한다'는 노작(勞作)을 중요시했다.

페스탈로치 자신의 교육사상을 실천하는 무대로 노동을 중요시하는 첫 실험학교가 세워진 노이호프(Neuhof)는 '무리겐(Murigen)농장'을 '새 뜰(Neuhof)'이라는 이름으로 바꾸어 빈민의 일터/배움터로 만들었고, 50명의 빈민 자녀를 교육시킬 요량으로 직접 거리에 나가 아이들을 모았다. 페스탈로치는 그들과 더불어 여름에는 땅을 경작하고 겨울에는 실을 뽑아 천을 짜면서 그들을 돕고 생업도 유지하려 했다.[28] 새 농업 기술을 보급, 개량 농사, 경영합리화 등 농촌 개혁을 추구하였다. 그러나 페스탈로치는 경험 부족과 재정난으로 농촌 활동에 실패하였다.

하지만 거기서 그는 귀중한 교훈을 얻었다. 외적 환경과 조건을 직접 바꾸기보다는 내면으로부터 변화를 교육의 힘을 통해 꾀하자는 교훈을 그 실패로부터 깨닫게 된 것이다. 바로 그 실물교육과 직접 체험의 현장교육을 실천했던 곳이 슈탄스(Stans)다. 슈탄스(Stans) 고아원은 1798년 프랑스 군대가 스위스 운터발덴(Unterwalden) 지방을 무력으로 쳐들어올 때 생긴 많은 고아들을 수용하려고 세운 것이다.

페스탈로치는 70여 명의 아이들을 위해 헌신적으로 자신의 교육을 실천했다. 페스탈로치는 가난하고 버림받은 아이들에게도 인간 본성의 힘이 깃들어 있다는 것을 굳게 믿고, 아이들의 생활과 욕구를 채워 주려고 최선을 다했다. 아이들과 인간적인 관계를 유지하며 조화된 주의력과 자발적인 활동을 이끌어 내고자 노력했

28 서진아(2013), 『페스탈로치 사상과 진로교육에의 함의』 순천대학교대학원 석사학위논문. 또 아이들이 일하면서 기초 교과인 국어와 산수를 공부하게 했는데 이런 초보적인 지식은 노동과 생활을 통해서 도리어 잘 익혀진다고 생각했기 때문이다. 이런 협동공동생활을 통해 모든 인간이 유대로 묶인 존재임과 신에로의 신앙이 도덕의 터전임을 깨닫게 했다. 김정환(2008). 『페스탈로치의 생애와 사상』 서울, 박영사 p. 28)

다.[29] 비록 슈탄스 고아원도 6개월 만에 문을 닫게 되었지만, 거기서 보낸 「슈탄스 통신」에서 보듯이 페스탈로치 교육 이론의 실험 현장이었고 그의 '교육방법론'의 초석이 마련된 곳이었다.[30]

그곳에서 봉건적인 일부 교장들, 세속적인 학부모들과 끊임없는 갈등을 겪고 끝내는 배척을 받아 그 학교에서 쫓겨났던 페스탈로치는 부르크도르프(Burgdorf)에서 뜻을 같이하는 동료 교사들과 함께 '인도주의 교육'의 결실을 맺게 되었다.[31] 이로써 유럽에서 페스탈로치의 교육철학과 교육 방법에 대해 큰 반향을 일으켰다.

노이호프, 슈탄스, 부르크도르프에 이어 네 번째 교육 실천 장소인 이베르동-레-벵에 초빙되어 페스탈로치는 봉건적인 질서와 지시와 통제 그리고 체벌이 난무했던 억압적인 교육제도의 낡은 틀을 깨뜨렸다. 어린이의 인격을 존중하고 자발성의 원리에 기초한 근대교육의 방법을 펼쳤고, '교육협회 창설'도 이루어졌다. 페스탈로치는 가정을 가장 자연스러운 교육의 장으로 보았다. 가정은 어린이의 자연적 성장이 이루어지는 곳이며, 어린이의 모든 능력과 소질이 가정 내 생활 속에서 자연스럽게 싹트고 자라 스스로 크게 된다고 보았다.[32]

페스탈로치는 아이들을 나무의 묘목에 빗대어 세상에 이식되기에 앞서 먼저 가정에서 가꾸어져야 한다고 강조했다. '아버지의

---

29 서진아(2013), 『페스탈로치 사상과 진로교육에의 함의』, 순천대학교대학원석사학위논문 참조.

30 황영희(2002), 『Pestalozzi의 가정교육사상에 관한 연구』, 고신대학교 교육대학원 석사학위논문.

31 슈탄스에서 실험한 경험을 살린 '자발적 학습방법'과 '기초학습'을 중시했다. 김선미(2005), 『Pestalozzi의 教育思想에관한 연구』, 관동대학교교육대학원 석사학위논문.

32 황영희(2002), 『Pestalozzi의 가정교육사상에 관한 연구』, 고신대학교교육대학원석사학위논문.

집'이 인간의 모든 순수한 자연 교육의 터전이며 이 첫 생활영역을 '거실(Wohnenstube)의 힘으로 움직이는 영역'이라고 했고, 가정 내에서 교육의 중심을 어머니로 페스탈로치는 여겼다.[33] 또 교육은 머릿속에 억지로 넣는 것이 아니라, 먹을 때, 일할 때, 놀 때, 삶의 매 순간에 교육의 마당이 있고 교육의 기회라고 주장하였다.[34]

페스탈로치의 「백조의 노래」에서 "생활이 교육한다(Das Leben bildet)"는 문장은 일상의 삶 그 자체가 곧 교육임을 강조한 것이다.[35] 그의 교육 목적은 모든 어린이의 천부적인 능력과 타고난 잠재력에 기초한 교육 방법을 통해 사회개혁을 지향하는 것이다. 페스탈로치의 가정과 일상생활에서의 교육을 통한 사회 개혁의 입장은 유럽 전체에, 더 나아가 미국에, 그리고 한국에도 그 영향을 미쳤다.[36] 20세기를 넘어 21세기에도 그 영향을 끼치고 있다.[37]

페스탈로치 교육이 오늘날 교육에 미치는 중요성은 다음과 같이 요약될 수 있다.

---

33 가정교육에 있어 "어머니는 하늘이 내린 교사"라며 교육에 있어 어머니의 역할을 강조했다. 김정환(2008), 『페스탈로치의 생애와 사상』, 서울, 박영사 p.52

34 황영희(2002), 『Pestalozzi의 가정교육사상에 관한 연구』, 고신대학교교육대학원 석사학위논문.

35 서진아(2013), 『페스탈로치 사상과 진로교육에의 함의』, 순천대학교대학원 석사학위논문.

36 안홍선, 「식민지시기 사범교육의 경험과 기억: 경성사범학교 졸업생들의 회고를 중심으로」 『한국교육사학』 29-1 (2007.4)에 따르면 경성사범학교 졸업생의 '집단기억' 속에는 대강당에 걸려 있는 페스탈로치 그림이 있었다고 한다. 열악한 조건 속에서 헌신적으로 식민 교육에 복무하는 성직자적 교사상을 경성사범학교는 이상으로 삼았는데, 그 상징이 바로 페스탈로치였다는 것이다. 오성철, 『식민지 초등교육의 형성』 교육과학사, 2000, 252쪽.

37 http://www.jhpestalozzi.org 페스탈로치의 교육철학에 대한 국내의 종합적인 연구서로는 김정환 『페스탈로치의 교육철학』 고려대출판부(1995)가 있다.

어린이 관심과 필요(The interests and needs of the child), 교습법은 교사 중심이 아니라 어린이 중심(A child-centered rather than teacher-centered approach to teaching), 학습경험에서는 소극적이기보다는 적극적인 참여(Active rather than passive participation in the learning experience), 스스로의 자연적인 발달에 바탕을 둔 어린아이의 자유와 개인으로서 그리고 사회 내에서 기능할 수 있도록 자기훈련과 조화를 이루는 어린의 자유(The freedom of the child based on his or her natural development balanced with the self-discipline to function well as an individual and in society), 어린이가 스스로 세상을 겪고 자연 대상을 교습에 활용(The child having direct experience of the world and the use of natural objects in teaching), 초등학교 아이들의 관찰과 판단 훈련에 감각을 사용(The use of the senses in training pupils in observation and judgement), 학교-가정, 부모-선생의 협력 (Cooperation between the school and the home and between parents and teachers), 전인교육머리, 가슴, 팔의 교육 그러면서도 가슴이 주도하는 전인교육의 중요성(The importance of an all-round education an education of the head, the heart and the hands, but which is led by the heart), 세심하게 등급을 올리며 예시가 잘된 교습의 체계적인 주제들의 사용(The use of systemised subjects of instruction, which are also carefully graduated and illustrated), 교과목을 아우르며 다양한 학교생활을 포함하는 배움(Learning which is cross-curricular and includes a varied school life), 무엇을 가르치느냐 못지않게 어떻게 가르치느냐에 강조점을 둔 교육(Education which puts emphasis on how things are taught as well as what is taught), 두려움이 아니라 사랑에 바탕을 둔 권위(Authority based on love, not fear), 교사 훈련 (Teacher training)[38]

38 http://www.jhpestalozzi.org(2017년 11월 검색)에서 인용.

그룬트비

그룬트비(Nikolai Frederik Severin Grundtvig, 1783~1872)는 덴마크의 신학자, 민족운동가, 역사가, 민속학자, 정치가, 저술가, 교육자, 교육학자, 철학자다. 루터교목회자, 시인이기도 해서 덴마크 루터교회의 찬송가에 그가 지은 찬송가가 271곡이나 실려 있다. 그런 그는 북유럽 스칸디나비아의 신화와 역사를 연구했으며,[39] 수많은 저술을 남겼고, 선집도 꾸준히 발간되고 있다.[40]

그룬트비에 대한 관심은 주로 그의 평생교육 · 평민대학에 대한 연구이다. 학위논문을 쓴 국내 연구자가 요약한 그룬트비의 교육사상을 정리해 소개한다.[41]

> 첫째, 교육은 무엇보다 삶을 위한 것이어야 한다. 그룬트비는 교육의 목적은 학생들이 살아가는 데에 진정으로 도움을 주는 것이어야 한다. 삶과 동떨어진 문자화된 죽은 지식과 죽은 언어, 즉 라틴어를 강의식으로 가르치는 '죽은 교육'이 아니라, 교육을 통해 삶의 의미를 밝힐 수 있어야 한다. 따라서 교육은 교실에서뿐 아니라, 학생들이 함께 생활하는 공동체 삶을 통해 이루어지는 '산 교육'이 되어야 한다.

---

39 『스칸디나비아의 신화 또는 상징주의』 *Nordens Mythologi eller Sindbilledsprog*, 1832

40 N.F.S. Grundtvig, Værker I Udvalg (그룬트비 선집), Georg Christensen/Hal Koch (eds.) Glyndalske Boghandel Copenhagen 1940, 9권 및 Haandbog in N.F.S. Grundtvigs Skrifter (그룬트비히 문선) Ermst J. Borup/Frederil Schrøder (eds.) H. Hagerups Forlag, Copenhagen, 1929 3권: I. Grundtvigs Skoletanker (그룬트비 교육사상), II. Volkelige Grundtanker (民 사상) III. Kirkelige Grundtanker (교회사상). 우리나라에는 Paul Dam, *Nikolaj Frederik Severin Grundtvig (1783~1872)*, Copenhagen : Royal Danish Ministry of Foreign Affairs, Press and Cultural Relations Department, 1983. 김장생 옮김, 『위대한 국가 지도자의 모범 덴마크의 아버지 그룬트비』(누멘, 2009) 등이 소개하고 있다.

41 정해진 「풀무학교의 근대 교육사적 의의」 『한국교육학연구』 19권 3호 (2013) pp.233~268.

둘째, 살아 있는 말을 통한 상호작용을 들 수 있다. 덴마크인들 일상의 삶을 담고 있는 모국어인 덴마크어, 그리고 문자가 아닌 말로 전해지는 것의 중요성을 강조한다. 그룬트비에 따르면 인간은 모국어를 통해 자신의 내면을 가장 잘 표현할 수 있으며, 교육은 이러한 모국어와 말을 통한 상호작용에 의해 이루어져야 한다. 따라서 평민대학(폴케호이스콜레)에서는 강의와 문자를 중심으로 하는 수업이 아닌, 교사와 학생의 대화와 토론을 통한 수업이 주를 이룬다. 당시 대학에서 라틴어로 수업하던 데에 대한 대안이었다. 더 나아가 수업 이외의 시간에도 교사와 학생, 학생과 학생 사이에 끊임없는 소통과 대화가 이루어질 것을 강조했다. 이것은 가르침과 교육에 대한 그룬트비의 사상에서 매우 큰 몫을 한다. 교육이 이루어지는 방법론을 정하는 기반이기 때문이다.

세 번째로, 폴켈리[헨][42](folkelighed) 정신이다. 그룬트비는 폴켈리[헨]를 개인이 특정한 국가의 일원으로 태어난 것처럼 어떤 특정 문화집단이나 학교와 같은 공동체를 선택해서, 책임과 헌신뿐 아니라 희망과 기대를 품고 그 공동체의 필수불가결한 일원이 된다는 뜻으로 해석한다.[43]

네 번째는 기독교 정신이다. 그룬트비는 북부 루터교 목사 출신이었지만, 당시의 형식적인 틀에 얽매인 기독교를 강력히 비판했다.[44] 그룬트비는 기독교를 '하나님의 복음이며 그것을 받아들이는 사람 모두에게만 평화를 주는, 무엇과도 비교할 수 없는 선물'로 보았으며, 기독교의 율법과 복음이 사람들과 자유로운 관계를 맺

---

42 [ˈfʌlgəli ˌheð˞] 덴마크어에서 이 끝 d[ð˞]는 입천장에 닿지 않게 발음하며 얼핏 ㄹ처럼 들리나 그렇지 않다.

43 Aegidius, (2001) 김자경 역, "덴마크 사회와 그룬트비의 사상", 「처음처럼」, 23, pp. 67~77. 71쪽.

44 이는 키에르케고어(Søren Aabye Kierkegaard 1813~1885)의 덴마크 북유럽 루터교의 형식적인 기독교 비판과 맥을 같이한다.

는 것을 중요한 문제로 생각했다.[45]

요약하자면, 선생과 학생들이 24시간 함께 생활하며 서로 보고 배우는 교육, 전문지식 중심의 교육을 거부하고 원만하게 삶을 살아갈 수 있도록 도와주는 교육, 성별 · 연령 · 계급 · 종교에 관계없이 누구든 입학할 수 있는, 즉 모든 이에게 개방된 교육, 3~6개월의 짧은 교육 기간, 농한기와 같은 일하지 않는 기간을 이용한 교육을 표방하고 있다.[46]

책보다는 훌륭하고 정직한 마음, 건전한 상식, 좋은 귀, 좋은 입을 믿는 그룬트비의 교육사상은 크리스찬 콜 등 그의 추종자들에 의해 평민학교(Folkehøjskole 폴케호이스콜레)로 구현되어[47] 덴마크 전역에 약 70여 개가 운영되고 있으며,[48] 18~30세의 청소년들이 이 폴케호이스콜레에 아직도 많은 사람들이 이 학교에 다니고 있다.

그 영향은 우리나라에도 미치고 있다.[49] 그룬트비의 당시 농민

---

45 정해진, (2004), "대안교육의 사상적 기반으로서의 그룬트비 교육사상과 실천", 고려대학교석사학위논문, 47쪽

46 송순재 「덴마크의 자유교육 : 자유학교, 자유중등학교, 시민대학을 중심으로」 감리교신학대학교, 『신학과세계』 69 (2010.12), pp. 357~410.

47 Rødding에 1844년 콜에 의해 세워진 Folkehøjskole (폴케 호이 스콜레)가 그 첫 사례인데, 콜은 "참된 수업이 이루어지기 위해서는 1) 교사의 자질이 사랑과 당면 주제에 대한 살아 있는 흥미에 기초해야 하며, 그래야만 학생이 스스로 열어 살아 있는 말이 가지는 신비한 힘을 통해 교수가 뜻하는 사유와 개념을 빨아들일 수 있게 된다는 것, 2) 학생이 저마다의 정신적 수준에 따라 교사의 가르침을 받아들여 정신적 삶을 깨우치거나 스스로 그런 소양을 기를 수 있도록 교수와 학습이 이루어져야 한다는 것"이라고 그의 유일한 저술 『어린이 학교』(1850)에서 강조하였다. 송순재, 「덴마크의 자유교육 : 자유학교, 자유중등학교, 시민대학을 중심으로」(2010.12), 378~379쪽에서 재인용.

48 http://www.danishfolkhighschools.com/schools (2017.11월에 검색)의 Folkehøjskole 리스트상의 숫자.

49 그룬트비의 교육사상과 실천은 풀무학교의 설립자 이찬갑에게 깊은 영감을 주었으며, 이찬갑이 풀무학교를 구상하는 데 있어 결정적인 역할을 하였다고 한다. 정해진, 「풀무학교의 근대 교육사

들을 주요 대상으로 한 평민학교(Folkehøjskole)는 기술제도, 전문지식 위주가 아닌 삶을 살아가도록 도와주는 교육, 모두에게 개방된 교육, 시험이 없는 교육으로 "농민공생교육"에 영향을 끼쳤다. '살아 있는 말'라틴어로 쓰인 죽은 지식이 아니라 모국어와 자신(북유럽)의 신화에 기초하는 말과 '삶'을 중시하는 그룬트비의 교육철학의 기초, 즉 살아 있는 삶을 위한 교육, 서로 토론하고 대화하는 교육[50]은 우리 교육계에도 되새김질을 해 볼 내용과 정신이라고 생각된다.

톨스토이

러시아의 문호 톨스토이(Лев Николаевич Толстой, Lev Nikolaevich Tolstoi, 1828~1910)는 1828년 러시아 툴라 근처의 야스나야 폴랴나(Ясная Поляна, Yasnaya Polyana "빛나는 들판"의 뜻)에서 부유한 백작 가문에서 태어났지만 러시아 민(民)을 가르치며 평생교육을 실천한 인물이기도 하다. 톨스토이가 문호로서 너무 큰 모습에 가려 그가 교육사상가이자 교육학 방법론을 실천한 교육이론가라는 점은 일반인에게 잘 알려져 있지 않다.

톨스토이 문학에는 당시 부조리하고 불평등한 러시아 사회상의 고발과 혁신의 길이 드러난다. 그는 귀족 가문에서 태어났으나 귀족 지주들에게 침탈당하는 농민의 비참한 삶을 목격하고는 양심의 가책을 느끼며 번민했다. 그는 특권과 혜택을 누리는 귀족 지주는 불우한 일반 대중에게 그 대가를 지불할 의무가 있다고 생각했

적 의의」『한국교육학연구(구 안암교육학연구)』(안암교육학회) 19권 3호 (2013) pp.233~268. 아울러 수많은 대안학교들과 전환학교, 생태학교들도 이와 연계되어 있다.

50 송순재, 「덴마크의 자유교육 : 자유학교, 자유중등학교, 시민대학을 중심으로」(2010.12), 367쪽

다. 톨스토이는 1860~1861년 유럽여행에서 독일의 『슈바르츠발트(Schwarzwald, 黑林) 이야기』 작가 아우어바흐(Berthold Auerbach, 본명: *Moses Baruch Auerbacher*, 1812~1882)의 독일 민(民)의 삶의 이야기에 큰 관심을 가졌다.

또 독일에서 페스탈로치의 교육이념을 본받아 한 걸음 더 나아가 비판적인 시민으로 교육하는 데에 힘써 민중해방의 대부로 여겨지던 디이스터벡(Adolph Diesterweg, 1790~1866)을 만나기도 했다. 유럽여행에서 돌아와 프루동을 만난 기억을 그의 일기에 썼는데 프루동이 진정 교육의 중요성을 제대로 알고 있고 그 시대의 당면한 과제를 잘 알고 있었다고 회상하였다. 그런 자극을 받은 톨스토이는 1861년 농노해방으로 자유를 얻은 러시아 농부들의 아이들을 위해 13개의 학교를 설립하게 되었다.[51]

그의 교육적인 방향은 당시 독일에 팽배한 학교 내 규율과 훈육(discipline)에 반발하여 가르친다는 것은학생 개개인과 학생과 교사의 관계든 모두 개별적(individual)이라는 입장이었다. 아이들은 어느 자리에 앉아도 되었고, 꽉 짜인 교과도 아니었다. 학생들의 관심을 고취하는 데에 중점을 두었다. 야스나야 폴랴나에서의 그런 교육적인 실험은 차르의 비밀경찰의 간섭으로 인해 단명으로 끝났지만,[52]

51 문학, 예술, 종교에 의한 통합교육을 강조한 톨스토이학교는 러시아의 문호 톨스토이(Leo Tolstoy, 1828~1910)에 의해 시작된 학교로, 원래 그 이름은 '야스나야 뽈랴나(Yasnaya Polyana)학교'이지만, 일반적인 인지도 때문에 '톨스토이학교'라고 불린다. 1859년에 자신의 집의 방에서 시작되었으며, 톨스토이 자신은 국어, 수학, 종교사, 러시아역사, 그리고 지리학 등을 가르쳤다. 이원일 「톨스토이의 대안학교 교육에 대한 기독교 교육적 성찰」(영남신학대학교), 『신학과 목회』 27 (2007.4), pp. 211~251중 212, 214쪽

52 1862년의 톨스토이의 에세이 "The School at Yasnaya Polyana". Tolstoy, Lev N.; Leo Wiener; translator and editor (1904). *The School at Yasnaya Polyana he Complete Works of Count Tolstoy: Pedagogical Articles. Linen~Measurer*. Volume IV. Dana Estes & Company. p. 27.

그 예는 민주주의 교육의 첫 사례로 여겨진다.[53]

톨스토이는 자신의 영지에 농민 아이들을 위한 학교를 설립했을 뿐 아니라 1862년부터는『야스나야 폴랴나』라는 교육 저널도 발간하였다. 비록 12호밖에 내지는 못했지만 거기에 톨스토이는 이론적인 글뿐 아니라 수많은 아이들에게 읽힐 수 있도록 쉽게 쓴 단편, 우화, 번역물을 실었다.[54] 그의 결혼과 소설 쓰기로 10여 년간 중단되었던 톨스토이의 교육에 대한 열정은 1870년대에 다시 살아났으니, 1872년 톨스토이는 어린 학생을 위한 교재를 직접 내기도 했고 야스나야 폴랴나 학교를 잠시 다시 열기도 했다.

농민들이 질곡에서 벗어나 권리를 찾으려면 무엇보다도 그들이 무지에서 벗어나야 한다고 생각했던 톨스토이는 그 길잡이가 되는 초등학생을 위한 교재『아즈부카』(АЗБУКА=ABC books)[55]를 썼다. "읽는 것, 쓰는 것, 문법, 슬라브어와 산수를 모든 나이와 계급의 러시아 초등학생에게 가르치는 데 도움이 되기 위해" 학습자들의 흥미와 관심을 고려한 초보자와 초등학교용 교재 *Azbuka*를

53 A. S. Neill's Summerhill School의 선례로 야스나야 폴랴나 학교가 꼽힌다. *Wilson, A.N. (2001). Tolstoy. Norton, W. W. & Company, Inc. p. xi.*

54 1863년 마지막 호에 12권에 실린 글의 목차가 있다. Педагогикаобшеобразовательной школы.ЯснаяПоляна.Издательство"Просвещение". (Pedagogy of a comprehensive school. Yasnaya Polyana. Publishing house "Prosveshcheniye")].

55 러시아가정과 학교를 위한 알파벳 책(*Первая книга для чтения и Азбука;для семьи и школы с наставлением учителю графа* Л. Н. Толстого, 1868 года』ABC for family and school with instruction to the teacher, Count L. N. Tolstoy)을 쓴 목적은 "읽는 것, 쓰는 것, 문법, 슬라브어와 산수를 모든 나이와 계급의 러시아 초등학생에게 가르치는 데 도움이 되기 위해"라고 썼다. 알파벳은 물론, 피터대제 등 러시아 이야기들을 어린이와 교사들에 맞게 실었다. 삽화도 매우 단순화하여 기억하기 쉽게 하였다. 또 숫자와 산수를 쉽게 이해하도록 당시 러시아 초등학교에서 쓰던 방식과는 전혀 다르고 새로운 방식으로 설명하였다. 페테르부르크 가제트 등은 비판적인 글을 실었으나 톨스토이는 이에 상심하지 않고 "어린이가 가장 엄격한 비평가이며 그들을 위해 명쾌하게 써야 한다"는 입장을 견지했다. https://ru.wikipedia.org/wiki(2017년 11월 검색) 톨스토이의 *А З Б У К А* (2017.11월 검색); 참조.

새로 썼다. 이 교재 작성을 위해서 모스크바에 영사로 부임한 미국영사관의 도움으로 미국의 교육 방법을 참고도 했다.

그 교재에는 그리스, 로마, 히브리, 인도, 아라비아, 페르시아 그리고 중국 등의 전설들, 성경으로부터의 이야기들, 러시아, 우크라이나, 그리고 독일 등의 민속 이야기들, 톨스토이 자신이 쓴 이야기들과 종교적인 우화들, 동물들에 대한 이야기들, 역사와 관련된 이야기들, 성자의 삶과 수도원의 역사 등을 읽기, 위고(Victor Hugo)와 안데르센(Hans Christian Anderson)과 같은 외국작가의 작품 번역들이 들어 있다. 이들 선정 기준은 높은 문학적인 장점들, 의미의 풍부함, 읽기에 적합함과 단순성이었다. 그 밖에 수학과 천문학을 비롯한 과학들을 전문가들의 도움을 받아 가면서 직접 관찰의 방법으로 탐구할 수 있도록 만들기도 했다.[56]

이런 내용들을 학습함에 있어서 톨스토이는 어린아이들이 배우는 것을 즐기고 잘 이해하기 위해서는 두 가지의 극단을 피해야 함을 이 책에서 강조하였다. "교사들 자신이 이해하지 못하는 것을 가르치지 말아야 하며, 또 아이들보다 잘 모른다거나 이따금 더 잘 안다는 이야기를 해서는 안 된다."는 것이다.[57] 또 톨스토이는 배우는 어린아이들의 정신력이 최고에 이르도록 여러 조건을 주

56 이원일, 「톨스토이의 대안학교 교육에 대한 기독교 교육적 성찰」(영남신학대학교), 『신학과 목회』 27 (2007.4), p. 215.

57 톨스토이의 *А З Б У К А* 내용 http://feb~web.ru/feb/tolstoy/chronics/g63/g63.htm. (2017년 11월 검색) https://www.oxfordmartin.ox.ac.uk/downloads/academic/The_Future_of_Employment.pdf(2017년 11월 검색) «не говорите ученику о том, чего он не может знать и понять, и не говорите о том, что он знает не хуже, а иногда и лучше учителя». ("Do not tell the student about what he can not know and understand, and do not say that he knows as well as he does sometimes better than a teacher.")

문했는데, 그 가운데 하나는 학습이 떨어진다고 해서 벌을 주어서는 안 된다고 교육 현장의 교사들에게 조언하였다.[58] 또한 교사가 3시간을 가르치는 데도 따분하지 않다면 이는 교사의 덕목인 "사랑"을 가진 셈인데, "가르침만의 사랑으로는 훌륭한 선생이 되겠지만 이에 아이들에 대한 사랑이 함께 어우러진다면 완벽한 선생이 된다."고 갈파했다.[59]

톨스토이가 직접 쓴『아즈부카』의 교재에서 여러 과목을 통합적으로 가르치려는, 또 자신에 차 있고 독창적인 눈높이 교육을 하려는 의지가 드러난다. 야스나야 폴랴나학교에서 톨스토이는 무엇보다 배우는 학습자들이 자발적으로 흥미를 가지고 학습을 격려하도록 하는 '자발성'에 의한 교육론적 방법론을 강조하고 있다[60] 톨스토이는 성인들을 대상으로 계몽교육도 펼쳤다. 그 모습이 모스크바 톨스토이 집에 그림으로 남아있다.

존 듀이

듀이(John Dewey, 1859~1952)는 영국의 러셀, 프랑스의 사르트르, 독일의 하이데거와 함께 20세기의 철학자로 손꼽히는 미국의 실용

---

58 톨스토이의『아즈부카 *АЗБУКА*』p.58

59 톨스토이의『아즈부카 *АЗБУКА*』p.58 «Если учитель во время трех часового урока не чувствовал ни минуты скуки, — он имеет это качество. Качество это есть любовь. Если учитель имеет только любовь к делу, — он будет хороший учитель … Если учитель соединяет в себе любовь к делу и к ученикам, он — совершенный учитель». ("Quality is love. If the teacher has only a love for the work, he will be a good teacher … If the teacher combines love for work and students, he is a perfect teacher.")

60 이원일,「톨스토이의 대안학교 교육에 대한 기독교 교육적 성찰」(영남신학대학교),『신학과 목회』27 (2007.4), 227, 228쪽.

주의 철학자다. 듀이는 퍼어스 제임스 등과 더불어 실용주의를 체계화시켰다. 윌리암 제임스(William James, 1842~1910)의 영향이 듀이에 컸다. 제임스의 『실용주의』(*Pragmatism*)는 피어스(Charles Sanders Peirce, 1839~1914)의 영향을 받았고, 행동의 결과의 검토에 초점을 두었다.

독일의 사변(思辨)적인 철학의 미국 내 침투를 막는 "검역관" 역할로 유명한 제임스는 '진리(Truth)란 이념의 "현금가치"(cash-value)'라는 매우 미국다운 개념을 썼다. 그의 영향을 받은 듀이의 실용주의 철학은 특히 교육과 사회 분야에서 큰 영향을 끼쳤다. 듀이는 그의 실용주의 철학을 실천하는 데 그 누구보다도 더 많은 노력을 기울였다.

특히 교육 분야에서 그의 실용주의 철학은 빛을 발한다. 듀이는 급변하는 사회 변화 속에서 초등학교(elementary school), 중등학교(secondary school)의 교육적 상황에 대한 진단을 통해 그 당시 교육적 상황을 『나의 교육 신조』(My Pedagogic Creed, 1897), 『학교와 사회』(The School and Society, 1899), 『교육적 상황』(The Educational Situation, 1901), 『아동과 교육과정』(The Child and The Curriculum, 1902) 등의 저술에서 날카롭게 진단하였다.

듀이는 새로운 교육적 대안을 제시한 학교교육 개혁가였다. 그는 학교교육에 있어서 상징(象徵)으로서의 내용이 아니라 실제 활동인 경험을 통해 정신과 사고의 성장이 이루어져야 함을 강조하였다. 듀이에게 경험이란, 개인의 주체적인 활동이며 구체적인 일(occupation)[61]을 뜻한다. 듀이는 이러한 경험이나 일로 수공 · 예술 · 과학 등을 예시하였고, 그런 일들이 가지는 본질적인 교육적 의미를 새롭게 해석하였다. 교사가 교육에 대한 자신의 철학 없이 부수적인 것들에 매몰되어 전체적인 관점을 잃어버린다면 이것은 교육이 아니라고 꼬집었는데, 이것이 바로 듀이가 진단한 그 당시 초등학교의 교육적 상황이었다.[62]

듀이는 새로운 학교에서는 '상징'이 아닌 다양한 지적 재료로서의 '경험', 즉 일(occupation)을 통해 사회의 구성원들을 교육해야 할 필요가 있다고 보았다. 듀이는 교육에서의 일(occupation)은 상업 · 공장에서의 효율을 중시하고 생산물의 경제적 가치를 얻기 위한 일(work)과 다른, 즉 경제적인 것으로부터 자유롭고 사회적 힘과 통찰력을 기르기 위한 것이라고 그 개념을 명확히 하였다.

듀이에 따르면, 학교란 단순히 강의 내용을 듣고 지식을 축적하며 '먼' 미래의 생활을 준비만 하는 곳이 아니라, '현재' 배우고 있는 아이들의 삶과 관계를 맺고 생활을 통해 배우는 초보적인 사회이라는 것이고,[63] 따라서 학교는 더 큰 사회의 삶을 반영하는 일을 배우는 장소가 되어야 한다는 것이다. 즉, 학교는 예술 · 역사 · 과학의 정신은 물론이요, 풍부한 사회봉사 정신을 배우는 사회적 공간이 되어야 한다는 것이다.[64] 학교를 중심으로 개인의 삶을 풍부

61 Dewey, *The School and Society*, 1899, pp. 12~13.

62 Dewey, *The Educational Situation*, 1901, p. 274.

63 Dewey, *The Educational Situation*, 1901, p. 12.

64 Dewey, *The Educational Situation*, 1901, pp. 19~20.

하게 하고 성장시킬 수 있는 모든 사회적 기관예를 들어, 도서관, 은행, 관공서, 마켓, 시장 등들이 모두 교육의 장소가 될 수 있다고 보았다. 그러한 사회적 장소와의 연계 활동들은 학생들의 경험을 키우는 계기가 될 수 있다는 점에서 넓은 의미의 학교라는 것이다.

"학교는 근본적으로 사회 기관",[65] "학교는 축소된 공동체 또는 배아적(embryonic) 사회"[66]라고 학교의 사회적 기능을 듀이는 분명히 했다. 그의 학교와 사회의 관계에 대한 주장은 오늘날 '창의적 인재'가 학교교육의 핵심적 교육 목표 중 하나로 떠오르면서 학교에 제기되는 문제들첫째, 디지털 시대를 살아가는 현대인에게 '경험'을 통한 교육은 어떤 의미를 갖는가? 둘째, 포스트모던시대에 살아가는 학습자에게 공동체적 삶의 의미는 어떻게 정당화될 수 있는가? 셋째, 교육보다는 학습의 개념이 강조되고 있는 평생학습 시대에 과연 학교의 필요성이 어떻게 정당화될 수 있는가?에 대해 생각할 점을 준다. 현대사회의 복잡 · 다양성, 급변하는 환경은 사람들이 이에 적응할 창의적 사고방식을 그 어느 때보다 요청한다. 이에 따라 학교교육은 인식론적인 접근의 이성 중심의 교육과정으로부터 통합적이고 창의적인 사고 중심의 교육으로 그 초점을 옮겨 가고 있다.[67]

듀이의 실용주의에 바탕을 둔 교육이론의 영향은 미국이나 유럽에 국한되지 않고 중국 및 터키 등 아시아 지역에도 끼쳤다. 듀이(John Dewey)가 중국에 미친 영향은 실용주의자로 널리 알려진 그가 민주주의의 신봉자로서 중국에서 20차례가 넘는 강연을 통해 중

---

65 Dewey, *My Pedagogic Creed*, 1897 p. 86.

66 Dewey, *The School and Society*, 1899 p. 10.

67 권정선 김회용, 「듀이 철학에서 상상력의 교육적 의미」 한국교육철학학회(구 교육철학회) 『교육철학연구』 37권 2호(2015) pp. 23~45.

국의 민주주의적 사고의 개발에 끼친 영향을 적지 않게 기억된다는 데에서 찾아볼 수 있다. 장쯔(江折), 즉 장쑤성(江蘇省)과 쯔장성(浙江省)에서의 많은 강연을 그 대표적인 예로 들 수 있다.[68]

호적(胡適)은 일찍이 "중국과 서양문화가 접촉한 이래, 외국학자로서 중국 사상계에 영향을 끼친 것은 杜威(John Dewey) 선생처럼 이렇게 큰 적이 없었다."며 듀이의 방법은 "장래에 반드시 더욱 많은 신도를 얻을 수 있으며", 듀이의 역사관과 실험적 태도가 중국에서 장차 "점진적으로 사상계의 풍조와 관습을 변화시킬 것이다."라고 호적은 확신했다고 한다.[69] 듀이는 "샹하이(上海), 헝조우(杭州), 닝파(寧波), 난징(南京) 4곳에서 차례로 현대 교육의 추세 및 최근 학술사조를 강연하여 전국 인사들의 열렬한 환영을 받았으며", 듀이의 강연은 "돌연히 우리나라[=중국] 교육계에 신기원을 열었다"는 것이 호적의 평가다.[70]

듀이가 전파하고자 했던 실용주의의 핵심인 민주주의와 과학정신은 바로 중국의 새로운 지식인집단에서 이마 전파하고자 노력하고 있던 바로 그것이었기 때문에, 듀이는 처음부터 매우 자연스럽게 환영을 받았고 중국 체류 기간 동안 높은 명성을 유지하는 것이 가능하였다.[71] 듀이의 실용주의는 그의 제자 호적(胡適)을 통해 모

---

68 김재만, 「특집 : 오천석 박사 팔순기념 – (주제 : 민주주의와 교육) : 도덕교육의 교육학적 의미 – 존 듀이를 중심으로 –」『교육학연구』(한국교육학회), 18권 1호 (1980) pp.31~47. 1935년 상해 태동서국에서 출판한 『敎育哲學』(劉伯明통역 및 沈振聲 필기 내용)은 광의의 교육, 협의의 교육의 2부분으로 구성되어 있으며 듀이의 22차 강연 도합 26개의 강연제목을 담고 있다. 1935년 4월 상해(大新書局)에서는 듀이가 중국에서 22차례 강연한 내용을 수집한 『敎育哲學』이 출판됨.

69 胡適, 「杜威先生與中國」 1921年7月, 民國日報 副刊 覺悟

70 杜威在華演講集凡例, 新學社, 1919.

71 鄒振環, 「五 · 四전후 江浙地域의 "듀이(John Dewey)熱"과 "듀이學校"」, 『中國近現代史硏究』 42

택동(毛澤東)에게도 영향을 미쳤다고 한다.

1916년 듀이가 완성하여 출판한 『민주주의와 교육』(*Democracy and Education*, 1916)의 "Democracy"는 본래 "民主" 혹은 "民治"의 뜻이었지만, 중국에서는 『민본주의와 교육(民本主義與教育)』으로 새겨졌다. 듀이 본인이 장쯔(江折)지역의 상하이(上海), 항조우(杭州), 난징(南京) 등지에서 평민주의(平民主義) 관련 강연을 여러 차례 했고, 강연 중 대부분 "반드시 교육사업은 전체 국민을 위해 고려해야 한다"는 각도에서 발표했으며, "평민교육"의 주된 요지는 "사람들에게 교육의 기회를 주어야 한다."는 것이었기 때문이다.[72]

듀이는 일본도 방문하여 강연하였지만, 독일의 영향을 받은 일본의 교육계에는 별다른 반향을 일으키지 못했다고 한다. 일본의 주류 지식인들이 듀이에게 실망한 것 이상으로 듀이는 일본 체류 기간 동안에 일본의 배타적인 문화와 사회적 분위기에 실망하였다고 한다. 일본의 민족주의, '침묵의 문화(conspiracy of silence)', 애국주의와 종교문화가 듀이를 받아들이지 않게 했다. 듀이는 일본 방문의 경험에서 그의 민주주의 교육에 대한 신념, 즉 이질적 문화나 집단 간의 대화를 통한 상호학습이 민주주의 사회를 가져올 수 있을 것이라는 확신에 적지 않은 충격을 받았다고 한다.[73]

(2009), pp.11~12쪽; Liu Fang Tong, "Pragmatism of Dewey and Its Fate in China", 『한국종교연구』 7 (2005), pp. 10~11.)

72 杜威, 「平民教育之眞諦」, 單中惠等編, ■杜威在華教育講演, 教育科學出版社, 2007, 237쪽, 246쪽. 鄒振環 「五 · 四 전후 江浙地域의 "듀이(John Dewey)熱"과 "듀이學校"」 『중국근현대사연구』 (중국근현대사학회), 42 (2009.6), pp. 1~24 중 13쪽, 21쪽.

73 Naoko Saito, "Education for Global Understanding: Learning from Dewey's Visit to Japan," Teachers College Record 105(9), 2003, p.1761.

그는 당시 일제하에 있던 한반도는 방문하지 않았지만, 그에 대한 연구가 일제하의 한국에도 알려졌고 해방 후에 듀이 연구가 각광을 받기도 했다. 일제강점기를 거쳐 해방 후에 이르기까지 한국의 교육학과 교육 현실의 개선의 맥락에서 가장 지속적인 기대를 모으고 실제 국가적 차원의 교육개혁에 활용되었던 것은 듀이의 교육철학이었다.[74]

물론, 그의 진보관에 대한 비판도 있었다. 미국 · 유럽 사회의 경제적 풍요 · 사회적 안정 속에서 탄생한 듀이의 진보주의의 낙관주의적 성격이 빈곤과 혼란에 빠진 한국의 지식인들에게는 비판적으로 보였다.[75] 그의 학교가 '먼' 미래가 아니라 당장 이곳, 지금의 삶에 적용되어야 하고, 사회의 여러 기관들이 교육의 장이 되어야 한다는 실용주의 교육론은 한국 사회에도 영향을 끼치고 있다. '창의적 인재'가 학교교육의 핵심적 교육 목표 중 하나로 떠오르는 오늘날 학교에 제기되는 문제들에 대해서도 생각할 점을 준다.

몬테소리

몬테소리(Maria Tecla Artemisia Montessori, 1870~1952)는 이탈리아의 여의사였지만, 몬테소리 교육법을 개발하여 전 세계에 널리 보

---

74 일제시기 듀이 교육론의 이해 양상에 대해서는 박균섭, 「일제 강점기의 듀이 교육론 이해 양상에 관한 고찰」 『교육철학』 25, 2004, 21~41쪽); 그리고 해방 이후의 듀이 교육론의 연구 및 적용 과정에 대해서는 정광희, 「한국의 듀이 교육론 전개 과정에 대한 일 고찰」 『한국교육사학』 21, 1999, 437~484쪽), 노진호, 「한국교육사에서 듀이 교육이론의 타당성」 『한국교육사학』 18, (1996), pp. 291~310 참조.

75 듀이의 사상에 기초한 진보주의 교육에 대해 대한민국 정부 출범 직후 민족주의 진영으로부터의 비판에 이어 1950년대 전 기간에 걸쳐 많은 논쟁이 '듀이즘 대 반듀이즘'이라는 구조로 진행되었다. 이길상, 「서구 교육이론의 한국적 수용 양상 – 해방 이후 진보주의 교육사상을 중심으로 –」 『한국교육사학』 39권 3호 (2017) pp. 79~104.

급한 아동교육자로 더 알려져 있다. 1907년 로마의 산 로렌초(San Lorenzo)라는 빈민가에 로마협회가 공동주택을 짓고 어린이 보육시설을 몬테소리에게 맡아 줄 것을 요청하였고, 그녀는 그곳에 어린이집(Casa dei Bambini)을 열었다. "첫 번째 몬테소리 "어린이집"은 원래 보잘것없어 보이는 시설에서 출발했지만 예상치 못한 지평을 연 발견의 사례를 제공하였다."[76]

> "첫 번째 몬테소리 학교는 3살에서 6살까지의 일반 아동을 대상으로 1907년 1월 6일 문을 열었다. 이 어린이집이 몬테소리 방법을 실시한 학교는 아니었다. 당시에는 몬테소리 방법이라는 것이 없었기 때문이었고, 거기서 몬테소리 방법은 곧 발전하기 마련이었다. 가난하고 매우 위축된 50명 이상의 어린이들이 있었는데 이들 가운데 많은 아이들이 울보들이었고 거의 대부분이 문맹자인 부모들은 아무것도 해 줄 것이 없었다. 그들은 나에게 자녀들을 맡겼다. 원래 어린이집은 벽을 더럽히고 난폭한 행동을 하며 홀로 계단에 남겨져 있는 공동주택 노동자의 아이들을 한방에 모아 두려는 목적 이상은 없었다. 이들을 위해 건물에 방 하나를 마련하였다. 그리고 나에게 이 시설을 돌보아 줄 것을 부탁했다."[77]

이후 교육 현장에서 꾸준히 어린이의 모습과 행동을 관찰하고 기록하였고, 깊은 관찰로 겉으로는 알 수 없는 어린이의 정신세계에 접근하여 어른과는 질적으로 다른 어린이의 고유한 특성들을

---

76 Maria Montessori *Il segreto dell'infanzia* 몬테소리/구경선, 『어린이의 비밀』, 지만지 2008, (지만지고전천줄 0086) 115쪽.

77 몬테소리/구경선, 『어린이의 비밀』, 지만지 2008, 116쪽.

발견하였다. 관찰과 경험에서 나온 과학적인 교육이론에 대해 "첫 어린이집에서 정신지체 아동들에게 의미 있는 결과를 가져다준 도구가 정상아 교육의 문을 여는 열쇠임이 드러났고, 그것은 약한 정신력을 강화하고 일탈된 지능을 정상화하여 정상적인 발달을 돕는 수단이 되었다."고 쓰고 있다.[78]

몬테소리는 교사는 아이들의 활동을 면밀하게 관찰 · 측정 · 기록하여, 이를 참고로 아이들에게 ① 아동의 자기 활동을 돕는 정리된 환경을 제공하고, ② 교사는 뒷전에 물러서서 필요할 때만 나서야 한다는 것이다. 몬테소리는 "어린이 교육"의 기초에 대해 다음과 같이 갈파했다.

> "정신적인 태아인 어린이는 본질적으로 정신 발달에 있어서 인간의 형성 법칙을 따르고 있기 때문에 우리는 어린이의 감추어진 인격을 존중해야 한다. 어린이의 정신은 이렇게 감추어진 인간을, 미지의 어린이를, 살아 있는 존재를 포로 상태에서 해방시켜야 하는 어린이 속에 존재한다. 이것이 교육의 가장 우선적이고 긴박한 임무다. 여기서 해방된다는 것은 미지의 것을 발견하여 알게 되었다는 뜻이다. [...] 새로운 참된 교육은 먼저 어린이를 발견하고 해방시키는 데에 있다. 어린이의 실존을 고려하고 어른이 될 때까지 지속적으로 어린이에게 필요한 도움을 주어야 한다."[79]
>
> * [ ]는 필자의 첨삭

78 Maria Montessori *Il segreto dell'infanzia*, 구경선, 『어린이의 비밀』, 지만지 2008, 117쪽

79 Maria Montessori *Il segreto dell'infanzia*, 구경선, 『어린이의 비밀』, 지만지 2008, 112~113쪽

한 아이가 바닥에 떨어진 부스러기를 가지고 놀며 집중하는 모습을 보게 됐다. 곧 그녀는 장난감을 가져다주었고, 손으로 만지고 느끼는 동안 아이들의 지능이 향상되는 것을 발견했다. 특히 지적 장애가 있는 어린이에게 놀잇감을 주자 훌륭한 학습을 하는 것을 보고는, 이를 장애가 없는 어린이에게도 적용시켜 색채감각의 자극과 크고 작음(大小) · 길고 짧음(長短)의 지각을 위해서 여러 가지 크기의 나무 조각 · 구슬 등의 놀잇감을 이용하였다. 몬테소리는 ① '놀잇감'을 이용, 아동의 감각을 발달시켜 자발적 흥미를 불러일으키는 학습을 시키며, ② 활발한 자기 활동으로서 자기 교정 · 훈련이 돼 나아감을 보았다.

특히 몬테소리는 많은 교구(教具)를 개발하였다. 아이들의 감각에 초점을 맞추었고 흥미를 끄는 다양한 교구감각교구(教具)로는 원기둥꽂이, 분홍 탑, 갈색 계단, 빨간 막대, 색깔 원기둥, 색판, 기하도형과 카드, 기하입체, 구성삼각형, 촉각판(같은 천 찾기), 온각통(온각판), 중량판, 비밀주머니, 소리통, 미각병, 후각통, 2항식입방체, 3항실 입방체, 음감벨 등를 배치했다.[80] 또 아이들의 신체에 맞는 책걸상을 놓았으며, 아이들의 생각과 행동에 맞춘 '눈높이' 교육을 실천했다. 그 덕분에 어린이집 아이들은 다른 또래에 비해 놀라울 정도로 풍부한 감성과 높은 지능을 지니게 됐다. 또한 아이들의 발달에 일의 중요성을 발견했다.

이러한 몬테소리 교육 방법은 매우 성공적으로 전 세계 어린이들에게 그 교육 방법이 소개되었다. 몬테소리는 "어린이는 작업을 하는 동안 정상화되며 그들의 정신생활의 현상을 보여 준다. 어린

---

80 정금자, 「M. Montessori 教育理論과 그 背景」『特殊教育研究』 Vol.15 (1988).

이에게 작업은 자연본능이다."라면서 인간은 작업을 하면서 형성되며, 어린이의 본능은 작업이 인간의 내적 본능이며 전 인류의 본래적 본능임을 입증한다면서 어린이들은 일을 일 자체로 받아들인다는 점이 어른과 다른 점이라고 주장하였다.[81]

'몬테소리 교육법'은 세상으로 퍼져 나갔고 몬테소리 교육과정으로 자리 잡게 되었다. 몬테소리 교육의 교육과정은, 어린이집에 들어올 때부터 체육건강과 일상생활의 연습으로 시작하여, 3세가 되면 교구를 이용한 감각교육이 들어오고, 4~5세에 들어서 교구를 쓴 언어교육이 들어오고, 그 다음에 문화교육교구를 쓴 식물교육, 교구를 쓴 지리교육, 교구를 쓴 음악교육, 교구를 쓴 산수교육이 들어와서 9개 분야에서 어린이 교육이 주로 교구를 활용한 가운데 이루어진다.

19세기 말에서 20세기 초 산업화 · 기술화 · 도시화로 모든 사회 · 문화적인 문제가 교육문제로 제기되고 사회문화적 비판은 교육개혁운동으로 이어지는 데에 이바지하였다. 교육개혁의 선구자로서 '아동으로부터의 교육'을 통해 어린이를 개선하고 모든 교육의 문제를 해결하고자 함으로써 현대 어린이 교육 발전에 크게 이바지하였고, 국제몬테소리 협회와 대회가 열리기도 했다.[82]

---

81 Maria Montessori *Il segreto dell'infanzia* 구경선, 『어린이의 비밀』, 지만지 2008, 182쪽

82 1929년 국제몬테소리협회가 창립되었고, 1926년 헬싱키에서 제1회 국제몬테소리대회가 열렸으며, 그녀가 사망하기 전 1951년까지 9차례의 대회가 열렸다.

【그림 4】 이탈리아 1,000리라 지폐의 몬테소리(앞)와 학습하는 아이들(뒤)

3장

무엇을 어떻게
배우고, 가르칠 것인가?

- 루소, 페스탈로치, 그룬트비, 톨스토이, 존 듀이, 몬테소리를 떠올리며 우리 교육을 성찰
- 인문학의 고사 위기 속의 우리나라 교육, 이제는 기술과 인문학의 만남이 더 중요한 때
- 입시 · 교과서 · 점수 · 정답 · 매너리즘에 빠진 공교육, 외면하지만 말고 돌아보아야 할 대안 · 혁신의 단초들: 대안학교, 자유학기제도 등
- 미국의 뉴욕 · 버몬트 학교, 우드랜드 파크 · 미네르바 학교, 영국의 버밍햄, 일본의 요코하마, 핀란드, 네덜란드 등의 외국의 혁신사례에서 시사점 찾아보기
- 인간 고유의 문제 인식 역량 · 대안 도출 역량, 기계와의 협력적 소통 역량, 창의로운 인지 역량, 인성 구비 정서 역량, 협력하는 사회 역량, 생태학습 역량을 키우는 교육이 되어야

루소의 영향으로 인간에 대한 신뢰와 선함에 바탕을 둔 교육운동가로서의 실천적인 삶을 살았고, 민중교육을 실천한 페스탈로치는 자연스런 교육 · 학습이 머리지적 능력, 智, 가슴도덕-종교적 능력, 德, 손손재주, 體와 기술의 조화 속에 펼쳐져야 한다고 주장했다.

몬테소리의 외침은 먼저 어린이를 발견하고 해방시키는 데에 새로운 참된 교육이 있다는 것이고, 관찰에 바탕을 둔다. 어린이의 관찰에서 "작업이 인간의 내적 본능이며 전 인류의 본래적 본능"임이 밝혀져다면서 어린이들은 일을 일 자체로 받아들인다는 점에서 어른과 다르다는 것이다. 어린이의 실존을 고려하고 어른이 될 때까지 지속적으로 어린이에게 필요한 도움을 주어야 한다는 몬테소리의 주장은 세계 각국의 어린이집에서 메아리친다.

교사의 덕목으로 "사랑"을 강조한 톨스토이는, "가르침만의 사랑으로는 훌륭한 선생이 되겠지만 이에 아이들에 대한 사랑이 함께 어우러진다면 완벽한 선생이 된다"며 교육 현장에서 학생을 향한 사랑이 없이는 진정한 교육이라고 볼 수 없음을 일깨워 준다.

덴마크의 정신적 지도자인 그룬트비는 삶을 위한 교육이 되어야 하며, 삶과는 동떨어진 교육문자화된 죽은 지식, 일상과 동떨어진 라틴어 강의로 가르치는 '죽은 교육'이 아니라, 삶의 교육이어야 하며, 교실에서뿐 아니라 학생들이 함께 생활하는 공동체적 삶을 통해 이루어지는 '산 교육'이 되어야 한다는 가르침은 평생교육 · 평민대학의 틀을 넘어 전 세계에 반향을 주었다. 이러한 그룬트비나 몬테소리의 주장은, 학교교육이 축적된 지식을 전하는(傳受) 상징(象徵)이 아니라 실제

활동인 경험을 통해 정신과 사고의 성장이 이루어져야 한다고 실용철학자 존 듀이는 주장과도 다르면서도 통하는 점이 있다.

듀이는 특히 개개인의 주체적인 활동인 구체적인 일(occupation)을 중요시했다. 학교란 '먼' 미래의 생활을 준비만 하는 곳이 아니라, 학생들이 살아가야 할 사회적 환경, 아이들의 삶과 관계를 맺고 생활을 통해 배우는 초보적 사회임을 듀이는 강조했다. 도서관, 은행, 관공서, 마켓, 시장 등 개인의 삶을 풍부하게 하고 성장시킬 수 있는 모든 사회적 기관을 모두 교육의 장소로 보았고, 넓은 의미의 학교라고 듀이는 보았다.

교육의 목적은 학생들이 살아가는 데 진정으로 도움을 주는 것이어야 한다는 이러한 주장, 관찰, 교육실험, 교육개혁들은 포스트모던시대의 인성 교육뿐 아니라 4차 산업혁명시대에 일과 배움에 대해 그리고 인공지능시대에 인간 중심의 교육을 어떻게 펼쳐야 할지에 대해 그리고 4차 산업혁명시대에로 이행하는 오늘날 우리가 겪고 있는 상황에 시사점을 준다.

이제 우리에게 주어진 현실적 문제는 무엇을 어떻게 배우고, 가르칠 것인가이다. 오늘날 과학기술의 발달은 인문학에 대한 고사와 위기를 불러일으키고 있다. 2000년대 초반부터 "인문학의 위기"라는 용어가 등장하였으며, 지금도 이 용어는 계속하여 사용되고 있다. 그러나 4차 산업혁명으로 인해 나타나는 여러 변화와 혁신은 오히려 인문학을 통한 가치와 판단에 의존할 수밖에 없다. 인간과 기계의 상호작용을 통해 인간의 경계가 모호해질 때 인간을 어떻게 정의할 것인지, 로봇에게 자율성을 부여해야 하는지, 로봇이 가져야 할 윤리는 무엇인지 등의 문제들은 인문학이 과학기술 및 공학에 답을 주어야만 해결할 수 있는 문제들이다.

이외에도 빅데이터를 통한 개인의 이력과 기록들은 사적(私的) 기록물이 가지는 새로운 역사의 의미를 강조하게 될 것이며, 로봇과 인공지능이 가져야 할 유머나 해학을 논한다면 그것은 새로운 문학 장르와도 연결될 수 있다. 현재에도 이미 소셜 미디어(Social Media)의 등장과 다양한 매체의 확장으로 디지털 스토리텔링(digital story-telling)이 강조되고 있다. 점차 이러한 변화는 확대될 것이며, 전통적인 형태로서의 인문학이 아닌, 변화하는 시대에 과학기술에 대해 사색하는 인문학이 강조될 것이다.[1] 스티븐 잡스가 언급한 기술과 인문학의 만남이 앞으로는 더욱 중요해질 것이다.

동시에 첨단과학기술로 인해 인공지능을 통한 개별화, 맞춤형 학습이 보편화될 경우, 인간인지 기계인지 구분할 수 없게 되면서 오는 대인 관계의 혼란과 개인주의적 · 자기중심적 성향이 심화될 수 있다. 과학기술이 오히려 인간의 고립과 상실로 몰아넣을 가능성에 당면하면서, 이를 극복하기 위해 인간으로 가져야 할 참된 가치와 인성을 함양하는 교육의 필요성이 더욱 절실해진다.

1 조헌국, 「4차 산업혁명에 따른 대학교육의 변화와 교양교육의 과제」, 한국교양교육학회, 『교양교육연구』, 11(2), 2017, p. 76.

대한민국 학교교육의 문제점

학교교육의 파행, 공교육에 대한 불신, 그 근본적인 까닭

'교실이 무너지고 있다' 포항 지진으로 외벽에 금이 간 학교 이야기가 아니다. '학교교육은 없다.'라는 과격한 표현을 상징적으로 표현한 것이다. 기초학력 저하, 학교폭력과 따돌림으로 시달리는 학교, 해외로 눈길과 발길을 돌린 어린 유학생과 기러기 아빠, "대학을 나와 봤자…청년 취업난", 취업난 속에 대학 졸업을 마냥 늦추는 대학생들, 우리 교육의 현주소다.

교육부의 "공교육 진단 및 내실화 대책"에 공교육 위기의 원인 소상히 분석되어 있다. 이를 따라 짚어 보면, ① 학생들의 자기 통제력 부족, ② 가정교육 부재, ③ 교사의 전문성과 책임감 및 교육여건 미흡, 교권(敎權)의 위축과 추락 등이다.[2] 게다가, 공교육 외면과 사교육에의 쏠림 현상과 과다한 과외비 지출로 가계까지 위협받고 있다.[3]

학교교육은 아이들의 눈높이에 맞추기보다는 교과서라는 틀에 갇혀 획일적인 교과와 진도 속에 재미없고 점수 올리는 데에도 효과적이지 못한 교실로 교육의 수요자들학생과 학부모들은 아예 외면해 버려 싸늘한 것이 공교육의 현장의 체온이다. 배울 의욕이 없거나

2 국제미래학회 · 한국교육학술정보원, 『4차 산업혁명시대 대한민국미래교육보고서』(2017) 129~138쪽에 강선보 「왜 공교육을 불신하는가」 참조.

3 2017.10.25 김상곤 교육부장관은 "우리나라는 민간의 공교육비 부담이 큰 상황이다. 또 GDP 대비 공교육비 중 민간재원은 1.7%, 공교육비에 대한 민간지출 비중은 32%로 OECD 평균의 2배 이상 / 전체 공교육비 중 민간재원 비율이 OECD 국가 중 5위에 해당한다. 사교육비('16년 학생당 25.6만 원, 참여 학생 37.8만 원)는 가계에 부담을 초래하며 대학생은 학비 · 주거비 걱정으로 학업에 충실하기 곤란하다."고 밝혔다.

떨어진 아이들을 붙잡고 정열을 태우며 열심히 가르치려는 교사들은 행정적 부담과 판박이 교습에 매너리즘으로 임하게 되면서 악순환(vicious circle)의 수렁에 빠진 모습이다.

그렇다면, 학교와 선생들만의 책임인가? 아니라고 본다. 우선 가정교육이 무너진 것에 학교교육의 파행이 그 연장선에 있고, 교육제도특히 입시제도 가 장기적 계획 수립 없이 조변석개(朝變夕改)식으로 바뀌면서 불안감에 휩싸인 학생과 부모들은 어떻게든 상대평가와 점수에 모든 것을 걸고 아이들을 선행학습과 학교 밖 사교육에 내몰고 있다.

페스탈로치가 아동교육의 길을 닦았고 몬테소리가 관찰했듯이 아이들의 교육에는 학교 못지 않게 가정의 몫이 크다. 가정에서 비뚤어지고 잘못된 사회교육을 받은 아이들이 학교에서 잘못되고 바람직하지 못한 것들학교폭력[4] 및 따돌림을 저지르면서 다른 아이들에게 피해를 주고 있다. 교사들은 톨스토이가 그렇게도 강조했던 "사랑"이 결핍된채 가르침에만 급급하고, 교권이 무너진 가운데 학부모와 선생의 손발이 맞지 않아 아이들 지도는 우왕좌왕 한다.

가정이 바로 서지 않고 학교나 사회교육이 제대로 이루어진다는 것은 어렵다. 앞서 인용했던 『대학』(大學)에서 스스로 자신이 수양하면서 "동요되지 않은(安) 뒤에 능히 안존(靜)할 수 있으며, 안존한(靜) 뒤에 능히 생각할(慮) 수 있으며, 생각한(慮) 뒤에 능히 얻을

4 국제미래학회 · 한국교육학술정보원, 『4차 산업혁명시대 대한민국미래교육보고서』(2017) 158~163쪽에 정제영 「폭력없는 안전한 학교는 가능한가」 참조. 학교폭력대책자치위원회의 심의 건수는 17,749건 (2013), 19,521건(2014), 19,968건(2015)로 지속적으로 증가하고 있다. 같은 책 161쪽.

(得) 수 있다"는데, 부모도 교사도 수양이 안 된 상태인데 아이들에게 안정과 심사숙고하는 자세를 기대하고 또 제대로 된 상담과 조언을 줄 수 있을 것으로 바란다는 것은 나무에서 물고기를 구하는 것(緣木求魚)과 다를 바 없다.

일과 물건(事物)에 있어서 근본과 곁가지를, 앞뒤를 구분하는 것에 길(道)이 가깝다는데, 그것과는 거리가 먼 교육행정에서 교육의 백년의 계획(百年之計)을 기대한다는 것 또한 마찬가지다. 스스로 자신의 몸을 닦고 가정을 가지런히 하고 나서 나라를 다스리고 천하를 태평하게 한다(修身齊家治國平天下)는 연결고리의 선후에서, 이미 가정이 무너졌는데 학교가 제대로 돌아가는 것을 기대할 수는 없다. 곁가지 문제들보다도 뿌리 문제를 먼저 다루어야 한다.

학교교육의 현주소

우리 아이들은 태어나서 부모로부터 말을 배우고 나서 곧바로 영상매체에 사로잡혔다. TV 프로그램은 말할 것도 없고 스마트폰으로 게임으로 울거나 보채는 아이들을 달래는 부모들을 집 안팎에서 쉽게 볼 수 있다. 지능정보화시대에 아이들의 교육 방식이 이미 결정되어 버린 상태라고 해도 과언이 아니다. 돌잔치에 실 · 돈 · 연필 · 책을 내놓았는데, 이제는 스마트 폰이나 태블릿 PC를 내놓아야 할 것 같다.

칠판에 써 가는 학습은 아이들 세대의 교육과는 거리가 멀다. 마치 철기시대에 구석기시대에나 나오는 돌도끼를 내놓고 일하라고 하는 것과 다름없는 시대착오다. 4차 산업혁명의 직접적인 수혜자요, 또 일자리를 보면 피해자일 수도 있을 아이들에게 교실에

갇히고 칠판에 집중하는 공교육은 설 자리가 없고, 아이들의 관심과 집중 밖에 겉돈다. 배우는 아이들과 학생들은 교과서나 교재, 교사나 교수의 앵무새 같은 교과 지도의 학습 내용보다 훨씬 더 많은 생생한 정보와 예를 스마트 폰을 통해 쉽게 접하고 있다. 살아있는 정보가 손안에 있는데 구태의연한 가르침과 수업에 관심이 갈 리가 만무다. 자거나 딴전을 피울 수밖에 없는 현실이다.

이에 교사와 교수들은 중간 · 기말시험 등 각종시험으로 아이들과 학생들을 자신의 틀 안에 가두려고 한다. 코끼리를 쇠줄로 묶어 며칠만 말뚝에 묶어 놓으면 그 코끼리는 영원히 그 쇠줄에 묶여 주인에 복종한다고 한다. 그런 코끼리를 만드는 것이 오늘날 교육현장의 모습이지 않나 하는 생각마저 든다. 수능시험에 상대평가로 줄을 세우는 것이 바로 코끼리를 묶는 쇠줄이 아니겠는가? 세계 어느 곳을 가더라도 써먹을 수 있는 경쟁력 있는 교육과는 거리가 먼, 억지로 교과와 교실의 틀 안에 갇힌 가여운 코끼리 같은 존재가 우리 아이들과 학생들이 아닐까?

대한민국 공교육이 파행하고 사교육의 공화국[5]이 된 데에는 입시로 뒤틀린 교육[6]이 가장 큰 원인으로 작용한다. 수능과 입시에 맞추어진 학교교육은 학생들에게 무비판적 · 수용적인 학습태도를

---

5 국제미래학회 · 한국교육학술정보원, 『4차 산업혁명시대 대한민국미래교육보고서』(2017) 139~146쪽에 진동섭 「왜 대한민국은 사교육 공화국인가?」의 제목을 재인용. 진동섭 서울대교육학과교수의 글에 따르면 2015년 초중고 사교육 조사 결과, 사교육비 총규모는 약 17조8천억 원으로 같은 해 유아 · 초중등예산이 약 40조 원임에 비추어 매우 큰 규모로 자녀 1명을 둔 가구 평균소득 358만 원의 7%에 가까운 액수이며 학교급별로는 초등학교 23만 원, 중학교 27만 원, 고등학교 23만 원 수준이라고 한다. 142쪽

6 국제미래학회 · 한국교육학술정보원, 『4차 산업혁명시대 대한민국미래교육보고서』(2017) 146~158쪽에 강현석 「입시로 뒤틀린 한국교육, 무엇이 문제인가」 참조.

강요하고 있다. 앞에서 든『대학』의 앎의 순서와 원리는 찾아볼 구석이 없고, 정답만을 찾아내는 평가로 암기 위주의 주입교육이 판을 치고 정답을 강요하는 획일성에, 배우는 기쁨과 스스로 생각하며 길을 찾아가는 애씀은 그 설 자리를 잃었다. 양(量)의 학습, 속도의 학습에 시달리고, 입시로 배움과 삶이 분리되고 있다.[7]

칠판에 싸인 교실/강의실에서 발표와 토론은 겉핥기거나 일방통행식 강의가 여전하다.[8] 교실에 파워포인트(ppt) 슬라이드와 동영상을 들여오는 것에 안주하지 않고 화상수업과 현장 체험, 토론을 통해 학생들 스스로 문제를 풀고 스스로 내놓은 과제를 해낼 수 있는교사나 교수는 이에 꼭 필요한 조언을 해 주는 몫을 하는 교육 현장이 되어야 4차 산업혁명의 시대에 부응할 수 있는 다양한 능력을 갖춘 인재들이 배출될 수 있을 것이다.

우리나라는 교육 수준이 높은 국가로 전 세계에 알려져 있다. 국제학업성취도비교평가(PISA) 등에서 핀란드 등 세계 최고의 나라들과 어깨를 겨루면서 높은 성취 수준을 보여 미국을 비롯한 많은 나라들이 부러워하고 있다. 그럼에도 불구하고 교육에 대한 문제점은 계속 대두되고 있는 것이 우리나라 교육의 현실이다. 우리나라 학생들은 정규 수업을 마치고 나서 '방과 후 학교'나 '학원'을

---

7 강현석 경북대 교육학과 교수는 교과서도 문제이지만 EBS교재에서의 출제도 "교육과정을 망가뜨리고 있다."고 지적한다. 151~153쪽.

8 아이들과 학생들의 수업 만족도를 높이려면 참여와 소통이 필요한데, "수업서 강의 말자"는 원칙일 뿐, 교수의 질문을 받은 경험"은 13%이고 강의 중 토론한 적이 없다는 한국이 29%(미국은 2%에 대비)다. KAIST의 경우 강의 동영상을 미리 주었더니 학생토론 참여율이 99%였다는 것은 소통과 아이들 참여에 사전 준비와 노력이 얼마나 다른 결과를 낳는지를 극명히 보여 주는 예다. 한석수 '4차 산업혁명과 미래교육'http://cms.dankook.ac.kr/web/generaledu/-15?p_p_id=Bbs_WAR_bbsportlet&p_p_lifecycle=2&p_p_state=normal&p_p_mode=view&p_p_cacheability=cacheLevelPage&p_p_col_id=column-2&p_p_col_count=1&_Bbs_WAR_bbsportlet_extFileId=66794 (2017.11월 검색)

다니면서 세계에서 가장 오랜 시간 동안 공부를 하고 있다. 시간당 학습 효율, 청소년들의 행복 체감도, 사회적 소통과 협력 능력이 비교 대상국 중에서 낮은 편이다.

청소년들의 학습 흥미도도 낮다. 입시 위주의 교육으로 인한 주입식 교육 때문이다. 공부에 대한 부담감이나 성적에 대한 낙담으로 자살하는 초중고생들이 끊이지 않고 있다. 또한 공교육비에 사교육비까지 세계에서 가장 많은 1인당 교육비를 쓰면서도 교육 문제 때문에 모두가 골머리를 썩이고 있으며, 학교교육을 마친 후 지식은 많으나 창조적인 아이디어는 부족한 학생들이 배출되고 있는 것이 우리 교육의 현실이다.

교육희망네트워크 운영 위원이자, 21세기 교육연구원장인 안승문은 2013년 한국 교육의 현실과 과제에 대한 분석을 제시한 바 있다.[9] 그는 한국 교육의 문제점으로 ① 점수 만능주의와 입시 편향의 주지교과 편중 교육, ② 20%의 청소년들이 정신 질환 위험군, 만연한 폭력과 괴롭힘, ③ 고질적인 사교육 문제를 들었다. 이 세 가지 문제점들을 좀 더 살펴보도록 하자.

첫째, 점수 만능주의와 입시 편향의 주지교과 편중 교육으로 인하여 인성교육은 갈수록 위축될 수밖에 없으며, 풍부한 정서적 성장이나 예술적 감수성을 기르기 위한 독서나 문화예술 교육, 창작 활동, 타인과 소통하고 협력하는 능력, 인문학을 비롯한 폭넓은 교양 등은 도외시되고 있다. 지금과 같은 암기 위주 주입식 교

9 안승문, "심층분석2 : 한국 교육의 현실과 과제", 2013. 3. 15., 참여연대 사회복지위원회, http://www.peoplepower21.org/Welfare/1008492.(2017년 11월 검색) https://www.oxfordmartin.ox.ac.uk/downloads/academic/The_Future_of_Employment.pdf(2017년 11월 검색)

육을 지속한다면 4차 산업혁명시대에 없어질 직업을 위한 교육만 하는 셈이다. 미래에 없어질 직업들은 단순히 저기능 육체 노동직뿐만이 아니라 지식과 정보를 기계적으로 처리하는 평균적 기능을 요구하는 대부분의 직업들까지 포함한다.

한국경제신문사가 주최한 '글로벌 인재포럼 2017'(2017. 10. 31~11.2)에 참석한 줄리아 길라드 전(前) 호주총리는 기조연설에서 "한국은 '교육의 힘'으로 세계에서 가장 빨리 변화하며 성공 스토리를 만들었지만, 교육환경 자체의 혁신과 변화가 없는 위기국면에 직면했다"고 진단하면서 "인공지능(AI)이 유머까지 하는 시대인데 학교교육현장은 정해진 시간에 교실이란 공간에서 교사가 지식을 전달하고 학생은 받아 적는 100년 전의 낡은 방식이 그대로 이어지고 있다"고 지적하였다.

4차 산업혁명시대가 요구하는 역량은 더 이상 지식을 암기하는 역량이 아니다. 따라서 지식을 머리에 집어넣는 주입식 교육에서 하루 빨리 탈피하여야 한다. 4차 산업혁명시대에는 급격한 기술변화에 끊임없이 적응하기 위하여 평생 동안 배워야 하기 때문에 '어떻게 배우는지를 배우는' 자기주도 학습역량이 중요하다. 또한 여러 사람과 팀을 이루어서 새로운 것을 스스로 만들어 낼 줄 알아야 한다. 이를 위해서는 창조적 문제해결역량과 소통기반 협력역량이 크게 요구된다. 우리의 학생들이 이러한 역량을 갖추도록 교육받을 수 있어야만 인공지능 기계에 대체되지 않고 4차 산업혁명시대를 주도하는 인재가 될 수 있다.[10]

---

10 안종배, "4차 산업혁명에서의 교육 패러다임의 변화", 『미디어와 교육』 제7권 제1호, 2017, 한국교

둘째, 극심한 경쟁으로 인한 스트레스와 중압감으로 상당수의 학생들이 정신적 · 신체적인 치료가 필요한 상태에 있거나, 폭력 · 집단 괴롭힘, 교사에 대드는 행동 등 이상 증상이 나타나고 있다. 학교나 집에서 공부를 못한다고 구박받거나 무시당하고, 휴식이나 여가를 제대로 즐길 수 있는 엄두를 내지도 못하고, 극심한 생활고나 부모들의 불화와 이혼 등이 얽치고 겹치면서 학생들은 불만과 증오감을 폭력과 따돌림 등 반사회적 행동으로 표출하고, 그마저도 감당해 내지 못하는 학생들은 자살을 택하고 만다.

이러한 문제점을 해결하기 위하여 청소년을 대상으로 하는 스트레스와 관련한 교육프로그램들이 존재하고 있지만, 실제로 그 효과성은 매우 낮은 것이 현실이다. 대부분의 프로그램이 지속적이지 않고 일회성 이벤트의 성격을 가지고 이루어져 학생들이 그것을 통하여 무언가를 배우고 느끼기 어렵기 때문이고, 대부분의 프로그램이 대규모로 이루어지는 동시에 강사의 일방적인 내용 전달로 진행되어 학생들이 실제로 강사와 소통하며 피드백을 얻을 수 없음에 기인한다. 따라서 청소년기의 학생들이 그들의 스트레스를 관리할 수 있는 역량을 갖추게 되고 그를 통해 더욱 안정적이고 행복한 청소년기를 보낼 수 있기 위해서는, 학생들에게 실제적으로 필요한 역량이 무엇인가를 알고 스트레스 관리 훈련 단계들을 구체적으로 설정하여 효과적인 교육훈련프로그램을 제공하는 것이 필요하다.[11]

육방송공사, p. 24.

11 청소년 스트레스 관리 프로그램, https://sites.google.com/site/2jojjangjjang/project-updates/untitledpost, 2017. 11. 16. 검색.

셋째, 극심한 학력 간, 직종 간 임금 격차와 학벌에 따른 차별로 인하여 우리나라의 사교육은 번창 일로에 있다. 공교육에서의 잘못된 평가제도와 선다형 위주의 수능 시험은 20세기형 암기와 문제 풀이 교육을 고수하는 사교육과 잘 맞아떨어져 있다. 새로운 교육정책이 발표되자마자 가장 먼저 분석하여 시장 확대의 계기로 활용하고, 입시 경향을 철저히 분석하여 대응 방안을 만들어 내는 사교육계의 노력 앞에 공교육은 전혀 대응을 하지 못하고 있다.

그동안 우리의 교육개혁은 학교의 다양화와 질의 제고를 통하여 중산층의 사교육비 부담을 줄이고, 직업기술교육의 강화를 통하여 산업계가 요구하는 인력을 양성하는 동시에, 대학의 연구개발 강화와 구조개혁을 통하여 지식기반 경제사회로 나아가는 데 중점을 두었다.[12] 하지만 사교육 문제는 여전히 대한민국의 고질적인 문제다. 대입수능이 바뀌지 않는 한, 사교육의 문제에는 해결 방법이 없다.

과거에는 오차 없는 답을 중시하는 제조업에 기반을 둔 산업구조에서 암기 · 주입식 교육을 받은 인재가 수용되는 사회였지만, 지금은 생성적이고 창의적인 지식이 요구되는 사회이다.[13] 따라서 4차 산업혁명에 대응한 교육 대전환을 위한 활발한 공론화가 더욱 절실한 것이다. 향후 교육개혁의 초점은 4차 산업혁명에서 한 명도 낙오되지 않고 모두를 새로운 시대 변화를 주도하는 창의적 인

12 박세일 · 이주호 · 김태완 편, 『한국교육의 미래전략』, 한반도선진화재단, 2016.; 이주호, '4차 산업혁명에 대응한 교육 대전환', 『철학과 현실』 통권 제112호, 2017, 철학문화연구소, 2017, p. 160에서 재인용.

13 조선일보 2017년 3월 20일자, 『서울대에서는 누가 A+를 받는가』 저자 이혜정 박사 인터뷰 기사

재로 키우는 교육 대혁신에 두어야 한다고 본다.[14]

지금까지 우리나라의 교육은 산업사회의 특성인 표준화, 규격화, 정형화에서 벗어나지 못하고 있다. 이제는 이러한 교육에서 탈피하여 4차 산업혁명시대의 주요 특성 변화인 다양성, 창의성, 유연성을 강화해야 한다. 4차 산업혁명시대 사회 특성에 대응하는 다양성, 창의성, 유연성을 강화하는 방향으로 교육이 변화하기 위해서는 미래 교육의 총체적이고 혁신적인 변혁이 필요하다. 4차 산업혁명시대에는 산업시대와는 전혀 다른 역량을 갖춘 인재를 양성할 수 있도록 교육의 변혁이 이루어져야 한다.

창의적인 아이디어가 세상을 바꾸는 시대에는 학교교육에만 집중해선 성과를 내기 어렵고 '학교 밖 학습'이 교육개혁의 핵심이 되어야 하며[15], 젊은이들이 세상에 무엇이 필요한가를 질문하도록 가르치고, 유연성 있게 서로 연결하는 법을 알려 줘야 한다.[16] 이러한 교육의 변화는 부분적으로 진행되어서는 성공적으로 구현할 수 없고 교육 관련한 모든 체계가 총체적으로 상호 협력하여 교육계 전반에서 동시적으로 총체적인 혁명이 발생해야 한다.[17] 또한 총제적인 상호 협력을 위해서는 학제, 교육과정, 입시, 학교 등을 초·중등 교육에서부터 미래 사회에 필요한 역량을 어떻게 기를지에 교육의 초점을 맞추는 진로교육과 더불어 평생교육이라는 관점

14 이주호, 앞의 논문, p. 161.

15 한국경제신문사 주최 '글러벌 인재포럼 2017' 줄리아 길라드 전 호주총리의 기조연설 중에서

16 한국경제신문사 주최 '글러벌 인재포럼 2017' 주요 세션 좌장 간담회에서 한동대 장순흥 총장

17 안종배, 앞의 논문, p. 25.

에서 접근하여야 한다.

❁ 학교교육에 대한 혁신 노력과 방향

학교교육의 현장에서 혁신하려는 노력도 없지 않다. 또 혁신학교, 덴마크의 애프터스콜레나 프리스콜레[18]의 영향을 받은 대안학교, 자유학기제 등 공교육의 밖이나 경계선에서 혁신의 시도도 이루어지고 있다.

애프터스콜레(efterskole)란 자유학교의 일종으로, 공립 기초학교를 졸업하고 김나지움이나 직업학교로 진학하기 전의 1년 과정의 기숙형 자유학교이다. 4~18세 연령층(8~10학년)의 청소년을 위한 자유중등학교라고 할 수 있다. 공교육제도에 병렬하는 구조로, 음악, 체육, 수공예, 자연 및 생태 등 특별한 영역에 재능 있는 학생들이나 학교생활에 대해 뒤돌아보고 앞으로 나아갈 길을 모색하는 데에 도움을 준다. 싫증을 내거나 공부하는 데 어려움을 겪는 경우도 1~2년간 자유롭게 공부할 수 있도록 하는 자유학교다. 교육에 대한 국가의 독점을 거절하고, 학부모와 교사가 정치적으로나 교육적으로 자유로운 형태로 설립 · 운영하는 독자적 교육기관인 자유학교, 프리스콜레(friskole)가 나타난 것이다. 공교육에 비교적 쉽게 접목할 수 있는 자유학기제에 대한 다음과 같은 제안에 귀 기울일 필요가 있어 보인다.

---

18 Petersen, P., & Poulsen, R. K. (2008). *The Danish Efterskole*. 송순재, 「덴마크의 자유교육 자유학교, 자유중등학교, 시민대학을 중심으로」『신학과 세계』, 12, 357~410.

(1) 자유학기제는 교육의 본질 회복을 위해 인본주의 교육철학을 강조할 필요가 있다. (2) 자유학기제는 구조적 환경 토대 마련을 위해 자유학기제 참여로 인한 교육불평등 해소 장치를 마련할 필요가 있다. (3) 자유학기제는 공유된 목적 형성을 위해 사회통합적 측면에서 자유학기제에 대한 공감대 형성이 필요하다. (4) 자유학기제는 교육체제 내외의 통합을 위해 자유학기제 교육활동의 연속성 의미를 부여할 필요가 있다. (5) 자유학기제는 교과 유형의 통합을 위해 전통교과와 비(非)전통교과의 통합적 운영에 있어 전통교과의 중요성을 간과하지 말아야 한다. (6) 자유학기제는 체험 유형의 통합을 위해 협업과 상호작용을 촉진하는 다양한 체험활동을 구성해야 할 필요가 있다. (7) 자유학기제는 전담인력의 구성과 함께 전담인력의 책무성과 전문성을 강화해야 할 필요가 있다. (8) 자유학기제는 전담인력뿐만 아니라 관계자, 특히 일반교사의 역할과 참여 기회를 제공해야 한다. (9) 자유학기제는 지역공동체 및 산업체의 참여를 독려하기 위한 지원을 실시할 필요가 있다.[19]

단지 정규학교의 틀이나 과목을 벗어났다는 것으로 공교육이 누리는 혜택을 받지 못하는 새로운 시도의 학교들이 많은데, 이는 어쩌면 4차 산업혁명시대에 틀에 박힌 교육 내용과 방식을 벗어난 시도들이요, 독특한 교육수요를 찾아가려는 학생과 학부모들의 열망이다. 공교육과 교육부의 틀만을 고집할 것이 아니라, 왜 이러한 시도들이 이루어지고 있는지 그 원인과 앞으로 발전 가능성에 대해 적극 고려해 볼 필요가 있다. 또 생태학교라든지 전환학

19 김나라, 최지원, 「해외사례 분석을 통한 자유학기제 운영 방향과 과제-아일랜드, 덴마크, 스웨덴, 영국 사례를 중심으로-」 『진로교육연구』 27권 3호 (2014) pp.199~223, 220쪽에서 인용.

교들에 대해서도 관심을 가지고 볼 때이다.

또한 외국의 앞서가는 혁신사례도 우리의 혁신 방향 설정에 도움이 될 수 있다.

미국 뉴욕의 퀘스트 투 런 학교(Quest to learn School NY)

이 학교의 기존교과들을 통합한 6가지의 통합교과의 핵심, 즉 학습 주제들이 분리 · 통합되는지 학습(과학 · 수학의 원리), 소설 · 비소설 · 시 · 만화를 읽고 쓰면서 사회교과에 연계한 수업(존재, 공간, 지역), 수학 · 영어 · 언어학의 통합 수업(코드 언어), 읽기 · 쓰기 능력 발달에 초점을 둔 수업(관점), 몸 · 정신의 건강을 아우르는 수업(복지), 시스템 사고에 맞춘 수업(정신 스포츠)[20]이라든지, 놀 듯 공부하는 7가지 원칙, 즉 "모두가 참여자, 실패의 반복을 회피, 모든 것은 연계, 행하면서 배움, 즉각적이고 현장에서의 피드백, 도전은 일상, 놀듯 배움"[21]도 참고할 만하다.

켈리포니아의 피드몬트 중학교(Piedmont Middle School, CA)

이 학교의 필수교과에 다양한 선택교과, 즉 미술 공예 글쓰기 환경 컴퓨터예술 · 과학, 영화 · 비데오 워크숍, 창의 제작 공동체

---

20 The Way Things Work; Being, Space, and Place; Codewords; Point of View; Wellness; Sports for the Mind. www.q21.org.(2017년 11월 검색)

21 7 PRINCIPLES OF GAME-LIKE LEARNING: Everyone is a participant; Failure is refrained as iteration; Every thing is interconnected; Learning happens by doing; Feedback is immediate and ongoing; Challenging is constant; Learning feels like play www.q21.org(2017년 11월 검색)

시설에서의 문제해결 · 디자인 사고(makerspace) 등[22]도 우리 아이들 학생들에게 필수교과 외에 선택학점제 도입에 앞서 어떤 선택과목을 개설 · 허용할지 생각해 보는 데에 도움이 될 것으로 본다. 2017년 11월 28일 교육부는 2022년부터 고교학점제를 도입하기로 했다고 밝혔다. 수업은 학년 구분 없이 들을 수 있고 토론과 실습 중심으로 운영할 계획이며, 절대평가제를 적용하고 대학의 F 학점처럼 이수 · 미이수 제도 도입도 검토하고 있다는 것이다.

버밍햄 학교(University School of Birmingham)

이 학교의 "인성교육 틀", 즉 도덕(moral virtues), 시민의식(civic virtues), 이행(performance virtues), 지덕(知德 intellectual virtues)을 통하여 현실적인 슬기(Practical Wisdom), 올바른 감성(Good Sense), 실천지혜(Phronesis), 2개 이상의 도덕성이 충동할 때 필요한 것을 앎(Knowing what to want when the demands of two or more virtues collide)에 다다르고, 이로써 개인과 사회의 번영(Flourishing individuals and society)에 이바지하겠다는 것은 우리 교육의 인성교육의 강화에 참고가 된다.[23]

22 www.piedmont.kl2.ca.us(2017년 11월 검색)

23 www.universityschool.bham.ac.uk(2017년 11월 검색)

【그림 5】일본 요코하마 국제학교 글로벌 시민학위제도 교육 목표

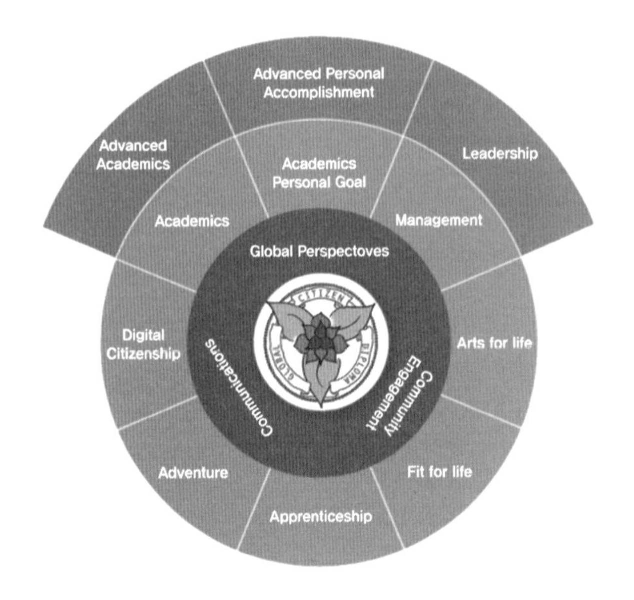

일본 요코하마 국제학교

이 학교의 글로벌 시민학위제도의 교육 목표는 국제적 시야(Global Perspectives), 의사소통(Communication), 지역사회 참여(Community Engagement)와 중점 분야, 즉 심화된 학업(Advanced Academics), 심화된 개인적 성취(Advanced Personal Accomplishment), 지도력(Leadership), 학문(Academics), 개인적 목표(Personal Goals), 자기관리(Management), 예술 (Art for Life), 디지털 시민의식(Digital Citizenship), 모험(Adventure), 도전의식(Apprenticeship), 생활습관(Fit for Life)이다. 이런 목표는 우리도 참고할 만하다.[24]

24 www.yis.ac.jp(2017년 11월 검색)

핀란드 카사부오렌 학교(Kasavuoren Koulu/KasavuoriSchool, Finland)[25]

학습일기로 교사와 학생이 1:1로 소통하고 즉각적인 피드백이 가능한 학습으로 유명하다.[26]

네덜란드 스티브 잡스학교(Steve Jobs School, Netherlands)[27]

4~12세의 아이들이 학년이 섞인 가운데 정해진 교실과 교사가 없이 교과별 학습 스튜디오나 놀이 스튜디오(play studio)에 머물기도 하고, 학습코치가 6주에 한 번씩 학생들의 성과를 점검 · 평가하며 학생들 개별적인 성장계획을 새로 세운다. 학부모들도 자신의 직업, 취미에 관련된 강사로 초청되어 적극적인 몫을 하기도 한다.[28]

지역사회에 다가가 지역사회에 교육 기회를 제공하려는 다음과 같은 학교들의 시도도 참고할만 하다.

온라인/홈스쿨링
우드랜드 파크(Online/Homeschool Enrichment Academy, Woodland Park)[29]

이 온라인학교는 링컨 인터엑타브(Lincoln Interactive, 5~12학년), 리틀 링컨 인터엑티브(Little Lincoln Interactive, 유치원~4학년)를 통

25 www.kasavuori.fi(2017년 11월 검색)

26 국제미래학회 · 한국교육학술정보원, 『4차 산업혁명시대 대한민국미래교육보고서』 광문각(2017) 597~598쪽.

27 www.facebook.com/steveJobsSchool(2017년 11월 검색)

28 국제미래학회 · 한국교육학술정보원, 『4차 산업혁명시대 대한민국미래교육보고서』(2017) 601~603쪽.

29 www.wpsdk12.org(2017년 11월 검색)

해 홈스쿨링을 제공할 뿐 아니라 온라인 수업 전담교사(Online & Homeschool Enrichment Academy Teacher)가 수업에 어려움을 겪을 때 도와준다. 또, 홈스쿨링 학생들에게 실제 학교 수업 참여 기회도 제공한다. 일주일에 한 번은 게이트웨이 초등학교 · 써밋초등학교(Gateway & Summit Elementary School)에 등교할 기회를 주며, 중 · 고등학교 학생들에게도 우드랜드 파크 중 · 고등학교(Woodland Park High School & Woodland Park Middle School)에 등교하여 스포츠 활동이나 일부 강의를 수강할 수 있는 기회를 준다.[30]

미국 버몬트주 몬트펠리어 고등학교(Montpeiliar High School)[31]

이 학교는 지역사회연계학습(community-based learning: CBL)프로그램을 운영, 개별화학습 · 검정능력기반학습(personalized and proficiency-based learning)을 촉진한다.[32] CBL프로그램은 학습습관(Habits of Learning), 시민의식(Citizenship), 문제해결(problem solving), 의사소통(Communication), 쓰기(Writing), 읽기(Reading), 창의성(Creativity) 등 7가지의 학습기대를 내걸고 운영되고 있다. 이들 7가지를 살펴보면 다음과 같은 세부 항목들이 보인다.

(1) 학습습관(Habits of Learning): 끈기(persistence), 질문(questioning), 자아인식 (self-awareness), 협력(collaboration), 성공마

---

30 국제미래학회 · 한국교육학술정보원, 『4차 산업혁명시대 대한민국미래교육보고서』(2017) 611쪽.

31 www.mpsvt.org(2017년 11월 검색)

32 국제미래학회 · 한국교육학술정보원, 『4차 산업혁명시대 대한민국미래교육보고서』(2017) 613~614쪽

인드(growth mindset), 신중(precision), 준비(preparedness) (2) 시민의식(Citizenship): 참여 · 포용(participation/engagement), 기여 · 서비스(contribution/service), 책임(accountability/responsibility), 지도력 · 솔선수범(leadership/initiative), 자존 · 존경(self-respect/respect) (3) 문제해결(problem solving): 문제이해(understanding the problem), 가능한 접근방법에 대한 집중토론(brain-storming possible approaches), 방법선택(choosing an approach), 접근방법이행(implementing an approach), 평가(evaluation), 분석(analysis) (4) 의사소통(Communication): 협력 · 토론(collaboration/discussion), 균형(poise), 발표(presentation), 대인의사소통(interpersonal communications) (5) 쓰기(Writing): 목적 · 초점(purpose/focus), 조직(organization), 목소리 · 어조(voice/tone), 증거(evidence), 관습(conventions), 분석(analysis) (6) 읽기(Reading): 습관과 기질(habits and disposition), 어휘습득과 사용(vocabulary acquisition & use), 문자이해(initial understanding), 분석과 해석(analysis and interpretation) (7)창의성(Creativity): 집중토론(brain-storming), 자각 · 문제기회(realization/probortunity), 유연성(flexibility), 통합과 연결(synthesis and connections).

농촌 지역의 학교가 대다수인 위스콘신 주 내 28개 교육구들의 협력단체인 위스콘신 온라인학교 네트워크(Wisconsin eSchool Network)[33]

이 네트워크는 디지털 학습플랫폼과 2백 개 이상의 온라인 강좌와 자료를 협약을 맺은 학교들의 기호에 맞게 제공한다.[34] 각 강좌는 0.5학점으로 학기당 3백 불 정도의 금액 납부로 온라인 강좌를

33 www.wisconsineschool.org(2017년 11월 검색)

34 국제미래학회 · 한국교육학술정보원, 『4차 산업혁명시대 대한민국미래교육보고서』(2017) 617쪽.

수강할 수 있어 농촌에서도 도시 못지않고 폭넓은 지식을 공유할 수 있게 해 준다. 위스콘신 온라인학교 네트워크는 역량기반중심틀(Competency Framework)을 통해 학습자의 정보와 학습상황관리와 개별영역관리를 쉽게 해 주며,[35] 학습 진전 상황의 분석을 통해 개인맞춤형 학습이 되도록 돕기도 한다.[36]

수행관리(performance management), 보고 · 분석(reporting & analysis), 학습자료관리(learning resource management)로 학습자의 학습 상황을 점검하고 학습 결과 보고 · 분석기능을 하여 개인맞춤형 학습을 돕는다. 위스콘신 온라인학교 네트워크는 통신정보기술 활용환경에 따라 교대rotation, 학교+특정디지털, 유연flex, 학교+대부분 디지털, 강화enriched, 학교+집+모든 디지털, 선택à la Carté, 온라인+집+모든 디지털의 4가지 유형의 서비스도 제공한다.

미국의 미네르바 학교(Minerva School)[37]

이 학교는 학생들이 강의실에 모이지 않고 온라인으로 토론하며 세계 곳곳을 다니고 공동체 생활을 경험하면서 미래 역량을 기르며, 세계 석학을 교수진으로 영입하여 세계적 수준의 교육을 받을 수 있게 해 준다.

미네르바학교의 교육은 철저히 역량 중심으로, 그 교육 과정의

35 학습평가관리(assessment management)시스템, 학습자료관리(learning material management)시스템, 교육과정관리(curriculum management)시스템을 포함

36 국제미래학회 · 한국교육학술정보원, 『4차 산업혁명시대 대한민국미래교육보고서』(2017) 619쪽 표, 620쪽.

37 www.minerva.kgi.edu(2017년 11월 검색)

핵심 목표는 학생들이 지도자, 혁신가, 넓은 사고가, 글로벌시민이 되도록 하는 것이다.(Help students become Leaders, lnnovators, Broad Thinkers, Global Citizens.) 핵심 능력으로는 다음과 같은 것들이 피라미드 구조를 이룬다.

(1) 주장평가(Evaluating claims)와 잘 생각해서 결정(weighing Decisions)하는 비판적 사고능력(Thinking Critically) (2) 문제해결(Solving Problem)과 발견촉진(Facilitating Discovery)의 창의적 사고능력(Thinking Creatively) (3) 정확한 글쓰기(Wnting Clearly)와 효과적인 발표(Presenting Effectively)의 효과적 의사소통(Communicating Effectively) (4)협상(Negotiating)과 팀워크(Working on Team)의 효과적 상호작용(Interacting Effectively) (5) 반대 사례유추(Looking for Counter Examples), 논리적 사고(Thinking of Analogies), 듣는 사람의 관심과 목표에 대한 이해(Under-standing Audience Interests & Goals)의 마음의 습관(Habits of Mind) (6) 문제에 대한 대안적 측면(Alternative Representation of problem), 새로운 전략을 창안하기 위한 체험(Heuristics for Creating New Strategies), 시각적 설계원리(Visual Design Principles)의 근본개념(Foundational Concepts)

교육과정이나 내용에서 이전과는 차별화된 방향에서 교육의 혁신이나 통합적인 교육을 실시하려는 데에는 교육의 목표에 대한 블룸의 교육목표분류론에 따른 핵심 역량[38]을 살펴보는 것도 그 방향을 점검하고 가늠해 보는 데에 도움이 될 수 있다.

38 미래창조과학부, 미래준비위원회, KISTEP, KAIST(2017) 『10년후 대한민국 미래일자리의 길을 찾다』 122쪽

【그림 6】 블룸의 교육목표분류론에 따른 핵심 역량

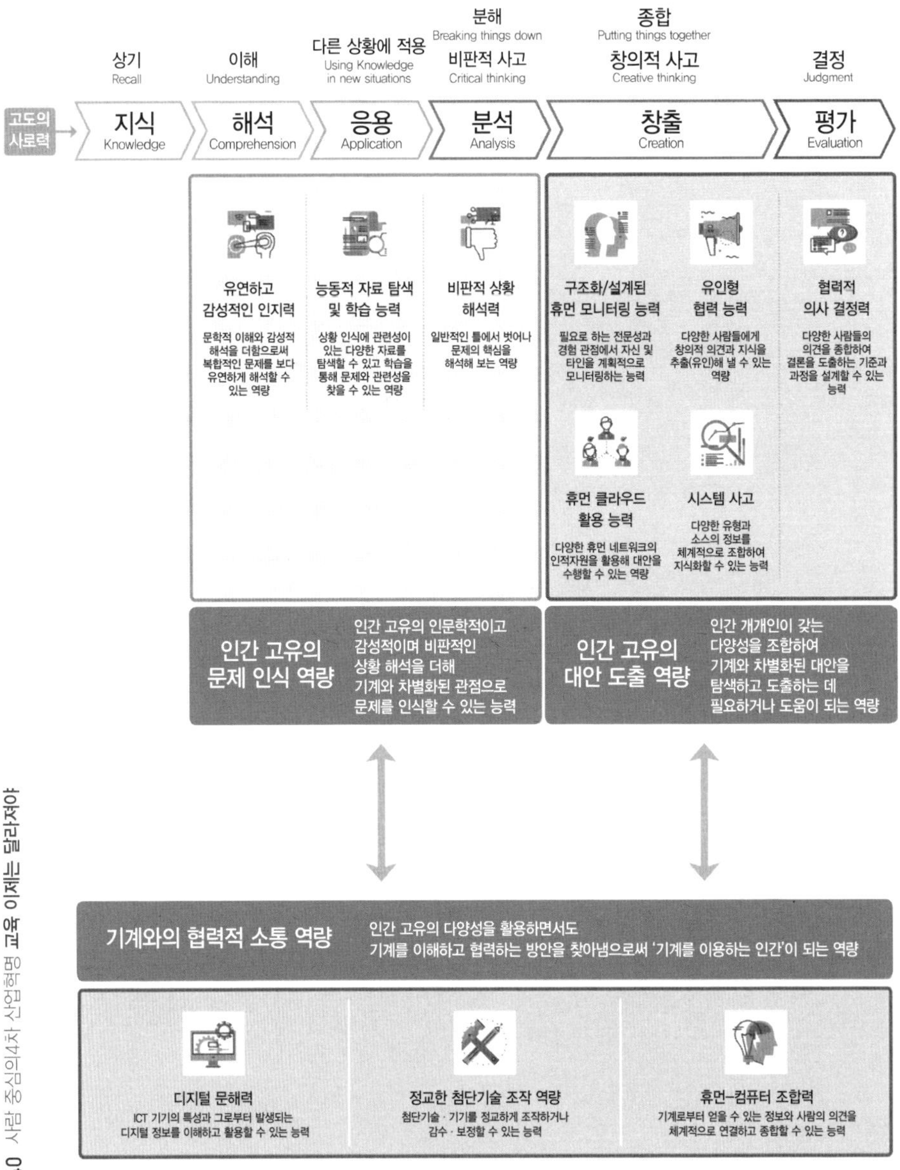

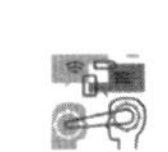

✿ 인공지능시대의 교육:
4차 산업혁명시대에 미래 교육이 갈 길

미래 교육의 비전(vision)은 세계 일류의 4차 산업혁명시대를 주도할 미래 창의 혁신 인재 양성이다. 그 목표는 4차 산업혁명시대에 대응하고 글로벌 경쟁력을 갖춘 미래 창의 혁신 인재를 양성하는 교육, 개인의 창의성과 다양성이 존중되고 행복한 삶과 건강한 사회의 지속 발전에 기여하는 교육이 된다. 또 그 핵심 가치는 학습자의 창의성, 다양성, 유연성을 실현[39]하는 것이다. 그렇다면 교육혁신 방향은 아래 4개의 큰 줄기를 따라가야 한다.

① 미래 교육 시스템 혁신: 4차 산업혁명시대에 대응하는 유연한 학제, 자율적 교육과정과 평가, 다양한 진로 · 직업교육, 자율적 입시제도와 대학 제도, 다양한 장학 복지를 지향해야 한다.

② 미래 학교 혁신: 4차 산업혁명시대에 대응하는 창의적 미래 학교와 스마트 학교, 지역과 함께하는 학교, 교사 역할과 교사 시스템 및 교사의 영역 변화, 교육공간의 변혁, 직업학교와 대학모습의 변화를 수반하게 된다.

③ 미래 교육 콘텐츠 혁신: 4차 산업혁명시대에 대응하는 창의적 인지 역량, 인성적 정서 역량, 협력적 사회 역량, 생애 학습 역량을 키울 수 있는 교육 콘텐츠로 채워지는 방향으로 이루어져야 한다.

---

39 국제미래학회 · 한국교육학술정보원, 『4차 산업혁명시대 대한민국미래교육보고서』(2017) 171쪽.

④ 미래 교육 거버넌스 혁신: 4차 산업혁명시대에 대응하는 새로운 미래 교육 정책 결정 프로세스, 교육 거버넌스의 새로운 패러다임, 미래 대학 · 학교 단위 거버넌스의 변화를 수반하여야 한다.

4차 산업혁명시대로 인해 과학 기술, 산업, 문화, 가치관 및 미래 인재 역량의 변화가 불 보듯 하다.

【그림 7】 미래 직업에 필요한 역량: 인간에게 필요한 3대 미래 역량[40]

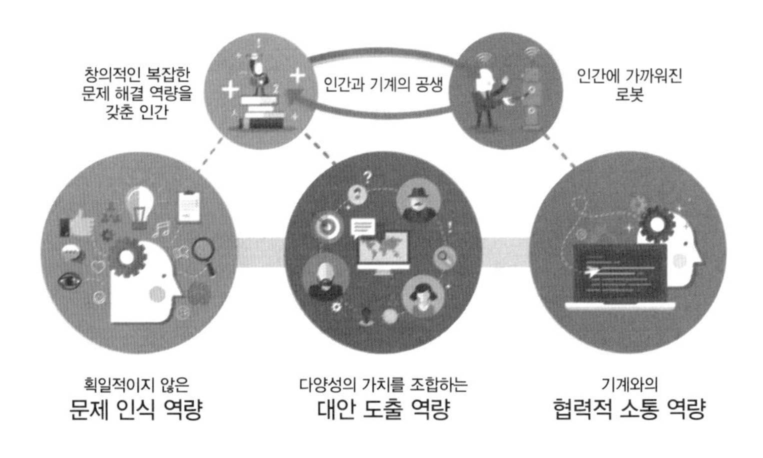

미래 창의 혁신 인재(Future Creative Professional)란 건강한 미래사회를 주도할 창의적으로 사고하는 인성을 갖춘 전문 인재를 뜻하며,

40 미래창조과학부, 미래준비위원회, KISTEP, KAIST(2017) 『10년후 대한민국 미래일자리의 길을 찾다』

4차 산업혁명시대에 필요한 영역별 융합적 전문 역량, 즉 미래인재 4대 핵심 기반 역량은 ① 창의적인 인지 역량창의성, 문제 해결 사고력, 미래 도전력, 인문학적 소양, ② 인성을 갖춘 정서 역량인성, 윤리의식, 문화예술 소양, 자아 긍정관리, 협업 리더십, ③ 협력하는 사회 역량소통·협력 능력, 사회적 자본 이해, 글로벌 시민의식, 스포츠·체력, ④ 생애 주기 학습 역량자기 주도 학습 능력, 과학기술 변화이해, New ICT 활용능력, 평생학습능력이라고 할 수 있다.[41]

이러한 역량을 키울 수 있는 대한민국 미래교육 10대 혁신과제는 이제까지 학교가 지식 전달 중심의 교육기관이었다면 이제는 이들 역량을 키우는 데에 중심을 둔 교육이라야 한다. 이를 위해 입시제도 혁신, 교육내용 혁신, 교육방법 혁신, 교육평가 혁신, 대학교육 및 운영 혁신, 학제운영 혁신, 교육과정 혁신, 교육거버넌스 혁신이 이루어져야 한다.

① 입시제도 혁신: 수능시험 폐기 및 역량평가 중심으로 대학이 자율적으로 학생 선발
② 교육내용 혁신: 미래 창의 혁신 인재 역량 함양을 위한 교육내용 및 통합적 교육 실시
③ 교육방법 혁신: 주입식 교육방법을 지양하고 학생의 능동적 참여와 협력을 통한 미래 역량 강화 교육
④ 교육평가 혁신: 순위 매기기 위한 결과 측정 평가에서 개별 학생의 역량과 교육과정 중의 평가로 전환

41 국제미래학회 · 한국교육학술정보원, 『4차 산업혁명시대 대한민국미래교육보고서』(2017) 175쪽.

⑤ 대학교육 혁신: 학생들의 미래 전문 역량 함양을 위한 교육과정과 교수법으로 개혁

⑥ 학제운영 혁신: 학생 수준에 따라 교육 내용별로 학년제 · 무학년제를 학교 자율로 운영

⑦ 교육과정 운영 혁신: 중앙정부의 교육과정을 참조하되 학교 단위의 특성을 살려 학생들의 역량 함양에 적합한 교육과정을 구성하여 자율적으로 운영

⑧ 진로 · 진학 혁신: 미래 변화와 평생교육의 관점에서 학생들의 적성에 맞게 진로 진학 지도인문계와 특성화고 칸막이 폐지

⑨ 대학운영 혁신: 대학의 학생 선발, 대학의 전공 및 교육과정 및 특성화 등을 자율적으로 계획하고 운영할 수 있도록 대학 지원제도 개편

⑩ 교육 거버넌스 혁신: 중앙정부는 장기적인 교육 방향과 정책을 제시하고 교육 정책의 최종 운영 결정은 학교 단위 거버넌스에서 자율적으로 하도록 개혁[42]

이 모든 문제마다 이해가 엇갈리며 앞으로 갈 길이 멀다. 그 한 예로서 교육부(2017)[43]가 유연한 대학 학사제도 개선 방안으로 예시한, 유연학기제, 집중이수제, 융합전공제, 전공선택제, 학습경험인정제, 프랜차이즈 방식으로 외국 진출 등을 각각 살펴보면 다음과 같다.

---

42 국제미래학회 · 한국교육학술정보원, 『4차 산업혁명시대 대한민국미래교육보고서』(2017) 179쪽.

43 교육부, 창의혁신인재 양성을 위한 대학 학사제도 개선방향, 2017.

① 유연학기제: 대학자율로 5학기 이상 운영 가능, 모듈형 학기, 학년별 다른 학기를 탄력적 운영

② 집중이수제: 1학점당 15시간 기준으로 블록 수업, 집중 수업 가능, 학기 내 4주 · 8주 · 15주 등 이수 주기를 달리하는 수업 가능

③ 융합(공유)전공제: 학과 개편(통폐합 등) 없이 여러 학과가 융합하여 새로운 전공 개설 가능

④ 전공선택제: 원소속학과 전공, 연계 전동, 학생 설계 전공, 융합(공유)전공 중 학생이 선택하여 전공 이수 가능

⑤ 학습경험인정제: 연구소, 산업체 경력 등을 대학(원) 졸업학점의 5분의 1까지 인정

⑥ 이동식 수업: 교수가 시 · 도 내에서 순화하며 학교 밖 일정 장소에서 강의, 교사, 군인, 선수촌 입소자, 산업단지 근로자 등 학습 기회 확대

⑦ 원격수업: 원격 수업으로 졸업학점의 20%까지 취득 인증, 외국 대학 또는 대학원 취득 학점도 졸업학점의 20%까지 인정

⑧ 프랜차이즈 방식 외국 진출: 외국대학이 국내 대학 교육과정을 운영하고, 국내대학 교원이 4분의 1 이상 수업 시 국내대학 학위 수여 허용[44]

44 교육부, 창의혁신인재 양성을 위한 대학 학사제도 개선방향, 2017.

3부

4차 산업혁명과 미래 직업

앞으로 약 30년 뒤인 2045년이면 인간이 할 수 있는
일의 많은 중요한 부분을 기계가 수행할 것이다.
기계가 인간이 할 수 있는 일을 대신 하게 되면 인간은 무엇을 할 것인가가
중요한 질문으로 떠오르게 될 것이다.

– 본문 중에서

1장

4차 산업혁명으로 대체될 일자리

- 자동화 대체율이 높은 직업군: 인공지능 · 로봇의 활동으로 대체되기 쉬운 반복적 · 기계적 활동
- 자동화 대체율이 낮은 직업군: 감성과 인간만이 할 수 있는 종합판단을 요하는 활동(프레이와 오스본의 『고용의 미래』의 702개 직업군의 분석)
- 의사, 판사, 교사, 공무원, 예술가 직업군에 대체 가능한 영역과 대체 불가능한 영역이 있듯이, 모든 직업에 그런 면이 있다(박가열의 「4차 산업혁명과 미래의 직업세계」의 분석)

2016년 세계경제포럼(World Economic Forum)이 발표한 보고서 '일자리의 미래'에 따르면 2020년까지 향후 5년 동안 인공지능(AI) 등의 영향으로 200만 개의 신규 일자리가 생겨나지만 710만 개의 일자리가 사라져 총 500만 개 이상의 일자리가 순감할 것으로 예상했다. 늘어나는 일자리보다 줄어드는 일자리가 훨씬 많을 것이라는 전망이다. 거의 모든 직업에서 기계가 인간의 능력을 능가하는 시대로 진입하고 있다. 그 시점이 오기 전에 우리 사회는 'AI 진화로 인간 일자리 사라지나?(Will AI replace Human Jobs?)'의 질문에 진지하게 맞서야 할 필요가 있다.

앞으로 약 30년 뒤인 2045년이면 인간이 할 수 있는 일의 많은 중요한 부분을 기계가 수행할 것이다. 기계가 인간이 할 수 있는 일을 대신하게 되면 인간은 무엇을 할 것인가가 중요한 질문으로 떠오르게 될 것이다. 이에 기술이 가져올 부정적인 영향은 최소화하고 긍정적 영향은 최대화하기 위해 국가적인 차원에서 인공지능에 의한 일자리 감소 문제와 적절한 제도 정비에 대해 주요 정책 이슈로 다루어야 할 것이다.[1]

일반론적으로 보았을 때 인공지능(AI)의 확산은 노동집약적인 직업엔 별다른 영향을 주지 않고 의사와 파일럿, 과학자 등 지식집약

1 한국경제신문 주최 '글로벌 인재포럼 2017' 기조세션3(좌장 김용학 연세대 총장) 'AI 진화로 인간 일자리 사라지나(Will AI replace human jobs)?'에서 발표자 존 히긴스 글로벌디지털재단 회장, 대니얼 카스트로 미국 정보기술혁신재단 부사장, 토머스 베일리 미국 컬럼비아대 교육대학원 커뮤니티칼리지 리서치센터 소장의 발표 자료에서 인용.

적 직업에 타격을 줄 것으로 예상된다.

2018년 1월5일부터 7일까지 미국 펜실베니아주 필라델피아 메리어트호텔에서 열린 '2018 미국경제학회(AEA)'에서 에드워드 펠튼 프린스턴대 교수와 로버트 시먼스 뉴욕대 스턴경영대학원 교수는 "AI가 지식집약적 직업에 나쁜 영향을 주고, 노동집약적 직업엔 별다른 영향을 주지 않고 있다"는 연구결과를 발표했다.
이들은 대표적 AI기술인 이미지 인식, 음성인식, 실시간 비디오 시뮬레이션 등 세 가지 기술이 2010~2016년 도입된 뒤 영향을 받은 직업(직업분류는 미국 노동통계청 기준)을 분석했는데, 가장 많은 영향을 받은 직업은 항공조종사 및 항공기관사, 물리학자, 외과의사, 항공관제사, 치과의사, 생화학 및 생물리학자, 생물학자 등으로 나타났다. 반면에 모델, 텔레마케터, 가정부, 차량 청소업자, 정육업자, 요식업 서비스종사자 등은 별다른 영향을 받지 않았다.

《AI 영향을 받은 직업》

타격이 큰 직업	영향을 덜 받은 직업
항공기 조종사, 항공기관사	모델
물리학자	텔레마케터
외과의사	탈의실 등 관리자
민간항공기 조종사	농산물 분류업자
항공관제사	모발관리자
치과의사	가정부
생화학, 생물리학자	차량청소업자
구강외과의사	정육업자
소방지휘관	주류업 서비스 종사자
미생물학자	요식업 서비스 종사자

⚙ 자동화 대체 확률이 높은 직업

4차 산업혁명시대에 인공지능과 로봇의 활용으로 인하여 전 세계에서 710만 개의 일자리가 사라진다는 전망은 이미 널리 알려져 있다. 한국고용정보원은 자동화 대체 확률이 높은 직업 상위 10개를 발표한 바 있다. 여기에 속하는 직업으로는 콘크리트공, 정육원 · 도축원, 고무 · 플라스틱 제품 조립원, 청원경찰, 조세 행정 사무원, 물품 이동장비 조작원, 경리 사무원, 환경미화원, 세탁 관련 기계 조작원, 택배원이 있다. 이러한 직업들은 정교함이 비교적 적고, 반복적인 업무를 하는 것들이 눈에 띈다.

영국 BBC에서는 텔레마케터, 전산 입력요원, 법률비서, 경리, 분류 업무, 검표원, 판매원, 회계관리사 · 회계사, 보험사, 은행원, 기타 회계 관리자, NGO 사무직, 지역공무원, 도서관 · 사서 보조 직업이 사라질 것으로 예상하였으며, 옥스퍼드 대학교에서는 소방관, 성직자, 사진작가, 의사, 택시기사, 어부, 제빵사, 패스트푸드 점원, 모델, 경기심판, 법무사, 텔레마케터를 선정하였다. 외국에서 자동화 대체 확률이 높은 직업으 로 의사, 법무사, 경기심판 등 비교적 전문성이 있는 직업들도 포함되어 있는데, 이러한 직업들은 IBM의 왓슨과 같은 인공지능이 대체할 것으로 전망하였기 때문이다.

프레이와 오스본의 『고용의 미래』(2013)[2]에 나오는 미국 직업전산화 확률이 가장 높은(대체 가능성 98%이상의) 직업군은 다음과 같다.[3]

---

2 Frey, C. IV, & Osborne, M A, *The Future Of Employment* (2013) https://www.oxfordmartin.ox.ac.uk/downloads/academic/The_Future_of_Employment.pdf (2017.11월 검색)

3 Frey & Osborne, 2013, pp. 57~72.

【표 2】 미국 직업 전산화 확률 (Frey & Osborne, 2013, pp. 57~72)

직업	대체가능성 * 1에 가까울수록 사라질 가능성이 높음
텔레마케터 (Telemarketers)	0.99
권리분석사, 조사관 (Title Examiners, Abstractors & Searchers)	0.99
하수관 수리공 (Sewers, Hand)	0.99
정밀기술자 (Mathematical Technicians)	0.99
보험업자 (Insurance Underwriters)	0.99
시계수리공 (Watch Repairers)	0.99
배송 · 화물수송업자 (Cargo and Freight Agents)	0.99
세무대리인 (Tax Preparers)	0.99
사진출력 · 기계 오퍼레이터 (Photographic Process Workers & Processing Machine Operators)	0.99
신규계좌관리 은행원 (New Account Clerks)	0.99
도서관 기능공 (Library Technicians)	0.99
데이터 입력자 (Data Entry Keyers)	0.99
시한장치조립 · 조정기사 (Timinlg Device Assemblers & Adjusters)	0.98
보험금청구 · 약관담당 보험사직원 (Insurance Claims & Policy Processing Clerks)	0.98
중개인 (Brokerage Clerks)	0.98
주문담당자 (Order Clerks)	0.98
스포츠 심판 (Sports Umpires)	0.98
대출담당 직원	0.98
보험조정인	0.98
은행창구 직원	0.98
포장 · 충전기 조작 · 감독자	0.98
배달원	0.98
신용등급조사원	0.98
법률비서	0.98
모델(Model)	0.98

이들 직업군에 뒤따르는 대체되기 쉬운 편(대체 가능성 97~51%)에 속하는 여타 직업군들에는 소매업자, 보험판매원, 버스 · 택시기

사, 부동산 중계사, 경비보안요원, 타이피스트, 우편배달부, 도서관 사서, 법원속기사 등이 포함된다.[4]

【그림 8】 한국고용정보원이 발표한 자동화 대체 확률 높은 직업

4 2013, Frey, C. IV, & Osborne, M A, *The Future Of Employment* (2013).

【표 3】 미국 직업 전산화 확률 (Frey & Osborne, 2013, pp. 57~72)

직업	대체가능성 * 1에 가까울수록 사라질 가능성이 높음
캐셔 (계산원)	0.97
전화교환원	0.97
리셉셔니스트 (접수담당자)	0.96
자동차 엔지니어	0.96
카지노 딜러	0.96
레스토랑 요리사	0.96
회계 감사	0.94
웨이터, 웨이터리스	0.94
정육업자	0.93
소매업자	0.92
보험판매원	0.92
교통감시요원	0.90
제빵사	0.89
버스기사	0.89
택시기사	0.89
도배업자	0.87
부동산 중개인	0.86
핵기술자	0.85
경비보안요원	0.84
주차요원	0.84
선원 · 항해사	0.83
인쇄업 종사자	0.83
타이피스트	0.81
이발사	0.80
목수	0.72
건설업 관련 종사자	0.71
우편배달부	0.68
치위생사	0.68
기계기술자	0.65
도서관 사서	0.65
시장조사 전문가	0.61
치과 조무사	0.54
법원속기사	0.51

✿ 자동화 대체 확률이 낮은 직업

한편, 한국고용정보원이 발표한 자동화 대체 확률이 낮은 직업 상위 10개에는 화가 및 조각가, 사진작가 및 사진사, 작가 및 관련 전문가, 지휘자 · 작곡가 및 연주가, 애니메이터 및 만화가, 무용가 및 안무가, 가수 및 성악가, 메이크업 아티스트 및 분장사, 공예원, 예체능 강사 등으로서 주로 감성에 기초한 예술 관련 직업들이었다.

프레이와 오스본의 『고용의 미래』(2013)[5]에 따라 대체될 가능성이 희박한(대체 가능성 2.8%~4%) 직업군은 다음과 같다.

【표 4】 미국 직업 전산화 확률 (Frey & Osborne, 2013, pp. 57~72)

직업	대체가능성 * 1에 가까울수록 사라질 가능성이 높음
레크리에이션 치료전문가 테라피스트	0.0028
위기관리관	0.003
정신 · 약물남용 관리 사회복지자	0.0031
음향 · 청각전문가 (audiologists)	0.0033
작업치료사 (Occupational Therapists)	0.0035
치열교정 · 보철기공사 (Orthotists and Prosthetists	0.0035
헬스케어 사회복지사 (Healthcare Social Workers)	0.0035
구강 악안면 외과의사 (Oral and Maxillofacial Surgeons)	0.0036
소방 · 방재현장감독 (First-Line Supervisors of Fire Fighting & Prevention Workers)	0.0036
다이어트 지도 · 영양사 (Dietitians and Nutritionists)	0.0039
숙박메니저 (Lodging Managers)	0.0039
안무가 (Choreogrphers)	0.004
세일즈 엔지니어 (Sales Engineers)	0.0041

5 Frey, C. IV, & Osborne, M A, *The Future Of Employment* (2013).

외과 · 내과의사 (Physicians and Surgeons)	0.0042
교습 코디네이터 (Instructional Coordinators)	0.0042
심리학자 (Psychologists, All Other)	0.0043
경찰 · 수사 지휘관 (First-Line Supervisors Police & Detectives)	0.0044
치과의사 (Dentists, General)	0.0044
초등학교 교사 (특수교육 제외, Elementary School Teachers, Except Special Education)	0.0044

【그림 9】 한국고용정보원이 발표한 자동화 대체 확률 낮은 직업

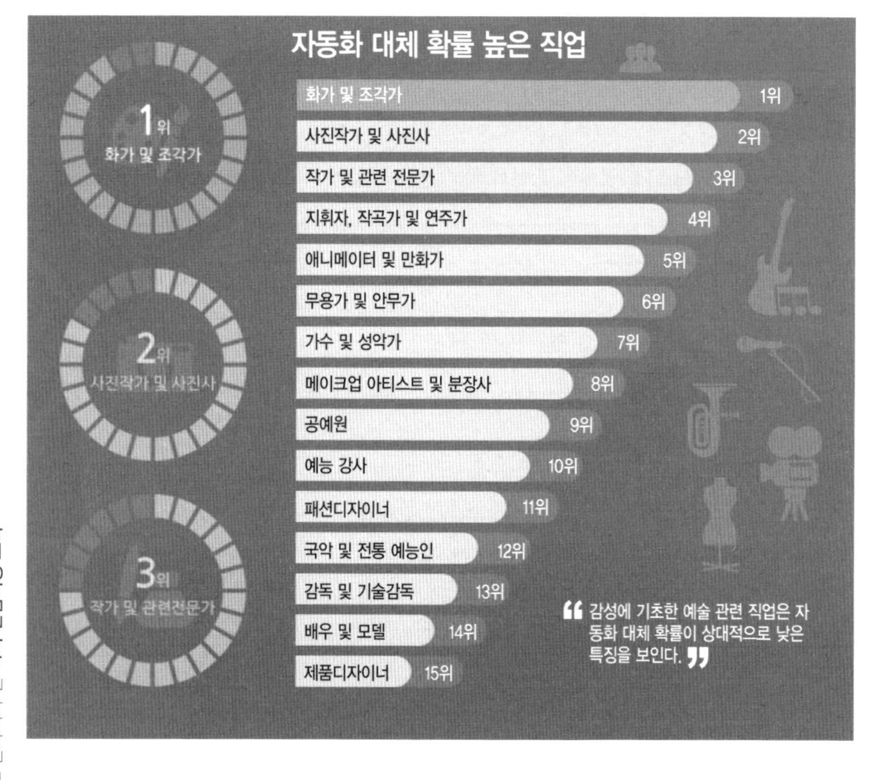

그다음으로 대체되기보다는 대체되기 어려울 것으로 보이는(대체 가능성 48~4%) 직업군에는 컴퓨터 프로그래머, 법원서기, 판사,

통 · 번역가, 금융전문가, 기자 특파원, 경찰, 여행가이드, 작가, 프로듀서(PD) 감독, 작곡가, 간호사, 초 · 중등교사 등이 포함된다.[6]

프레이와 오스본은 미국의 702개의 직업군을 상세히 분석한 결과, 47%의 직업군이 인공지능의 자동화로 대체될 위험군에 속한다고 밝혔다.[7]

여기서 이들 직업군의 대체가능성 가운데 우리 아이들이나 학생들이 가장 많이 되고 싶거나 생각을 하는 의사, 판사, 교사, 공무원, 예술가 · 가수와 같은 직업군을 보다 깊이 있게 살펴보고자 한다.

우선 의사라는 직업군이 인공지능(AI)으로 인해 대체될 가능성이 있는 영역은 다음과 같다.[8]

【표 5】 의사의 인공지능 대체 가능 영역

구분	대체 가능한 영역	대체 불가능한 영역
기술 전문가	▪ 진단 ▪ 데이터를 다루는 분야	▪ 정신과 상담 등 관계 중심의 진료 ▪ 감성 기반의 의료 서비스
의사	▪ 새로운 수술 방법이나 치료법에 대한 정보 제공 ▪ 데이터에 근거한 수술 성공률 제공	▪ 치료법 선택에 대한 상담 ▪ 성공 확률로만 판단할 수 없는 수술 여부 판단 ▪ 중요한 책임이 따르는 일

6 Frey, C. IV, & Osborne, M A, *The Future Of Employment* (2013), pp. 57~72.

7 Frey, C. IV, & Osborne, M A, *The Future Of Employment* (2013), p.1

8 박가열 (2017), 「4차 산업혁명과 미래의 직업세계」『한국진로교육학회 학술대회지』, pp. 31~63. http://www.dbpia.co.kr/Article/NODE07175843(2017. 11월 검색)

두 번째로 판사가 인공지능으로 인해 대체될 가능성이 있는 영역은 다음과 같다.[9]

【표 6】 판사의 인공지능 대체 가능 영역

구분	대체 가능한 영역	대체 불가능한 영역
기술 전문가	▪ 기존판례 분석 및 추천 ▪ 논리방향 체크 ▪ 증거수집	▪ 최종 판단 ▪ 재산이 너무 많이 걸려 있다든지 특이한 케이스 업무 ▪ 객관적 사실관계보다 논박으로 이루어지는 케이스
판사	▪ 사무직원들이 보조하는 송달 속기 업무 ▪ 선례가 있는 사건의 소장, 공소장, 판결문 초안 작성	▪ 증거 조사 후 사실 확정 ▪ 법률 해석 ▪ 판례가 없는 사건 처리

세 번째로 공무원 직군이 인공지능으로 인해 대체될 가능성이 있는 영역은 다음과 같다.[10]

【표 7】 공무원의 인공지능 대체 가능 영역

구분	대체 가능한 영역	대체 불가능한 영역
기술 전문가	▪ 단순행정처리 ▪ 사무직	▪ 이해관계 조정 ▪ 정책개발 등 창의적 영역
공무원	▪ 민원관리 및 답변 ▪ 반복적 업무 ▪ 정책 수립에 사례 수집, 통계 ▪ 창의가 필요 없는 대부분	▪ 데이터가 부족한 영역 ▪ 기존에 없는 새로운 정책 창조

9 박가열 (2017), 「4차 산업혁명과 미래의 직업세계」 『한국진로교육학회 학술대회지』, pp. 31~63.

10 박가열 (2017), 「4차 산업혁명과 미래의 직업세계」

네 번째로 교사 직군이 인공지능으로 인한 대체될 가능성이 있는 영역은 다음과 같다.[11]

【표 8】 교사의 인공지능 대체 가능 영역

구분	대체 가능한 영역	대체 불가능한 영역
기술 전문가	▪ 지식 제공 · 전달	▪ 인성 발달, 도덕 · 규범교육
교사	▪ 지식 제공 · 전달 ▪ 입시관련 데이터 제공 및 진학지도 ▪ 감정적 실수를 저지르지 않아야 하는 객관적 상담 영역	▪ 학생복지, 인간관계, 상담 등 종합적 판단이 필요한 영역

다섯 번째로 예술가 · 가수 직군이 인공지능으로 인한 대체될 가능성이 있는 영역은 다음과 같다.[12]

【표 9】 예술가의 인공지능 대체 가능 영역

구분	대체 가능한 영역	대체 불가능한 영역
기술 전문가	▪ 기존의 작품을 활용한 표절 여부 검토 ▪ 수학적 비례가 중요한 예술(화음 등)	▪ 새로운 작품 창조 ▪ 작품을 둘러싼 부가적 가치 ▪ 발레 같은 신체 예술 영역
예술가	▪ 기획, 마케팅 등 판매 관련 부분 ▪ 상업적 성공 여부 판단	▪ 감성적 영역 ▪ 자의식에 기반한 활동

11 박가열 (2017), 「4차 산업혁명과 미래의 직업세계」

12 박가열 (2017), 「4차 산업혁명과 미래의 직업세계」

박가열(2017)은 향후 2020년대 2030년대, 2040년대에 사라질 직업군을 다음과 같이 조사했다.[13]

【표 10】 연도별 사라질 직업군 (박가열 (2017), 「4차 산업혁명과 미래의 직업세계」)

순위	직업	2020년	2025년	2030년	2035년	2045년
1위	주방보조원	0.148	0.456	0.811	0.926	1
2위	금속가공 기계조작원	0.114	0.339	0.786	0.929	1
3위	청소원	0.152	0.422	0.776	0.888	1
4위	세탁 및 다림질 직원	0.044	0.258	0.737	0.865	0.984
5위	주유원	0.126	0.27	0.734	0.862	0.982
6위	매표원 · 복권판매원	0.1	0.289	0.698	0.89	0.983
7위	건설 · 광업 단순종업원	0.173	0.407	0.697	0.904	1
8위	주차관리원 · 안내원	0.082	0.331	0.683	0.852	0.982
9위	수금원	0.073	0.22	0.679	0.835	0.981
10위	기타 자동차 운전원	0.084	0.255	0.678	0.843	0.983
11위	낙농업 관련 종사원	0.134	0.319	0.673	0.869	1
12위	경량철골공	0.077	0.341	0.672	0.907	1
13위	펄프 · 종이생산직 (기계조작)	0.079	0.309	0.667	0.862	0.982
14위	판매 관련 단순종사원	0.071	0.192	0.666	0.812	0.981
15위	간병인	0.094	0.195	0.662	0.756	1

13 박가열(2017), 「4차 산업혁명과 미래의 직업세계」

【그림 10】 미래 중요성 대비 역량 수준

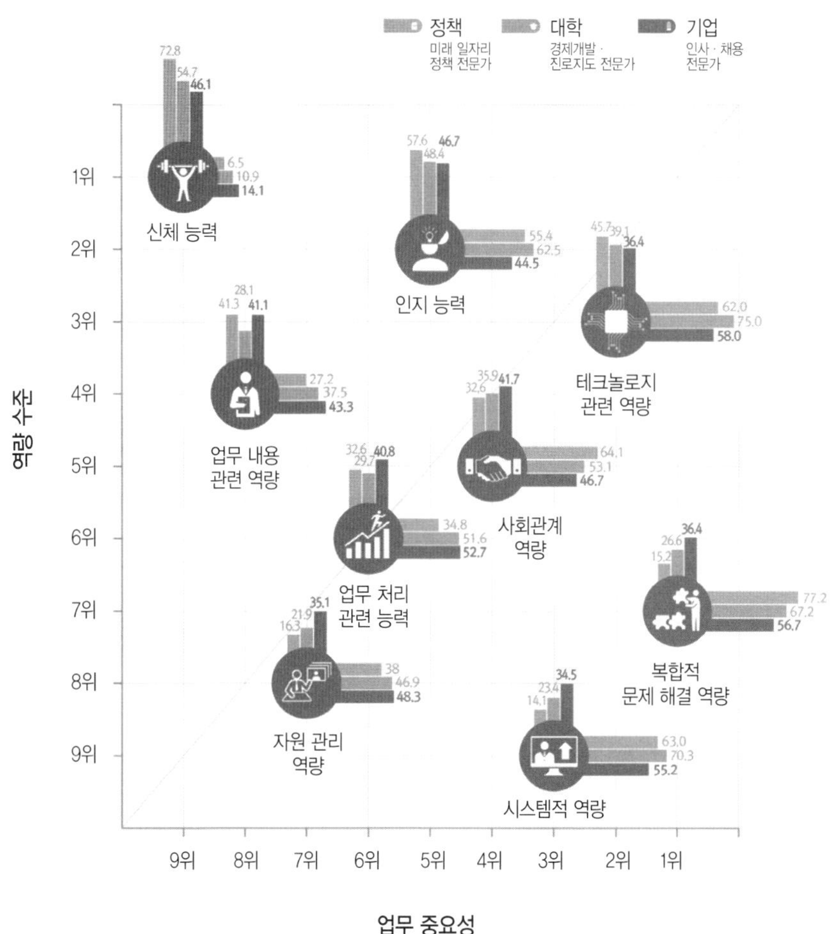

- 역량 수준 막대그래프(세로 방향)는 국제 수준보다 동등/우수하다고 응답한 비율(%)을 나타냄
- 업무 중요성 막대그래프(가로 방향)는 현재 대비 각 역량/능력이 중요해지는 데 동의한 응답 비율(%)을 나타냄

* 출처 : 미래창조과학부, 미래준비위원회, KISTEP, KAIST, 『10년후 대한민국 미래 일자리의 길을 찾다』, 2017, 105쪽

2장

4차 산업혁명과 떠오르는 일자리

- 미래 직업의 트렌드: 미래 일자리 환경 변화의 5대 트렌드
  - ◎ 미래 사회 변화 동인 (기술진보, 고령화 등 경제사회환경)
  - ◎ 미래 일자리 환경 변화 트렌드
    (① 사회환경, ② 기업문화, ③ 고용환경, ④ 산업구조, ⑤ 노동환경)
- 4차 산업혁명시대 직업들의 단초: 미래혁신기술로 창출된 직업들에 유의해야

❂ 미래 직업의 트렌드

박가열(2017)[1]이 분석한 미래 일자리의 트렌드는 다음과 같다.

【그림 11】 미래 일자리 환경 변화 5대 트렌드

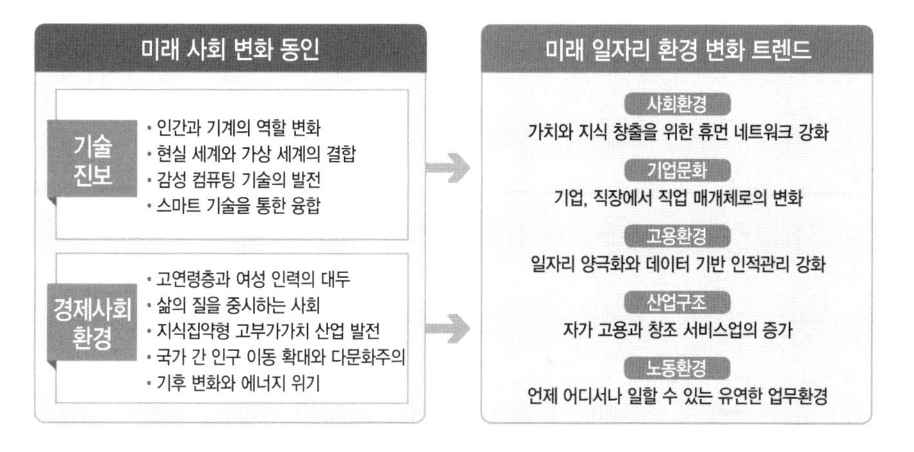

미래혁신기술로 창출될 직업들을 가장 떠오르는 4분야에서 간략히 살펴보면,

(1) 소프트웨어 및 데이터 기술 분야: 데이터 폐기물 관리자, 데이터 인터페이스 전문가, 컴퓨터 개성 디자이너, 데이터 인질 전문가, 개인정보보호 관리자, 데이터 모델러

1 박가열(2017). 「4차 산업혁명과 미래의 직업세계」

(2) 3D 프린터 분야: 3D프린터 소재 전문가, 3D프린터 비용 산정 전문가, 3D잉크 개발자, 3D패션 디자이너, 3D음식프린터 요리사, 3D프린팅 신체 상기 에이전트, 3D비수얼 상상가

(3) 드론 분야: 드론 분류전문가, 드론 조종인증 전문가, 환경오염 최소화 전문가 표준 전문가, 드론도킹 설계자 및 엔지니어, 자동화 엔지니어

(4) 무인 자동차 분야: 교통 모니터링 시스템 플래너, 디자이너, 운영자, 자동교통건축가 및 엔지니어, 무인 시승 체험 디자이너, 무인 운영 시스템 엔지니어, 응급 상황 처리 대원, 충격 최소화 전문가, 교통 수요 전문가 등이 미래 창출 직업으로 예상된다.[2]

4차 산업혁명과 함께 떠오르는 직업들의 단초

4차 산업혁명과 관련하여 기술적인 측면에서 전망 있는 직업군을 살펴본다. 전망 있는 직업군을 살펴보기 위해서는 우선 미래 대표 기술에는 어떠한 것들이 있는지를 살펴보는 것이 필요하다.

다빈치 연구소의 소장이자 대표적인 미래학자로 꼽히는 토마스 프레이는 미래의 혁신 기술을 촉매 기술(catalytic technology)과 파괴 기술(disruptive technology)로 분류하고, 이 중 촉매 기술에 근거해 새

2 KBS 오늘 미래를 만나다, 토마스 프레이 미래혁명강연 (2016.11.28), 국제미래학회 · 한국교육학술정보원, 『4차 산업혁명시대 대한민국미래교육보고서』(2017) 31쪽에서 재인용.

로운 산업과 일자리 창출을 예측해야 한다고 주장했다. 토마스 프레이가 꼽은 촉매 기술은 세계경제포럼에서 선정한 4차 산업혁명의 주역과 일맥상통한다. 사물인터넷, 무인자동차, 드론, 3D 프린팅, 빅데이터, 인공지능, 로보틱스, 나노기술, 생명공학 등이 그것으로, 이들 기술은 상호 유기적인 결합을 통해 새로운 산업과 새로운 직업을 만들어 나갈 것이라고 한다.[3]

세계경제포럼의 '직업의 미래' 보고서는 빅데이터 산업의 발전과 함께 떠오를 유망직업으로 데이터 분석가를 꼽는다. 지금은 데이터 분석가라고 하면 정보를 수집하고 분석하는 프로그램을 만들고 가치 있는 데이터를 추출해 내는 직업이라고 생각하지만, 앞으로는 각 산업별로 요구하는 데이터 처리 알고리즘들을 고도화하여 개발해야 하고, 데이터 처리 속도 및 프로세스에서 생길 수 있는 기술 장애들을 처리하는 과정도 세분화되어 관련된 신종 직업들이 나올 것이라고 한다.

다양한 신기술이 쏟아져 나오는 만큼 전문 세일즈 직업도 번성할 것이라는 전망이다. 일반 고객들을 대상으로 신기술을 이해하기 쉽게 설명해 주고 개개인의 생활에 필요한 기술들을 선택할 수 있도록 의사결정을 돕는 역할이 중요해진다는 얘기이다. 이외에도 세계경제포럼 보고서에서는 미래 기술과 직접적인 연결이 있는 증강현실 전문가, 인공지능 전문가, 양자컴퓨터 전문가, 무인자동차 엔지니어, 로봇 기술자, 정보보호 전문가, 개인 브랜드 매니

3 SW 중심사회, "미래직업 : 4차 산업혁명과 함께할 SW 미래직업 · 20년 후 사라지는 직업 vs 주목받는 직업"(2016. 7. 29), https://www.software.kr/um/um02/um0210/um0210View.do?postId=21587(2017년 11월 검색)

저, 생체로봇 외과의사, 두뇌 시뮬레이션 전문가, 나노섬유의류 전문가 등이 부상할 것이라고 예측하고 있다.

컴퓨터 자동화로 대체될 수 없는 직업 중 새로운 기술과 결합될 새로운 직업에 대해서도 간과할 수 없다. 가까운 예로 디지털카메라가 막 출시되던 시절, 필름 포토그래퍼들은 디지털카메라의 파급력을 무시하기도 했다. 하지만 지금은 디지털카메라만을 사용해 예술작품을 창조하는 전문 작가들이 꽤 많고 앞으로도 지속될 유망직업으로 손꼽힌다.

한국고용정보원이 발표한 자동화 대체 확률이 낮은 직업들도 미래를 선도할 기술들과 결합한다면 그 시너지는 더욱 커질 것이다. 가령 공연 기획자가 로봇의 기술을 이해하여 공연 연출 전 과정에 응용한다면 로봇 공연 기획자로 활약할 수 있고, 현재의 게임 개발자가 가상현실의 기술을 접목시켜 게임에 응용한다면 가상현실 전문 게임 개발자로 새로운 직업을 창출할 수 있다. 이와 함께 기술 혹은 시스템상의 중요한 변화를 보이는 키포인트를 찾아 차세대를 주도할 기술들을 예측하는 전문가도 최고의 인기를 끌 것이다.

■

4차 산업혁명시대에 대응해 나가기 위해 교육체계의 전반적 혁신이 요구되고 있음은 이미 앞에서 지적한 바 있다. 이 가운데 학교의 정규교과과정을 제외한 모든 교육활동으로서 평생교육의 중요성은 아무리 강조하여도 지나침이 없을 것이다.

본 장에서는 4차 산업혁명시대에 우리나라 평생교육이 지향해야 할 올바른 방향을 강구하기 위한 시론으로서 지금까지 앞에서 살펴본 4차 산업혁명의 특징과 이로 인해 우리 사회에 나타나게 될 변화를 요약함으로써 4차 산업혁명시대에 평생교육이 왜 중요할 수밖에 없는지를 살펴보고자 한다. 그리고 이를 바탕으로 우리나라 학교교육의 한계점과 이미 시행되고 있는 평생교육의 문제점에 대한 반성을 통하여 앞으로 평생교육이 지향해야 할 방향과 그 발전 과제에 대한 시사점을 찾아보고자 한다.

4부

4차 산업혁명시대 평생교육의 새로운 방향 모색

"지능정보화 사회에서는 학교에서 배운 지식을 몇 년 또는 몇 십 년 뒤에 사회에 나가서 써먹는다는 생각은 할 수도 없게 되었다."

"지능정보사회에 맞서 나갈 미래인재의 육성을 위해서는 「교육의 중심축」과 「교육체제」에 대한 새로운 변화와 혁신이 요구된다."

– 본문 중에서

1장

4차 산업혁명과 미래사회의 변화

- 4차 산업혁명의 특징

- 디지털 기술의 혁명 · 인공지능(AI), 로봇공학, 사물인터넷(IoT) 등 과학기술의 획기적 발전
- 정보와 통신의 융합으로 오프라인과 온라인의 경계성 모호
- 모든 분야의 기술이 광범위하게 연결 · 융합 · 상호교류를 이루는 초연결성
- 일상생활의 스마트화와 인간의 역할 변화

- 미래사회의 변화

- 로봇 · 인공지능 · 자동화 등의 기술을 통해 기업의 생산성 향상 및 매출 증가
- 일자리 감소 vs 특정 일자리 증가 · 이동
  - 기계와 일자리를 놓고 경쟁하는 시대
  - 로봇 개발 및 제조, 소프트웨어 개발 등 새로운 일자리 증가
  - 창업과 자기 주도 일자리 기회의 증가
  - 공유자본주의 · 솔루션자본주의 등 새로운 자본주의로의 변화 모색

오늘날 디지털의 발전과 융합으로 인하여 오프라인과 온라인의 경계가 모호해졌고, 모든 분야의 기술이 광범위하게 연결되고 있으며, 일상생활에서 스마트화가 일어나고 있다. 이로 인하여 인공지능(AI), 로봇공학, 사물인터넷(IoT), 자율주행자동차, 3D 프린팅, 나노기술(NT), 정보통신기술(ICT), 생명공학, 재료공학, 에너지 저장기술, 양자 컴퓨터 등과 같은 과학기술이 획기적으로 발전하고 있다. 이러한 과학기술의 발전으로 추동되고 있는 4차 산업혁명의 특징은 초(超)연결과 초(超)지능으로 정리할 수 있다. 기술의 발전에 따라 상호 연결된 유무선 인터넷 망을 통해 방대한 데이터의 수집 · 분석 · 활용이 가능해졌고, 이러한 데이터를 기반으로 인공지능이 스스로 학습하고 예측하여 적시적소에 합당한 행동을 수행하게 된다.

이러한 변화 속에서 인간의 역할 역시 변화하게 된다. 3차 산업혁명시대까지만 해도 사람은 컴퓨터와 기계 사이에서 프로그래밍을 통해 생산 등의 자동화 작업을 수행했다. 하지만 4차 산업혁명시대에는 컴퓨터와 기계가 인공지능에 의해 독자적으로 상호 소통하는 스마트 생태계 속에서 인간은 새로운 역할을 수행하여야 한다.[1]

1 이지연, "4차 산업혁명을 대비한 청소년 진로교육의 방향", 2017년 한국진로교육학회 춘계 학술대회지, 2017, 한국진로교육학회, p. 66.

【그림 12】 3차 산업혁명과 4차 산업혁명시대 인간의 역할

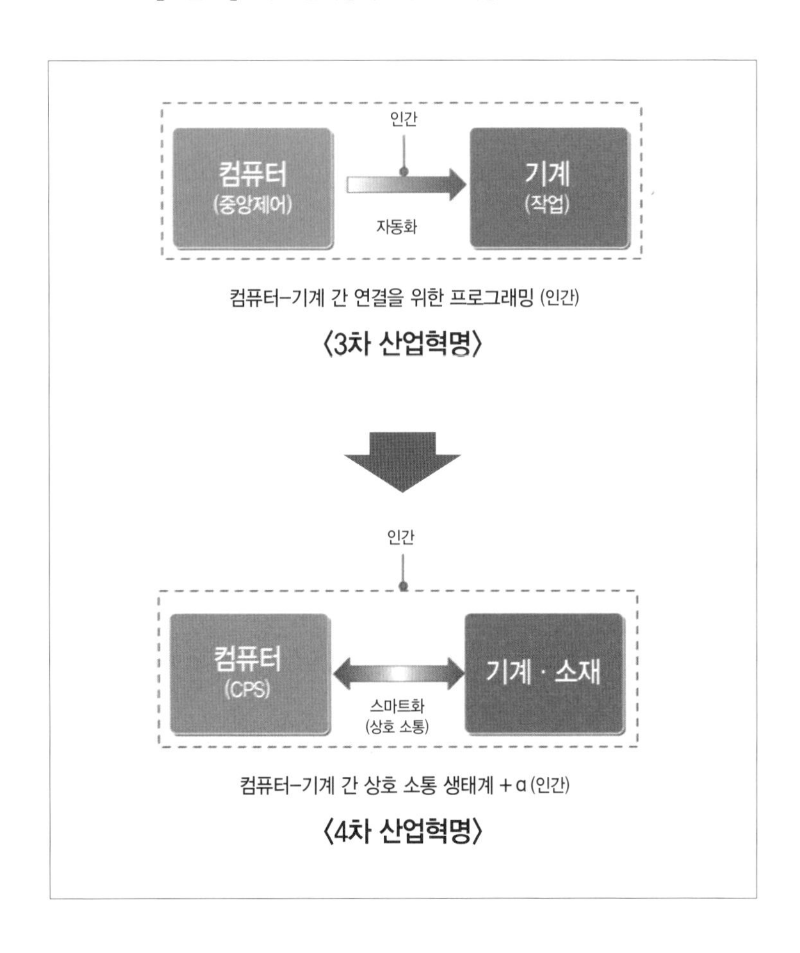

* 출처: 김상윤(2016), "4차 산업혁명과 소프트파워", 『The HRD Review』 19권6호, 2016, p.10 (이지연, 앞의 논문 p.67에서 재인용)

4차 산업혁명이 가져올 과학기술의 급속한 발전으로 인한 생산수단의 변화는 산업구조를 변화시키고 이는 사회 전반의 변화로 이어질 것으로 예상된다. 우선 현재 산업사회가 안고 있는 인건비

증가 문제, 고령화에 의한 노동생산성의 약화와 같은 고용문제들은 인공지능과 로봇에 의한 노동력 대체로 흡수 · 소화될 것이고, 이에 따라 기업의 생산성은 향상되고 매출은 증대될 것이다.

반면에 이러한 가능성은 일자리 감소라고 하는 또 다른 고용문제를 야기하고 사회적 불평등을 심화하게 될 것이다. 즉, 생산 · 제조업 분야에서 로봇이 인간의 제조직무나 육체노동을 대체하게 되고, 서비스 · 지식 분야에서도 인간이 담당해 왔던 많은 직무가 인공지능으로 대체될 것이라는 것이다. 따라서 앞으로는 기계와 인간이 일자리를 놓고 경쟁해야 하는데, 로봇이나 인공지능이 인건비보다 저렴해지면 실업이 증가하게 될 것이라는 예측이다.

반면에 새로운 일자리가 만들어진다는 의견도 많다.

세계5위 자동차부품회사인 콘티넨탈의 HR총괄인 아리아나 라인하르트는 한국경제신문과의 인터뷰에서 "4차 산업혁명 때문에 일자리가 줄어든다는 일각의 우려가 있지만 기업이 산업 변화에 잘 대응해 성장하면 그 기업의 일자리는 늘어난다."며 "인재를 잘 키우는 기업은 4차 산업혁명시대에도 일자리를 얼마든지 늘릴 수 있다."고 했다. 실제로 "인더스트리 4.0추진에 따른 공장 자동화로 단순 기능직 자리는 줄어들었지만 새로운 일자리가 늘어나면서 독일과 콘티넨탈의 고용은 더 증가했다."고 분석했다.[2]

2018년 1월5일부터 7일까지 미국 펜실베니아주 필라델피아 메리

2 한국경제신문 2017년 11월 27일자 A5면 "4차 산업혁명과 인재 교육"기사 중에서

어트호텔에서 열린 '2018 미국경제학회(AEA)'에 참석한 대런 애스모글루 매사추세츠공과대(MIT) 경제학과 교수와 파스칼 레스트레포 보스턴대 교수는 '인공지능(AI)과 자동차, 그리고 일자리'라는 논문에서 AI와 자동화가 일자리를 늘릴 수 있다고 분석했다. 이들은 1990~2007년 데이터를 분석해 기본적으로는 자동화가 일자리에 잠재적으로 부정적인 영향을 미치고 전체 국민소득에서 노동이 차지하는 몫을 줄였다고 설명했다. 노동자 1,000명이 있는 작업장에 자동화 로봇 한 대가 투입되면 일자리 6.2개가 사라지고 임금이 0.7% 감소했다는 것이다.

하지만 자동화와 AI는 생산비용을 줄이고 생산성을 높임으로써 제품수요를 증가시키고, 이는 다시 다른 직업을 창출했다고 분석했다. 애스모글루 교수는 "자동화가 인간 직업의 종말을 가져올 것이라는 견해가 많지만 신기술은 언제나 노동수요를 증가시키는 경향이 있다"고 주장했다. 다만, 기존 직업이 사라지고 새 직업이 생기는 전환 과정은 고통스러울 수 있다고 지적했다. AI시대가 요구하는 인간능력이 달라지기 때문이다. 이들 교수는 생겨나는 일자리가 사라지는 일자리를 완전대체하기엔 부족할 수 있다고 내다봤다.[3]

대표적으로는 로봇 개발 및 제조, 관련 부품 및 소프트웨어 개발, 시스템 운용 등과 같은 분야에서 일자리가 증가하게 될 것이며, 앞으로는 육체노동보다는 창의성 · 다기능성 등을 필요로 하는 정신활동 및 지적 노동 분야에서 새로운 일자리가 만들어질 것

---

3 한국경제신문 2018년 1월9일자 A12면 '2018 미국경제학회' 기사 중에서.
이에 덧붙여서 에스모글루 교수는 '인간이 AI와 공존하는 방법을 찾지 못한다면 앞으로 정치적 저항에 부딪혀 AI도입이 늦춰지거나 아예 중단될 수 있다"고 경고했다.

이라는 예측이다. 그러나 새로운 정보나 지식이 부족한 계층들이 경제적 · 사회적으로 불평등을 당하게 됨에 따라 양극화는 지금보다도 더욱 심화될 것이다.

하지만 이러한 문제점들은 사회제도 개선을 통하여 극복할 수 있다. 즉, 오늘날과 같은 자본주의의 개념에서 새로운 개념의 자본주의로 변화하게 될 것이다. 변화하게 될 자본주의의 형태에 대하여 공유 자본주의(Shared Capitalism), 솔루션 자본주의(Solution Capitalism) 등 다양한 의견이 나오고 있다.

공유 자본주의란 기업과 조직의 성과를 노동자와 다양한 형태로 공유하는 제도이다. 리처드 프리만, 조셉 블라시, 더글라스 크루제가 편집하고 미국 경제연구원(National Bureau of Economic Research)에서 2010년도에 출판한 연구 결과를 보면 미국의 경우, 이미 민간 영역 노동자의 절반이 어떤 형태로든 공유 자본주의 제도에 얽혀 있었다. 또한 더글라스 크루제와 매사추세츠 주립대 동료 피단 쿠르툴르스의 발표에 따르면, 1999~2008년 미국 내 상장 기업들을 광범위하게 조사한 결과, 경기 침체 시기에 종업원 지주제(employee ownership)를 채택한 기업들의 고용 안정성이 높았다.[4]

2016년 SK하이닉스는 협력사를 대상으로 한 임금공유제를 도입한 바 있다. 노조가 임금인상분의 10%를 내고, 회사도 이에

---

4 NewsPeppermint, "공유 자본주의(Shared Capitalism)란 무엇인가?", 2015. 11. 27 참조, http://newspeppermint.com/2015/11/26/sharedcapitalism/(2017.11.3.검색)

10%를 더하여 인상분의 20%를 지원하기로 한 것이다. 포스코 경영연구원 자료에 따르면 "공유자본주의 제도는 생산성 증가(약 4.5%) 외에, 기업이윤의 변동성을 반영한 임금체계로 제도화되어, 기업경영의 유연성을 높이는 장점"을 가지고 있다고 했다. 게다가 임금 향상을 기대할 수 있기 때문에 소득불평등 해소에도 효과가 있다.[5]

2016년 4월 27~28일, 매일경제신문 주관으로 '4차 산업혁명과 지식경영'을 주제로 열린 'KM리더 과정' 강연회에서 김진형 소프트웨어정책연구소장은 "4차 산업혁명으로 소프트웨어가 개인·기업·국가 경쟁력의 핵심이 되는 사회가 도래할 것"이라고 전망했다. 그는 "지식과 아이디어만으로 성공할 수 있고, 창조와 혁신이 일상이 되는 세상인 '솔루션 자본주의'에 대비하는 것이 무엇보다 중요하다."고 역설했다.[6]

그는 또한 STSS지속가능과학회 학술대회에서 기존 자본주의에서 성장이란 GDP 증가를 의미했다면, 앞으로의 자본주의에서의 성장이란 솔루션의 양적·질적 풍부함이 될 것이며, 희소자원은 자본에서 지식으로 변화될 것이고, 자본주의의 가치는 효율적 자원 분배에서 솔루션을 생산하는 최고의 시스템으로 변화할 것이라고 하였다. 이러한 변화 속에서 기업의 역할은 주주의 이익 극대

---

5 오마이뉴스, "불평등 해소를 위한 공유자본주의", 2016. 2. 15 참조, http://www.ohmynews.com/NWS_Web/view/at_pg.aspx?CNTN_CD=A0002172480 (2017.11.3.검색)

6 매일경제, "KM리더 '4차 산업혁명' 강연회", 2016. 5. 10 참조, http://news.mk.co.kr/newsRead.php?year=2016&no=335961 (2017.11.4.검색)

화에서 고객 니즈를 해결하는 제품과 서비스의 창출로 변화될 것이며, 시장 역시 자유로운 교환과 경쟁이 일어나는 곳에서 삶을 개선하는 실험이 일어나고 그 성공이 보상받는 곳으로 변화될 것이라고 전망했다.[7]

【그림 13】 자본주의의 새로운 정의

기존 자본주의 이론		새로운 해석 (솔루션 자본주의)
GDP 증가 •	성장이란?	• 솔루션의 양적, 질적 풍부함
자본 •	희소자원은?	• 지식
효율적 자원분배 •	자본주의의 가치는?	• 솔루션을 생산하는 최고의 시스템
주주의 이익 극대화 •	기업의 역할은?	• 고객 니즈를 해결하는 제품/서비스 창출
자유로운 교환과 경쟁 •	시장이란?	• 삶을 개선하는 실험이 일어나는 곳, 그 성공이 보상받는 곳

7 김진형, “4차산업혁명 인공지능 시대의 교육”, STSS지속가능과학회 학술대회, 2016, 지속가능과학회, p. 26.

2장

4차 산업혁명과 교육시스템의 변화

- 4차 산업혁명의 핵심 기술에 의한 교육환경의 변화

- 알고리즘 · 데이터 관련 기술 등의 발달로 자기 주도적 학습 활성화
- 개방형 온라인 교육시스템(MOOC)의 도입으로 누구든지 우수한 교육콘텐츠를 수강할 수 있는 개방적 학습 환경 구축
- 교실 · 강의실과 같은 한정된 장소에서 벗어난 열린 공간 학습 실현 가능

- 4차 산업혁명시대에 맞서 나갈 미래인재의 육성을 위한 교육시스템의 변화와 혁신

- 교육 중심축의 이동
  - ◎ 학생(아동) 교육으로부터 '성인교육 또는 평생교육'으로의 중심축 이동
  - ◎ 자기 주도 교육의 필요성 증가
- 교육체제 및 학습체계의 변화
  - ◎ 각자 자신의 학습목표에 따라 취사선택하여 학습하는 자기 주도적 학습으로의 변화
  - ◎ 학교라는 울타리를 넘어 시간 · 장소 · 나이에 관계없이 '누구나, 언제나, 어디서나' 자기가 알고 싶은 내용을 할 수 있는 개방적 학습의 활성화
  - ◎ 학습체계의 개별화

위에서 살펴본 미래사회의 변화에 맞서 앞으로 사람들에게 필요한 교육은 무엇인지, 또한 어떠한 방식으로 교육을 해야 할지에 대한 논의가 필요하다.

먼저, 4차 산업혁명시대의 기술 발전이 가져오게 될 교육 환경의 변화를 살펴보기로 한다.

앞에서 언급한 인공지능과 사물인터넷과 같은 4차 산업혁명의 핵심 기술은 교육 분야에도 적용될 것이다. 인공지능은 최적의 개인 맞춤형 교육서비스를 제공하기 위해 사용자의 행동패턴을 분석하거나, 교육 자료들을 선택적으로 제공하게 될 것이다. 따라서 앞으로 단순 지식을 전달하는 것은 교사가 아닌 인공지능으로 대체될 것이다. 또한 교육 환경에서 사물인터넷을 활용하면 사물과 학습자가 서로 커뮤니케이션함으로써 인터렉티브한 학습 환경을 구축할 수 있으며, 학습자의 흥미 · 수준 등에 따른 즉각적인 피드백을 제공하는 것이 가능해진다.

또한 빅데이터는 교육 환경에 적용되어 학습자의 학습 과정에 관한 데이터를 추적하고, 학습 수준을 분석하여 각 학습자에게 맞는 학습 목표 · 전략 및 내용 등 맞춤형 · 적응형 학습을 제공할 수 있게 된다. 이외에도 증강현실(Augmented Reality) 및 가상현실(Virtual Reality)을 통해 교실에서 직접 가상의 현장학습을 체험할 수 있는 것은 물론, 원자 · 자기장 · 인간의 신체 등의 내부를 자세히 살펴

보는 실감 체험 학습이 가능해진다.[1]

이러한 변화 속에서 교육은 자기 주도적이고 개방적인 학습이 활성화될 것으로 예측되고 있다. 알고리즘, 소프트웨어 언어, 데이터 관련 기술 등의 발달로 다양한 학습 커뮤니티 및 온라인을 활용한 자기 주도적 학습이 가능해지고, 개방형 온라인 교육 시스템(MOOC: Massive Open Online Course) 등으로 누구든지 우수한 교육 콘텐츠를 수강할 수 있는 환경이 구축될 것이다. 또한 교실, 강의실과 같은 한정된 장소에서 벗어나 열린 공간 학습이 실현될 것으로 예측된다.

반면에 상호협력적 학습은 위기를 맞게 될 것이다. 다양한 형태의 기계화된 학습도구의 활성화는 사람 간의 의사소통과 상호협업이 요구되는 학습방식을 위협하게 될 것이다. 자기 주도적이고 개방적인 학습 활성화에 따라 교육의 내용과 방법의 변화가 필요해진다[2]는 진단이다.

4차 산업혁명이 우리 삶에 미치게 될 변화와 영향은 지금까지 인류가 경험했던 그것과는 비교도 할 수 없을 만큼 심대할 것이다. 그리고 그러한 변화에 대응하고 또 이끌어 나갈 인재가 우리에게 필요한 것이다. 교육이 해야 할 일이 인재를 양성하는 일인 만큼 급격한 기술혁명이 진행되는 4차 산업혁명 사회에서 교육이 적절히 적응하기 위해서는 먼저 교육에서 추구해야 할 인재상이

1 안종배, "4차 산업혁명에서의 교육 패러다임의 변화", 『미디어와 교육』 제7권 제1호, 2017, 한국교육방송공사, pp. 22~23.

2 이지연, 앞의 논문 pp. 68~69.

무엇인지를 살펴볼 필요가 있다. 이러한 인재, 곧 교육받은 인간상(educated person)의 제시는 4차 산업혁명시대 교육의 방향성과 목표를 보여 주기 때문이다.[3]

2016년 1월 세계경제포럼(WEF)이 발표한 '일자리의 미래' 보고서는 4차 산업혁명시대의 인재가 갖추어야 할 10가지 역량을 제시하였는데 이를 순위대로 살펴보면 다음과 같다.[4]

① 복합문제 해결능력(Complex problem Solving)

② 비판적 사고능력(Critical Thinking)

③ 창의력(Creativity)

④ 인적자원 관리능력(People Management)

⑤ 협업 능력(Coordinating with Others)

⑥ 감성 능력(Emotional Intelligence)

⑦ 판단 및 의사결정능력(Judgement and Decision Making)

⑧ 서비스 지향성(Service Orientation)

⑨ 협상능력(Negotiation)

⑩ 인지적 유연력(Cognitive Flexibility)

안종배 교수는 '대한민국 미래교육 인재역량'에서 4차 산업혁명시대에 필요한 미래 창의 혁신인재(future creative professional)가 갖

---

3 조난심, "4차산업혁명과 교육", 『교육비평』 통권제39호(특집호), 2017.5.31., p.334

4 류태호, 『4차 산업혁명 교육이 희망이다』, 2017. 7. 7., 경희대학교 출판문화원, pp.31 ~ 33

추어야 할 4대 핵심 기반역량을 다음과 같이 제시하고 있다.

첫째, 창의로운 인지역량으로, 이 부분에 포함되는 역량으로는 창의성, 문제해결 사고력, 미래 도전력, 인문학적 소양이 해당된다.

둘째, 인성을 갖춘 정서역량이다. 여기에는 인성·윤리의식, 문화예술 소양, 자아 긍정관리, 협업 리더십 등의 역량이 해당된다.

셋째, 협력하는 사회역량으로, 소통과 협력, 사회적 자본 이해, 글로벌 시민의식, 스포츠·체력과 과 관련된 역량 등이 해당된다.

넷째, 생애주기 학습 역량으로, 여기에는 자기주도 학습력, 과학기술 변화 이해, New ICT활용능력, 평생학습능력 등이 해당된다.

이 네 가지 역량은 개별적인 것이라기보다는 상호 연결되면서 수업을 통해 동시적으로 함께 함양되어야 하며, 이들 역량을 바탕으로 하여 4차 산업혁명시대에 필요한 영역별 융합적 전문역량을 함양하여 건강한 미래사회를 주도할 수 있는 창의적으로 사고하는 인성을 갖춘 전문인재를 양성해야 한다고 주장하고 있다.[5]

이상에서 제시된 미래 인재가 갖추어야 할 핵심 역량을 분석해 보면, 4차 산업혁명시대는 사람들이 더욱 긴밀히 연결되고 비판적 사고와 창의력으로 복합 문제를 해결해 나가는 '사람 지배적' 사회라는 것을 알 수 있다. 다시 말해 사람과 기술, 과학과 인문학이 함께 조화를 이루는 융·복합의 시대가 바로 4차 산업혁명의 본질임을 깨달아야 한다. 융·복합의 시대에 걸맞는 4차 산업혁명시대

5 국제미래학회·한국교육학술정보원 지음, 『4차 산업혁명시대 대한민국 미래교육보고서』, 2017. 4., 광문각, pp.174~176 (안종배, "4차 산업혁명시대 대한민국 미래교육의 목적과 방향" 중에서)

의 핵심 역량을 갖춘 인재를 양성하는 것만이 우리가 도태되지 않고 4차 산업혁명이라는 큰 물결에 올라탈 수 있는 비결이다.[6]

이와 같은 역량을 구비한 미래의 인재를 양성하기 위하여 앞으로의 교육은 지금과는 달리 새로운 경험을 직·간접적으로 쌓고 이를 활용하여 새로운 부가가치를 창출해 낼 수 있는 창의성을 갖춘 인재육성에 초점을 맞추어야 할 것이다. 자기 스스로 문제를 창출하고 관련 지식을 모아 문제를 해결해 가는 창의적인 능력의 배양이야말로 미래 교육의 핵심적인 요소가 되어야 할 것이다. 또한 지식과 정보를 다루는 일이나 문제 해결 또는 타인과의 소통은 모두 디지털 정보를 매체로 이루어지기 때문에 디지털정보 처리능력의 배양은 다른 모든 능력의 기초 바탕으로 삼아야 할 것이다.

한편 지능정보사회에 맞서 나갈 미래 인재의 육성을 위해서는 교육의 중심축과 교육체제에 대한 새로운 변화와 혁신이 요구된다.

먼저, 교육 중심축의 이동이다.

지능정보사회에서는 지식의 양만 증가하는 것이 아니라 새로운 지식의 생산과 소멸의 속도가 훨씬 빨라질 것이다. 하루에도 수많은 지식이 만들어지고 또 사라지기도 할 것이다. 오늘 알고 있던 지식이 내일이면 쓸모없는 것이 되기도 할 것이기 때문에 이제는 학교에서 배운 지식을 몇 년 또는 몇 십 년 뒤에 사회에 나가서

6 류태호, 전게서 pp.43,44

써먹는다는 생각은 할 수도 없게 되었다. 이렇게 빠르게 변화하는 사회에 적응하기 위해서 끊임없는 학습이 필요할 것이다. 따라서 오늘날과 같이 취직을 하기 위하여 교육받고 벌이를 위하여 '일자리'를 찾는 것이 아니라, 자신의 능력 계발과 발전을 위하여 필요한 교육을 받고 '일거리'를 찾게 될 것이다. 이러한 변화에 따라 전통적으로 교육은 아동을 가르치는 일(Pedagogy)로 여겨져 왔지만, 이제는 교육의 중심축이 성인교육 또는 평생교육(andragogy)으로 옮겨져야 할 것이다. 그리고 학습자 스스로가 주체가 되어 자기에게 필요한 지식과 정보를 찾거나 또는 직접 만들고 활용하며 동시에 타인과 공유해 나가는 자기주도교육(Heutagogy)의 필요성이 점점 강해질 것으로 예상된다.

다음으로는 교육체제 및 학습체제의 변화이다.

앞으로의 교육체제는 학교라는 울타리를 넘어 점점 더 개방적인 체제로 변모해 갈 것이다. 시간이나 장소 또는 나이와 관계없이 누구나 언제 어디서나 자기가 알고 싶은 내용을 학습할 수 있는 체제로 발전할 것이다. 또한 학습체제는 더욱 개별화되어 갈 것이 분명하다. 각자 자신의 학습 목표에 따라 자기에게 적합한 내용이나 정보를 취사선택하여 스스로 학습계획을 마련하고 자기 주도적으로 학습하는 형태로 이루어질 것이다. 물론 교사나 지도자가 있겠지만 그들은 학생들의 자기학습을 도와주고 안내해 주는 역할을 주로 하게 될 것이다.[7]

---

7 허 숙, "4차 산업혁명시대의 도래와 학교 교육의 변화", 『월간교육』 통권제17호(2017.7월호), 월간교육, pp.42, 43

4차 산업혁명시대 평생교육의 중요성

- 평생교육의 의의

- 인간의 성장발달단계에 따른 모든 교육활동의 수직적 통합과 형식·비형식·무형식의 다양한 교육활동의 수평적 통합을 통해 삶이 곧 교육인 학습사회를 건설하고자 하는 모든 형태의 교육활동

- 평생교육의 중요성

- 지식과 정보의 효용기간 단축
- 평생직장 개념의 소멸, 과학기술의 급속한 발달로 생활양식이 급격하게 변화함에 따라 지속적인 학습이 필요
- 평균수명 연장과 고령화 사회로의 진입으로 계속적인 학습과 교육에 대한 욕구 증가
- 융·복합시대에 드러난 제도화되고 획일적인 학교교육의 한계 노정
- 자기성장 및 자아실현의 욕구 증가
- 인공지능의 등장으로 인간만이 할 수 있는 새로운 영역을 끊임없이 개척하여 미래가치를 창출해 내야 할 필요성 증대

20세기 말 '지식기반사회'의 대두와 함께 지식 사회의 지형 변화가 본격적으로 진행되었다. 손동현 교수는 이전에 독자적 지속성을 가지고 있던 '지식'이 수행하던 역할은 유동적으로 변화된 현실의 삶에 형식을 부여하는 '정보'에게로 넘어갔고, 이러한 정보는 장기간에 걸쳐 어렵게 창출 · 전수 · 활용되던 '지식'과는 달리, 매우 용이하게 산출 · 복제 · 유통 · 소비된다고 하였다. 정보사회에서는 이러한 '정보'의 산출 · 소유 · 유통 · 소비가 문명적 삶의 기반을 이루게 되었다.

이러한 정보화에 따라 교육적 상황도 변화하기 시작하였다.

첫째, 생산되는 정보의 양이 엄청나게 많기 때문에 교육의 목표를 더 이상 지식교육에 둘 수 없게 되었다.

둘째, 정보에 대한 접근이 누구에게나 용이하기 때문에 정보에 대한 배타적 독점이 어려워져 교사나 교수가 전유하는 정보를 배우는 학생에게 전달하는 것만으로 교육이 이루어지는 게 더 이상 어렵게 되었다.

셋째, 정보의 효용 기간이 짧아져 학생에게 전달되는 정보가 자칫 이미 낡아서 쓸모없는 것이 되기 쉬워졌다.[1]

---

1 손동현, "새로운 교육수요와 교양기초교육", 『교양교육연구』 1(1), 2006, 한국교양교육학회, pp. 108~109.

이러한 변화 속에서 평생교육의 중요성이 점차 증대되고 있다. 평생교육이란 용어는 1965년 파리에서 열린 유네스코(UNESCO)의 성인교육추진국제위원회에서 프랑스의 성인교육학자인 랑그랑(Paul Lengrand)이 '평생교육(L'education permanente)'이라는 연구보고서를 제출하면서 등장한 이래 국제적인 용어로 널리 통용되고 있다.

랑그랑은 이 보고서에서 "인간은 태어나 죽을 때까지 평생을 통해 교육받을 권리가 보장되어야 한다. 그리고 이것을 위해 새로운 교육제도들이 만들어져야 한다. 이제 파편화되고 분절되어 있는 교육제도들은 인간의 종합적 발달이라는 축을 중심으로 해체되고 재구성되어야 하며, 이것은 가히 교육의 혁명을 의미하는 것이다." 그리고 "교육현상은 통합적으로 편성할 수 있는 전혀 새로운 개념이 필요하며, 그러한 개념에 의해서만이 교육의 체계를 본질적으로 변화시킬 수 있을 것이다. 그리고 오늘날 청소년을 위한 교육과 성인을 위한 교육이 분절되어 있어 상호 의존의 관계가 성립되어 있지 않으므로 이들의 역할 분담을 분명히 하여 교육의 구조를 변화시킬 원리를 구축해 낼 필요가 있다."고 언급함으로써 평생교육의 개념과 필요성을 역설하였다. 랑그랑은 이를 통해 평생교육을 "개인이 태어나서 죽을 때까지 전 생애에 걸친 교육과 개인 및 사회 전체의 교육의 통합"으로 개념화하고, 교육의 통합성과 종합적 교육체계를 강조한 것이다.

우리나라 평생교육법 제2조에 따르면, 평생교육이란 '학교의 정규교육과정을 제외한 학력보완교육, 문자해득교육, 직업능력 향상교육, 인문교양교육, 문화예술교육, 시민참여교육 등을 포함하는 모든 형태의 조직적인 교육활동'을 의미한다. 평생교육에서 규정한 평생교육의 개념요소를 살펴보면, 첫째, 평생교육은 학교의 정규교육과정을 제외한 교육활동이다. 둘째, 학력보완교육 등 정규교육과정 이외의 모든 형태의 교육활동이다. 셋째, 평생교육은 조직적인 교육활동이다.

이에 따라 평생교육은 '인간의 삶의 질을 개선하기 위해 교육권을 실질적으로 보장해 주기 위한 교육이념으로, 유아교육 · 청소년교육 · 성인교육 · 노인교육 등 인간의 성장발달단계에 따른 교육활동의 수직적 통합과, 가정교육 · 학교교육 · 사회교육 등으로 각기 다르게 전개되는 형식 · 비형식 · 무형식 교육활동의 수평적 통합을 통하여 삶이 곧 교육인 학습사회를 건설하고자 하는 모든 형태의 교육활동'이라고 정의할 수 있다.

이제 오늘날 우리가 관심을 갖고 지향하여야 할 평생교육의 방향성을 도출하기 위하여 4차 산업혁명시대에 더욱 심화되고 있는 사회적 변화와 그에 따른 평생교육의 중요성을 살펴볼 필요가 있다.[2]

---

2 랑그랑이 제시한 평생교육의 필요성을 정리하면 다음과 같다. ① 인간의 이성 · 관습 · 개념의 가속도적 변화, ② 인구의 증가와 평균수명의 연장이 교육의 양적 확대뿐만 아니라 질적 변화를 초래한 점, ③ 과학기술의 진보와 산업, 직업구조의 변화, ④ 민주화를 위한 정치적 도전, ⑤ 매스컴의 발달과 정보처리능력의 필요성 증대, ⑥ 여가의 증대와 활용, ⑦ 생활양식과 인간관계의 상실, ⑧ 현대인의 정신과 육체의 부조화, ⑨ 이데올로기의 위기에 있어서 정체성의 혼란
우리나라에서 논의된 평생교육의 필요성을 요약하면 다음과 같다. 첫째, 평생교육의 외적 필요성으로 ① 과학기술의 발달과 생활양식의 급격한 변화 등 빨라진 사회변화 속도에 따른 재교육 필요성 제기, ② 평균수명의 연장과 삶의 질의 향상에 따른 자기성장과 자기실현 욕구의 증대, ③ 매스컴의 발달과 정보의 급증으로 지식기반사회의 도래, ④ 민주화를 위한 정치적 도전, ⑤ 고도산업화에 따른 인간소외 및 비인간화 경향(인간관계의 상실), 이데올로기의 위기 등. 둘째, 평생교육의

첫째, 지식과 정보가 폭발적으로 증가하고 있는 반면에 지식과 정보의 수명은 짧아지고 있다. 20세기 과학기술의 발전과 지식의 증가는 놀라운 속도로 진행되고 있다. 현대사회에 적응해 가기 위해서는 쓸모없게 된 지금의 지식을 신속하게 새로운 지식으로 대체해야 하고, 이를 위해서는 끊임없이 배우고 습득해야 한다. 빠르게 변하는 지식을 학교교육만으로는 따라가기 어렵다. 즉, 현장의 기술 혁신 속도가 학교에서의 기술교육 속도보다 빠르기 때문에 학교교육만으로는 따라잡기가 어렵고 재교육이 더욱 요구되는 것이다.

과거 1~3차 산업혁명은 증기기관차나 전기 발명, 컴퓨터, 인터넷 등과 같이 눈에 보이고 손에 잡히는 진화적 기술이었기 때문에 현장에서 따라잡기가 비교적 쉬웠다. 그런데도 기술을 빨리 따라잡지 못한 계층은 많은 불이익을 감수해야 했다. 이와 달리 4차 산업혁명 기술은 눈에 보이거나 만져지지 않는 소프트웨어 기술이다. 일의 성격을 완전히 바꾸는 파괴적 기술이기 때문에 학습이 반드시 필요하다.[3] 새로운 지식을 배움과 동시에 낡은 지식이 되는 시대에 필요한 능력은 끊임없이 학습하고 혁신하는 능력이다. 앨빈 토플러는 '21세기 문맹인은 읽고 쓸 줄 모르는 사람이 아니라 배운 것을 잊고 새로운 것을 배울 수 없는 사람'이라고 했다. 따라서 필요한 지식을 스스로 찾아 학습할 수 있는 평생교육의 필요성

내적 필요성으로 ① 학교교육의 경직성과 폐쇄성 등 학교교육의 한계성 및 학교교육의 위기 내지 역기능 해소, ② 지식의 민주화를 위한 새로운 교육체계 요구(교육기회 평등 요구), ③ 학교교육 이외의 교육기회 확대, 다양한 교육을 원하는 성인의 수요 증가 등이다.

3 노대래 법무법인 세종 고문(前 공정거래위원장), 한국경제신문 2017년 11월3일자 다산칼럼 "4차 산업혁명 핵심은 '인력 4.0'이다" 중에서

이 증가하고 있다.

둘째, 과학기술이 급속도로 발달하고 있으며, 생활양식이 급격하게 변화하고 있다. 과학기술의 가속적인 발전과 고도산업화는 사회를 급격히 변화시키고, 통신수단과 교통수단, 의식주 형태, 가족 구조, 인간관계, 직업 종류와 구조 등을 변화시키고 있다. 또한 이러한 변화 속에서 전통적인 가치관이 붕괴되어 여러 가지 사회문제도 발생하고 있다. 새로운 생활양식에 적응하고 사회적 문제를 해결하기 위해서는 지속적인 학습이 필요하게 될 것이다.

또한 우리나라에서는 1997년 IMF 금융위기 이후로 직업 주기가 짧아지고 있고, 평생직장이라는 개념도 사라지고 있기 때문에 끊임없이 새로운 직업정보와 기술을 습득하지 않으면 안 되게 되었다. 따라서 직장뿐만 아니라 다양한 시설 및 기관에서 총체적이고 지속적인 교육을 할 필요가 높아지고 있다. 새로운 일자리에 적응하는 교육을 시행하지 않는다면, 향후 없어지는 일자리에서는 실업이 양산되고 새로운 일자리는 구인난에 빠지기 때문이다.

셋째, 인간의 평균수명 연장과 삶의 질이 향상되고 있다. 100세 시대가 멀지 않은 현재, 우리나라에서는 출산은 줄어들고 있고, 평균 수명은 연장되고 있어 고령화 사회로 넘어가고 있다. 이에 따라 정년이 조금씩 연장되고 있지만, 실제 정년 이후에도 일거리를 찾는 사람들이 증가하고 있다. 또한 연금제도와 노동시간의 단축으로 여가 시간이 증가하면서 삶의 질을 높이기 위하여 교양과 문화 강좌를 중심으로 한 계속적인 학습과 교육에 대한 욕구로 이어지고 있다.

넷째, 학교교육이 한계에 다다르게 되었다. 제도화되고 획일적인 학교교육 방식은 4차 산업혁명에 필요한 창의적이고 자유로운 인간 형성에 부합하지 않는다. 또한 학교에서 가르치고 있는 분할된 개별적 학문만으로는 오늘날과 같은 융합의 시대에 맞서 나아갈 수가 없다. 따라서 학교교육 이외에 지속적인 교육을 통하여 다양한 지식과 경험을 넓히는 것이 점차 강조되고 있다.

다섯째, 자기성장 및 자아실현 욕구가 증가하고 있다. 인간이 주체적인 존재로서 살아가기 위해서는 끊임없는 자기성장과 자아실현이 필요하다. 이러한 자아실현의 과정은 필연적으로 계속적인 자기개발과 성취를 위한 평생교육을 필요로 하고 있다.

여섯째, 인공지능의 등장은 새로운 영역을 개척해야 할 필요성을 보여 주고 있다. 지금까지 학습은 인간만이 할 수 있는 숭고한 고유의 특성이었다. 인간은 학습을 통하여 문명을 만들고 진리를 추구하며 새로운 가치를 창출하여 왔다. 그러나 이제 바야흐로 새로운 학습의 주체가 등장했다. 인간만이 가능할 것으로 생각했던 사물인지 능력과 추론 등을 인공지능이 생산해 내고 있다. 이제 인간은 인공지능이 할 수 없는, 인간만이 할 수 있는 새로운 영역을 끊임없이 개척하여 인류의 미래 가치를 창출해 나가야 한다.[4]

---

4 백승수, "4차 산업혁명시대의 교양교육의 방향", 『교양교육연구』 제11권 제2호, 2017, 한국교양교육학회, p.19.

4장

우리나라 평생교육의 현황과 문제점

- 우리나라 평생교육법 제정 경위

- 우리나라 평생교육의 문제점

- 평생교육에 대한 인식 부족
- 평생교육 참여 기회 확대 미흡
- 평생교육에 대한 재정 지원 미약
- 평생교육사의 배치 불균형
- 평생교육 관련기관 사이의 체계적인 정보망 부족
- 교육기회의 불평등화
- 평생교육의 질적 관리 미흡
- 학교와 지역사회를 연계한 평생교육 프로그램의 문제점

우리나라의 평생교육 관련 법률은 해방 후 문맹퇴치를 목표로 1948년에 발령된 「고등공민학교규정」에서 그 뿌리를 찾을 수 있다. 본격적인 평생교육 관련법은 제5공화국 헌법 개정에서 국가의 평생교육 진흥의무가 명문화됨에 따라 1982년 12월 31일에 제정된 「사회교육법」이었다.[1]

사실 1950년대 초 우리나라에서는 사회교육법 제정을 위한 시도가 있었으나 국가의 교육제도가 학교 본위로 만들어지면서 오랜 시간 동안 평생교육 분야에 대한 국가 차원에서의 제도화의 노력이 미흡했다. 1982년 우리나라 「사회교육법」이 제정되면서 학교 밖에서 이루어지는 교육활동에 대한 제도화의 기반이 최초로 마련되었으나 이를 추진할 수 있는 추진체제가 마련되지 못하는 등 평생교육에 대한 모법으로서의 실제적 기능을 수행하지는 못하였다. 따라서 이때까지 평생교육정책은 제도적 기반이 미비한 상태에서 이루어질 수밖에 없었다.

1990년대 들어 고등교육의 기회 확충을 위한 평생교육 제도화가 두드러지게 나타나면서 비로소 체계적 평생교육정책들이 나타나게 되었다. 대표적인 경우가 '독학사학위제'와 '학점은행제'의 실시였다. '독학사학위제'는 1990년 4월 제정 공포된 「독학에 의한

1 법제처, 『대한민국법제60년사』, 교육법제, 평생교육법, http://www.moleg.go.kr/knowledge/book60yrHistory?jang=8&jeol=9&book50yrSeq=1046 (2017.11.13. 검색)

학위취득에 관한 법률」에 근거하여 실시되고 있는 것으로, 독학을 통해 정해진 시험을 통과하면 학사 학위를 취득할 수 있도록 하는 제도였다. '학점은행제'는 정규학교 밖에서 이루어지는 학습경험과 자격을 학점으로 인정하고 누적 학점이 학위 취득 요건을 만족시키면 학사학위 또는 전문학사학위를 주는 제도로, 1997년 1월 13일에 「학점인정 등에 관한 법률」이 공표되면서 실시되기 시작하였다.

「사회교육법」 자체는 제정 이후 20년 가까이 개정되지 않아, 그 내용이 변화된 사회교육환경에 부응할 수 없게 되었다. 따라서 우리나라 헌법 제2장 제31조의 교육을 받을 권리, 교육의 기회균등, 평생교육의 진흥, 교육의 자주성 · 전문성 · 정치적 중립성의 보장, 대학의 자율성을 국민의 기본 권리로 규정한 조항, 그리고 교육기본법 제3조의 학습권에 모든 국민은 평생에 걸쳐 학습하고, 능력과 적성에 따라 교육 받을 권리를 가진다는 규정, 제10조 사회교육 제1항에서는 국민의 평생교육을 위한 모든 형태의 사회교육은 장려되어야 한다는 규정에 바탕을 두어 1999년에 「사회교육법」을 「평생교육법」으로 전부 개정하게 되었다.

1999년 「평생교육법」의 제정은 우리나라 평생교육제도사의 중요한 의미를 지닌다. 「초 · 중등교육법」, 「고등교육법」과 함께 교육법 3법체제의 하나로 자리매김한 「평생교육법」은 학교교육 이외의 교육을 포괄할 수 있는 모법으로서의 지위를 획득했을 뿐만 아니라 이 법에 근거하여 국가 단위의 평생교육 추진체제가 만들어지

기 시작했기 때문이다.[2]

그럼에도 불구하고 아직 우리나라에서는 평생교육에 대한 적지 않은 문제점들이 존재하고 있다.

첫째, 평생교육에 대한 인식이 부족하다. 우리나라의 평생교육은 꾸준히 발전해 오고 있지만 아직까지 사람들은 평생교육자체를 모르거나, 아동 · 청소년 · 노년의 교육에 한정시켜 생각하려고 한다.

2016년도 우리나라 성인의 평생학습 참여율(형식 · 비형식교육)[3]은 35.7%로 만 25~64세 성인 10명 중 3.5명이 평생학습에 참여하고 있는 것으로 나타났다. 이는 2015년의 40.6%에 비해 4.9%p 낮은 수치이다. 여성의 참여율(37.1%)은 남성의 참여율(34.4%)보다 2.7%p 높았으며, 연령이 낮을수록, 학력과 소득수준이 높을수록 평생학습에 더 많이 참여하는 것으로 나타났다.[4] 전체적인 학습자수를 보았을 때, 2011년도 가장 많은 사람이 평생교육에 참여하였고, 그 이후에는 줄어들고 있다.

---

2 http://www.archives.go.kr/next/search/listSubjectDescription.do?id=003270 (2017. 11. 13. 검색)

3 지난 1년간 만 25~64세까지 한국 성인인구 중에 형식교육과 비형식교육을 동시에 모두 참여한 성인의 비율

4 교육부 · 한국교육개발원, 『2016 한국 성인의 평생학습실태』, 2016

【표 11】 우리나라 연도별, 기관유형별 평생교육 학습자 수

(단위: 명)

구분	전체	학교부설			원격형태	사업장 부설	시민 사회 단체 부설	언론 기관 부설	지식인력 개발형태	평생 학습관
		소계	유초 중등 학교 부설	대학(원) 부설						
2007	10,124,305	524,661	1,222	523,439	7,964,106	885,271	64,973	96,184	170,418	418,692
2008	11,403,373	622,159	6,236	615,923	8,425,854	1,095,290	109,582	113,747	562,005	474,736
2009	22,454,539	760,779	2,193	758,586	19,083,102	1,169,182	132,987	126,862	633,724	547,903
2010	27,026,042	886,479	3,283	883,196	23,123,612	1,236,890	169,401	119,007	768,736	721,917
2011	28,920,780	858,467	2,035	856,432	24,972,426	1,187,437	178,937	146,959	833,343	743,211
2012	17,618,495	847,250	1,390	845,860	13,669,575	1,036,910	186,712	134,454	840,451	903,143
2013	18,260,301	833,564	388	833,176	13,799,283	1,197,333	170,032	225,355	869,497	1,165,237
2014	12,919,836	870,867	1,078	869,789	8,670,272	1,150,763	196,724	417,086	813,185	800,939
2015	16,379,570	825,105	1,094	824,011	12,440,439	1,179,153	140,058	188,735	767,210	838,870
2016	11,336,564	903,937	1,337	902,600	7,304,497	1,206,895	156,000	151,101	664,509	949,625

* 자료 : 2016 한국 성인의 평생학습 실태

또한 평생교육은 일부 여유계층의 교양 또는 실업자의 구직교육 정도로 인식하는 경향도 있다. 2016년 평생학습실태 조사에서 우리나라 평생교육 참여 목적은 '취업, 이직, 창업에 도움', '교양 함양이나 지식 습득 등 자기계발' 순으로 나타났다.

【그림 14】 형식교육 참여 목적

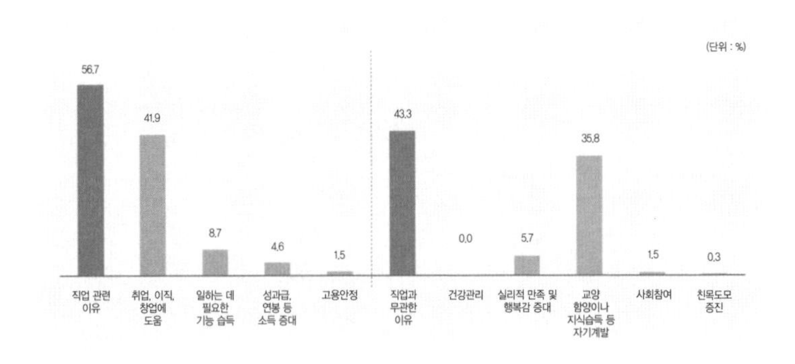

* 자료 : 2016 한국 성인의 평생학습 실태

【그림 15】 비형식교육 참여 목적

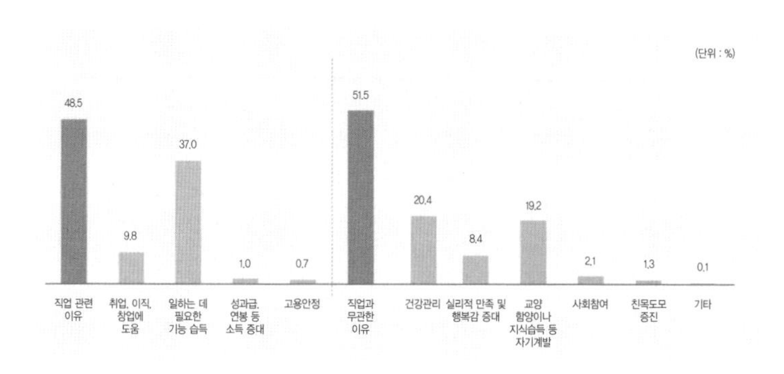

* 자료 : 2016 한국 성인의 평생학습 실태

둘째, 평생교육 참여 기회의 확대가 미흡하다. 우리나라에서 평생교육 관련 기관은 결코 많다고 말하기 힘들다. 2016년 조사 기준으로 평생교육을 수행한 기관수는 4,153개에 불과하다. 이 중 절반 이상인 2,510개가 수도권에 있다. 학습 참여 장애요인으로는 시간의 부족, 근무시간과 겹치는 교육시간, 근처 교육훈련 기관의 부재가 대표적인 요인이다. 평생교육은 누구나 원하는 곳, 원하는 시간에 받을 수 있도록 하여야 하는데, 그런 점에서 시설 부족과 참여 기회의 부족 등이 문제점으로 나타나고 있다.

【표 12】 지역별 평생교육기관 개황

(단위: 개, 명)

구분		기관 수	프로그램 수	학습자 수	교강사 수	사무직원 수
전체		4,153	212,339	11,336,564	73,204	19,842
권역	수도권	2,510	141,901	9,114,278	42,890	13,736
	비수도권	1,643	70,438	2,222,286	30,314	6,106
지역	서울	1,565	96,082	7,580,578	26,559	10,040
	부산	233	10,997	422,542	4,976	895
	대구	153	7,655	248,787	3,476	581
	인천	160	8,820	181,198	2,975	540
	광주	149	3,580	196,990	1,877	539
	대전	110	6,723	119,205	2,035	370
	울산	58	3,792	137,081	1,481	181
	세종	8	727	29,746	248	34
	경기	785	36,999	1,352,502	13,356	3,156
	강원	122	4,778	94,877	1,666	450
	충북	96	3,655	95,070	2,022	297
	충남	126	6,962	221,704	2,744	666
	전북	132	4,828	131,523	2,017	468
	전남	109	2,985	94,642	1,605	366
	경북	152	4,335	159,700	2,392	604
	경남	163	7,869	239,156	3,297	538
	제주	32	1,552	31,263	478	117

셋째, 평생교육에 대한 예산이 부족하다. 우리나라의 평생교육의 국가적 지원은 교육부 예산 대비 1% 안팎에 불과하다. 2017년 8월에 발표된 2018년도 교육부 예산안 발표에서 전체 68조 1,880억 원의 예산 중 평생·직업교육의 예산은 5,875억 원으로 0.86%를 차지하고 있다. OECD 통계에 따르면 2012년 교육예산 중 평생교육

이 차지하는 비율은 영국 28%, 독일 18%, 스웨덴 38%였다.[5]

현재 지자체에서 운영하고 있는 주민자치센터나 복지관, 여성회관, 문화센터, 도서관과 교육청에서 운영하는 도서관이나 평생학습관에는 예산을 지원하여 수강료가 무료인 강좌나 최소한의 비용만을 부담하게 하여 학습자들의 자발적인 참여를 돕고 있다. 그러나 학교는 평생교육을 운영하는 데 들어가는 비용은 평생교육 시범학교를 제외하고는 거의 지원하지 않아 고스란히 학습자들의 부담으로 전가시키고 있다. 따라서 다른 평생교육 기관에 비하여 특이한 프로그램을 마련하지 않은 상태에서 다른 평생교육 기관에서 운영하는 프로그램만을 가지고는 수강료 면에서 경쟁력을 가질 수 없기 때문에 학교 평생교육을 활성화시키기 어려운 실정이다. 우리나라는 세계에서 유일하게 국가의 평생교육의무를 헌법에 규정하고 있으나, 실제 투자규모는 세계에서 가장 작은 국가에 속한다. 이러한 재정적 영세성을 방치한 채 공교육 차원의 질 높은 평생교육을 기대하기는 힘든 실정이다.

넷째, 평생교육사의 배치가 불균형하다. 평생교육사 제도는 많은 문제점을 지니고 있다. 가장 큰 문제점은 양성, 배치, 연수라는 평생교육사 제도의 세 기본 축이 서로 유기적으로 연계되지 못한 채, 각자 따로따로 움직이고 있다는 것이다. 평생교육법 시행령 제26조에는 평생교육기관, 시 · 도 평생교육진흥원 및 시 ·

5 매일경제, "한국, 평생교육 빈곤국…교육예산 비중 0.8%", 2013. 01. 11., http://news.mk.co.kr/newsRead.php?no=27057&year=2013 (2017.11.17.검색)

군 · 구 평생학습관의 평생교육사 배치 및 채용에 관련된 규정을 명시하고 있다. 또한 2009년부터 평생교육진흥원에서도 평생교육사를 양성하기 시작하면서, 2009년에 5,805명이 양성되었다. 2008년에 평생교육사 배치를 의무화한 평생교육법 시행령 개정으로 기관에 배치되고 있는 평생교육사 수도 꾸준히 증가하고 있다. 하지만 2010년 기준 3,213개의 기관 중 평생교육사를 배치하고 있는 기관수는 1,860개로 57.9%의 기관만이 평생교육사를 배치하고 있는 것으로 나타났다. 또한 평생교육사의 배치가 늘어 가는 추세에서 유 · 초 · 중등학교부설과 산업체부설에서는 거의 변화가 없는 것으로 나타났다.

다섯째, 평생교육 관련 기관 사이에 체계적인 정보망이 부족하다. 평생교육이 국민을 위한 교육으로 활성화되기 위해서는 평생교육의 인프라 형성이 시급하다. 각 지역사회와 각 기관 간의 의사소통이 부족하며 기관들끼리 정보 교류가 이루어지지 않아 프로그램의 교류나 각종 정보가 공유되지 않고 결과적으로 서로 발전할 수 있는 기회가 줄어드는 문제점이 있다. 다종다양한 평생교육 프로그램을 형성하기 위해서는 기관 간의 긴밀한 정보 교류가 필수라고 할 수 있다.

여섯째, 교육 기회의 불평등화이다. 취약 계층을 위한 교육이 부실하고, 학습자들이 불균형하다. 한국은 선진국에 비해 낮은 평생학습참여율과 학력 간 참여율 격차가 크다는 문제가 있다. 현대사회는 자유경쟁원리를 지나치게 강조한 나머지 저소득층,

장애자, 학교중도포기자 등 사회적 약자집단이 평생교육에서 밀려나고 있다. 우리나라 평생교육 학습자는 보통 여가 생활을 즐기기 위해서 또는 교양을 쌓으려고 오는 사람들이 많다. 취업이나 창업과 관련한 프로그램들도 있지만 정작 필요한 계층인 취약계층에 있는 사람들은 시간의 부족, 근무시간과 교육시간의 충돌로 인해 참여가 부실하고 교육도 부실하다. 엄연히 존재하는 문맹자와 기초교육을 받지 못한 자에 대한 무관심, 저소득층의 교육소외, 여성과 노인의 교육소외, 노동자들의 교육문제에 대한 정부의 지원정책이 강화되어야 함에도 불구하고 오히려 소외당하는 경향이 있다.

일곱째, 평생교육원의 양은 많아졌지만 질적 관리가 이루어지지 않고 있다. 원격수업에 관한 예를 들어 보자. 현재 여러 대학교에서 사이버 대학을 만들어 원격수업을 운영하고 있다. 이런 원격수업을 제공하는 학교에는 '시간제수업'이라는 것이 있다. 그 대학에 정식으로 신·편입한 것은 아니지만, 원하는 과목을 수강할 수 있는 제도이다. 이렇게 시간제수업으로 취득한 학점은 '국가평생교육진흥원 학점은행'을 통해서 정식으로 학점을 인정받을 수도 있다. 문제가 되는 것은 학점은행을 통한 학사학위 취득을 위하여 시간제수업을 듣는 경우이다.[6]

일반편입학에 비하여 상대적으로 낮은 경쟁률을 보이는 학사편

6 오마이뉴스, "'평생교육' 하는 대한민국, 안녕들 하십니까?", 2015. 4. 6., http://www.ohmynews.com/NWS_Web/View/at_pg.aspx?CNTN_CD=A0002096453 (2017.11.17.검색)

입학에 지원하기 위하여, 졸속으로 학사학위를 취득하는 사례가 많아졌다. 또한 원격수업의 강의 내용을 업데이트하지 않고 몇 년 동안 같은 내용을 제공하면서 수업료를 받고 있는 경우도 있다. 이와 비슷한 현상으로, 평생교육원들이 우후죽순처럼 생겨나서 학습자들의 선택권이 넓어졌지만 부실한 평생교육으로 인해서 학습자들이 피해를 보는 경우가 종종 있다. 국가평생교육진흥원 사후관리실이라는 곳에서 설립된 평생교육원들을 지속적으로 관리하고 있지만, 그 양이 너무 많아 실효성 확보에는 한계가 있다.

여덟째, 학교와 지역사회를 연계한 평생교육 프로그램에서의 여러 가지 문제점들이다. 가령, 학교에서의 평생교육 프로그램 활용의 일환으로 학생 전시회에 학부모들의 참여를 유도하여 학부모가 작품을 출품하고, 체육대회에 참여하기나 학예발표에 찬조 출연하기도 하고, 교통지도, 도서실 보조, 급식 보조 등과 같은 학교 행사의 지원, 그리고 명예교사로 학생을 지도하기도 한다. 이렇게 학생들의 학교교육 효과를 제고함과 동시에 학교와 지역사회 공동체 의식 형성을 꾀하는 데에도 기여하고 있다. 그러나, 담당 교원의 업무 증가, 평생교육 활동에 따른 추가 예산의 소요, 학습자의 중도 탈락 등과 같은 문제점들이 나타나고 있는 게 현실이다.

5부

4차 산업혁명시대 평생교육의 방향과 발전과제

"그간의 우리 교육이 컨베이어 벨트 상품이 돌아가듯, 붕어빵을 찍어내듯 교육한 건 아닐까"

_ 김동연 부총리 겸 기획재정부 장관

"대학 안팎의 요구 때문에 교육을 등한시하기로 작심한 교수들이 역설적이게도 자기가 맡은 과목에서 정체성을 찾고 있다."

– 이화여대 최재천 교수

"교수들과 학생들 모두 학과라는 적당한 소단위에 정서적 안정감을 느끼고 있는 것 같다."

–서울대 이태수 교수

– 본문 중에서

1장

4차 산업혁명시대 평생교육의 방향

- 평생교육의 목적 재정립
- 평생교육의 목표
- 평생교육의 내용적 혁신
- 평생교육의 방법적 혁신

평생교육의 목적 재정립

- 인간의 가치를 고양하고 인간의 정체성을 확장하는 인문교육
- 지식의 단순한 수용이나 암기 위주의 교육이 아닌 스스로 지식을 자유롭게 활용하고 창출할 수 있는 지성교육
- 복잡하게 얽혀 가는 융합기반세계에서 문제의 핵심을 파악하고 종합적인 안목을 키우며 지적 연결지평을 확장할 수 있는 교육
- 4차 산업혁명시대의 성공적인 삶을 영위할 수 있는 역량을 체화시켜 주는 교육

우리나라 평생교육법 제4조는 평생교육의 이념을 다음과 같이 밝히고 있다.

① 모든 국민은 평생교육의 기회를 균등하게 보장받는다.
② 평생교육은 학습자의 자유로운 참여와 자발적인 학습을 기초로 이루어져야 한다.
③ 평생교육은 정치적 · 개인적 편견의 선전을 위한 방편으로 이용되어서는 아니 된다.
④ 일정한 평생교육과정을 이수한 자에게는 그에 상응하는 자격 및 학력인정 등 사회적 대우를 부여하여야 한다.

이러한 평생교육의 의미를 21세기적 관점에서 살펴보고 평생교육의 목적을 재정립하고자 한다.

한국인의 일반적인 지력은 다른 나라 국민들과 비교했을 때 뒤처지지 않을 만큼 높아졌다. 국민들의 문해 능력이나 젊은이들의 지력의 정도도 높아졌다. 우리 국민들의 평균 학력은 고등학교 3학년 정도 수준을 유지하고 있다. 말하자면 12년 정도의 국민교육에 성공한 국가로서 OECD 국가 중에서도 손꼽힐 정도로 높은 수준이다. 그럼에도 불구하고, 현실적으로 드러나는 국민교육의 허와 실은 여전하다. 예를 들어, 2013년도 국제성인역량조사에서 1차 분석한 자료는 아직도 우리나라 성인들의 역량이 그리 높은 편이 아닌 것으로 보고하고 있다.

【그림 16】 중장년 실질 문맹 실태

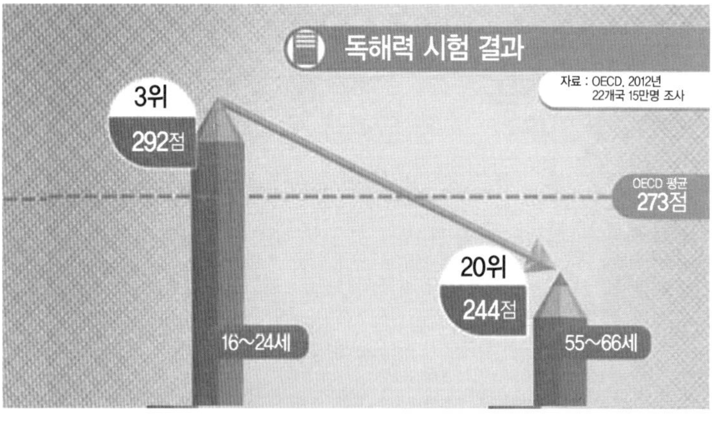

여러 나라 성인들의 일상생활과 직업생활에서 다양한 스킬들(읽

기, 쓰기, 수리력, ICT, 문제해결력, 과업재량, 직장 내 학습, 영향력, 협동, 자기관리, 손기술, 신체활동)에 대한 OECD의 보고에 의하면 아직도 우리나라 성인들의 평생학습 수준은 중 하위 수준이다. 언어능력, 수리력, 그리고 컴퓨터 기반 환경에서의 문제해결력이 일정 수준에 도달해야 나라의 생산성도 함께 올라갈 수 있는데, 아직 우리나라 성인들의 생활역량은 그들 수준에 이르지는 못하는 형편이다. 한국 성인들의 생활역량이 조사국 중 중간 정도를 차지하고 있다는 평가는 한국 성인들의 생활기술 역량과 학력 간에 심각한 불일치 현상이 있다는 또 다른 증거이기도 하다.

아직도 우리나라에는 제도교육으로부터 소외된 상당수의 취약계층이 취업현장에서 일하고 있다. 이들의 문해 능력은 아직도 세상을 읽어 낼 만큼의 성숙성이 떨어진다. 게다가 우리 노동시장의 요구에 따른 다문화 인구의 증가로 인해 제한된 문해 능력 인구도 함께 증가하고 있다. 전체 인구에 비해 기초 문해 결손자의 인구수가 소수라고 하더라도 이들의 어려움을 방치할 수는 없다. 이들에게도 문해 능력을 향상시켜 줄 수 있는 제도권교육 나름대로의 보완조치가 필요하겠지만, 평생학습이라는 현실적인 방법론을 통해 이들 교육취약계층의 문해 역량을 높여야만 한다. 문해 역량은 국가의 생산성 증가와 밀접한 관계가 있기에, 국가가 이들의 문해역량를 길러 줘야 할 필요성이 있다.

문해 능력의 향상은 교육취약 계층만의 문제가 아니라 모든 이들에게 직접적으로 해당되는 문제이다. 빠르게 변화하는 정보

문화와 기계문명의 속도에 제대로 대응하지 못한 학교교육의 한계에서 파생되는 교육문화지체 현상이 심각해지면 생활 문해(life literacies) 역량은 더욱더 떨어지기 때문이다. 평생교육의 목표가 모든 국민이 필요로 하는 전반적인 생활 문해 능력 개발로 모아져야 하는 이유이다.

동시에 다문화사회로 변화하고 있는 우리나라는 사회 곳곳으로 이주해 들어오고 있는 다문화근로자들이나 결혼이주자들을 위한 기초 문해 교육도 강화해야 한다. 이때 이들에게 제공해야 하는 문해 능력은 단순히 문자 문해 능력 향상에만 국한되는 것은 아니다. 생산 활동에서 필요로 하는 컴퓨터, 정치, 경제, 문화 등 삶을 살아간다는 의미를 포괄하는 생활 문해 역량을 키워 주는 활동이어야 한다. 생활 문해는 사람마다 각각 지니고 있는 인간적인 품과 격을 나름대로 지켜 낼 수 있는 삶을 살아가는 능력을 말한다.

【그림 17】 한국 성인의 문해 능력 수준 분포

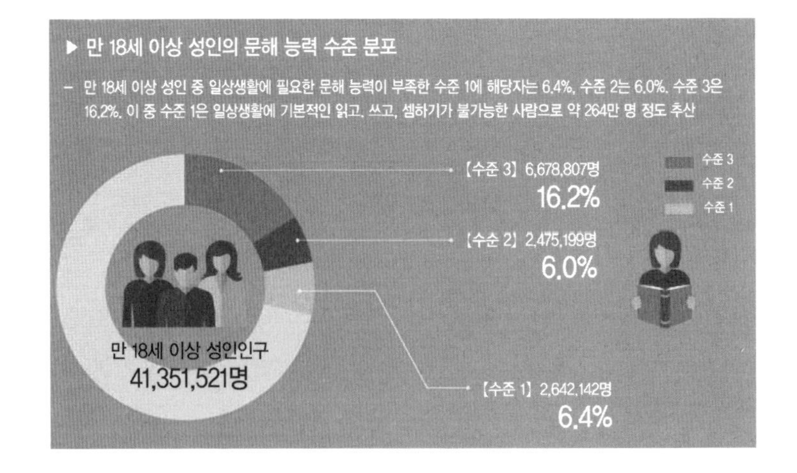

한준상 교수는 '미래 한국 평생교육정책의 비전' 3개를 제시했다.[1]

그 첫 번째는 평생교육의 공간과 내용의 질적인 변화를 추구하는 평생학습도시의 완성이다. 전 국토를 평생학습도시로 만들어 가려는 평생학습도시화 교육정책의 실현은 이 땅의 모든 공간을 교육자본으로 만들어 가려는 야심찬 정책의제이다. 사회에 다양한 형식으로 산재한 모든 공간은 적절한 배열을 거치면 교육자본이 될 수 있고, 그런 교육자본은 경제 발전의 자본으로 활용될 수 있기 때문이다. 예를 들어, 초 · 중등학교, 대학, 도서관, 각종 평생교육기관 · 학원 · 교육 산업체 등 다양한 교육환경이 모두 교육자본으로 재활용된다면 우리 사회 · 교육의 양극화에 해답이 되며 생산성 향상을 위한 교육공간으로 활용될 수 있다.

이제는 지하철, 기차, 버스, 공공기관의 허용된 공간, 심지어 커피숍도 스마트 학습을 위한 학습공간으로 활용될 수 있다. 이런 스마트 학습공간을 지자체 혹은 공권력의 수준에서 하나의 평생학습 자본으로 통합시켜 주는 노력이 바로 전 국토의 평생학습도시 운동이다. 이는 평생교육의 생태계를 새로운 관점에서 바꾸어 놓을 교육혁신 운동이며 행복교육의 추진체가 될 수 있을 것으로 기대된다. 모든 이를 위한 평생학습도시 운동정책은 학점인정제도와 학습계좌제와 제도적으로 연계되어야 한다. 이들은 기존 학교교육의 고질적인 문제점을 보완하면서 일터의 학습과 기술, 그리고 삶의 기술을 제도적으로 융합하고 복합함으로써 새로운 교육체

1 한준상, "미래 한국 평생교육정책의 비전", 『한국평생교육』 제1권제1호, 2013, 한국평생교육학회, pp. 151~180

제를 제도화시키는 혁신적인 평생교육제도이기 때문이다.

두 번째 비전은 국민행복법(가칭), 스마트 러닝, 스마트 건강 체제 구축 등의 융·복합 활동으로 국민 생활역량 제고에 주력하는 것이다. 보편적 복지실현의 틀 안에서 국민을 위한 평생교육을 추구하기 위해 그동안 소홀히 했던 몇가지 미래지향적 과제를 상정할 수 있다.

그중 하나는 첫째로 '국민행복법(가칭)' 제정과 같은 것이다. 국민행복법은 선진화된 국민에게 평생학습을 통해 자기의 존격을 내면화시킬 수 있는 법적 근거를 제시해 줄 것이다. 국민행복법은 모든 국민을 위한 평생학습사회 실현을 위한 국민을 존중하는 국민존중법의 성격을 지니게 된다. 국민행복법의 제정은 그것이 비록 선언적이라고 하더라도 국가가 국민 각자에게 평생교육활동에 참여함으로써 배움을 통한 행복권을 추구할 수 있음을 알려 준다. 국민행복법에는 국토의 평생학습도시화나 초등교육기관 같은 의무교육기관의 성인교육기관 운영의 의무화 조항들이 포함될 수 있다.

둘째로 보편적 평생학습활동에서 실천적으로 요구되는 스마트 러닝체제의 구축과 보편화이다. 스마트 러닝은 기존 PC만을 사용한 학습방법에서 벗어나 공간적 제약에서 고령 인구나 성인 학습자들을 해방시켜 줄 수 있는 새로운 학습방법으로서의 충분한 가치를 지니고 있다. 스마트폰 활용 인구는 이미 3세부터 90세에 이르고 있기에 스마트 러닝의 효율적이고 구체적인 방법들이 평생교육적으로 활용되도록 해야 한다.

마지막으로 '스마트 헬스케어'체제를 평생교육과 융·복합시키는 정책의 실천 및 보급 활동들이 평생교육현장에서 활성화되도록 해야 한다. 현실적으로 매년 엄청나게 증가하고 있는 고령자 의료비의 효과적인 절감을 위해 스마트 헬스케어의 실천과 보급을 위한 평생학습활동이 보편화되어야 한다. 국민건강복지와 평생교육활동을 융·복합시켜 줄 수 있는 방편이 바로 스마트헬스 케어 기술의 평생학습화이다. 스마트 헬스케어의 평생학습화는 IT와 헬스케어, 그리고 평생학습이 서로 융합된 서비스이자 학습활동으로서 스마트폰 등의 스마트기기를 통해 개인 맞춤형 건강간리를 평생학습차원에서 일상화시키는 일이다.

세 번째 비전은 국민마다 자신의 자존감을 지킴으로써 행복국가를 실현하는 것이다. 평생교육, 평생학습은 행복의 결과가 아니라 행복의 조건이다. 자기 주도적인 평생학습으로 배움을 늘리는 사람은 매일같이 행복한 감정을 체험하는 사람이다. 행복한 사람은 자기존격에 대한 감(感)이 우량한 사람이다. 자기존격이란 사람 스스로 바로 서는 일, 두 발로 바로 설 수 있다는 인간 의지를 보여주는 일이기 때문이다. 한 사람의 됨됨이를 알 수 있는 것은 그 사람이 지니고 있는 재력이나 자동차, 혹은 지위 같은 것이 아니라, 그 사람이 매일같이 보여 주는 배움의 됨됨이이다.

자신의 사람 됨됨이를 어느 정도로 지니고 있는지가 자기존격의 지표이다. 인간됨의 품과 격은 행동으로 나타나고, 태도 속에서도 드러나며, 그의 의식을 통해서도 분출된다. 자기존격은 자기됨의 품격이나 가치를 말하고 있는 것이기에, 자기존격됨에 대한 사회적 기대와 개인적 이해는 사람마다 차이가 있다. 그렇기는 하지만, 자신에 대해 타인의 부정적인 시선이 집중되고 있는 것을 느끼게 된다면, 그것은 이미 자기가 자기 자신을 돌보지 않고 있다는 증표로 봐도 무리가 없을 것이다. 자신의 존격을 드러낼 수 있는 그 어떤 화려한 방편은 없음에도 불구하고 그 누구든 사람으로서 누릴 수 있는 자기존격을 위한 원초적인 틀만큼은 각자가 갖고 있기 마련이다.

가장 확실한 자기존격의 방편은 바로 자신의 몸과 마음에서 우러나오는 자기됨과 사람됨이다. 자신의 생명에 대한 영향력은 자기 자신만의 것이다. 그 어느 누구의 것도 아니며 대신할 수 있는 것도 아니다. 자신의 몸과 영혼은 자기 자신만이 저 홀로 관리하고 있기 때문이다. 그 어떤 권력이나 재력도 나의 몸을 구속할 수 있지만 나의 영혼까지 구속할 수는 없는 노릇이다. 사람들에게 자기존격의 그릇을 만들어 놓는 것이 있다면 그것이 바로 평생교육에서 얻어지는 배움이다.

이상 한준상 교수가 제시한 평생교육정책의 비전을 바탕으로 4차 산업혁명시대에 지향해야 할 평생교육의 목적을 정리하면 다음과 같다.

첫째, 평생교육은 앞으로 인문교육이 지향해 나아가야 할 방향과 그 궤를 함께 하여야 한다. 인문교육은 인간의 가치를 고양하고 인간의 정체성을 확장하는 교육이다. 따라서 평생교육도 우선 기본적으로 '삶이란 무엇인가?', '어떻게 살 것인가?'를 직접적으로 묻는 인간 성찰의 학문이어야 한다. 인성 교육은 인간의 역사와 함께 시작되었다고 할 수 있을 만큼 오래되었지만 인간과 기계의 경계가 허물어지는 지금 시대에는 달라져야 한다. 4차 산업혁명이 초래할 수 있는 부정적 예후들을 인류 공동체의 미래적 관점에서 판단하고 대처할 수 있는 인성교육이 돼야 한다. 인간의 가치, 인간의 자존, 인간의 공생, 인간의 미래를 열어 가는 교육이어야 한다.

둘째, 앞으로의 평생교육은 복잡하게 얽혀 가는 융합 기반의 세계에서 문제의 핵심을 파악하며 종합적인 안목을 키우며 지적 연결 지평을 확장시킬 수 있는 교육이어야 한다. 현재 한국 교육의 문제점은 학습된 지식의 단순한 수용이나 암기를 중심으로 이루어지고 있다. 앞으로의 평생교육은 스스로 지식을 자유롭게 활용하고 창출할 수 있는 지성 교육을 지향하여야 한다. 어떤 분야의 핵심적인 개념을 알고 기본 원리를 이해하며 새로운 물음에 답하는 것은 세월의 흐름과 관계없이 반드시 알아야만 하고 교육현장에서 가르쳐야 하는 것들이다.

셋째, 평생교육은 4차 산업혁명시대의 성공적인 사회적 삶을 영위할 수 있는 역량을 체화시켜야 한다. 여기서의 역량은 직업 기초소양이나 스펙을 의미하는 것이 아니다. 역량은 개인의 내면화된 속성으로 능력을 포함하여 태도, 가치, 흥미, 동기와 지식을 아우르는 개념이어야 하며, 경험에 의해 형성되고 학습을 통해 습득되어야 한다. 4차 산업혁명을 이끄는 힘인 '소프트 파워[2]' 역시 평생교육으로 길러져야 한다.

2 정보과학이나 문화 · 예술 등이 행사하는 영향력을 일컫는 말로 군사력이나 경제제재 등 물리적으로 표현되는 힘인 하드 파워에 대응하는 개념이다.

평생교육의 목표

- 창의성 교육

- 암기하여야 할 죽은 지식이 아니라 항상 더 차원 높은 지식이 되려고 하는 살아 있는 지식이 되어야 함
- 교사가 주도하는 수업은 학생의 사고와 능력을 개발할 기회를 주지 않는 죽은 수업
- 주어진 질문에 답하는 사람이 아니라 창의적인 질문을 생각해 내는 능력이 있는 사람, 답을 찾는 데 그치지 않고 여러 질문을 떠올려 보고 다양한 답을 도출해 내는 사람을 양성하는 교육

- 인성교육의 필요성

- 세계화 · 국제화로 개방화되는 사회에서 더불어 살아가야 할 필요성 증대
- 생존경쟁이 치열한 냉엄한 현실, 예측 불허의 변화에 대처하기 위해 새로운 인간성 요구
- 기술 발전의 부작용으로 인한 불평등 문제 제기
- 한편으로는 경쟁하지만 다른 한편으로는 상호 협동하고 공존하는 풍부한 인성을 갖춘 세계시민 요구

현재의 사회 변화의 양상으로 볼 때, 기존의 경직된 교육체제로는 급격하게 변화하는 사회에 능동적으로 대처하기 어렵다. 따라

서 변화하는 사회와 더불어 자기 개발과 적응을 위한 교육이 언제 어디서나 이루어질 수 있는 평생학습체제가 구축 · 확대되어야 할 것이다. 이제 우리나라도 평생학습사회(learning society)가 되어야 한다. 기존의 학교교육의 목표나 내용, 방법, 학습에 대한 관점, 성공관 등 교육에 대한 관점의 일대 전환이 요구된다. 평생학습사회에서의 학교교육은 종착점으로서의 교육이 아니라 평생교육의 한 부분이며 교육의 새로운 한 시작이어야 한다. 그러기 때문에 지금까지의 교육관은 바뀌어야 한다.

이미 지적한 바와 같이, 인공지능의 발달로 단순 반복 · 매뉴얼 기반 업무와 직업은 기계로 대체되어 소멸되고, 인성 · 감성 · 창조적 사고가 필요한 업무와 직업이 새로 생겨나는 등 거대한 패러다임 변화가 불가피한 전망이다. 또한, 인공지능 · 로봇 등 신기술의 발전은 인간의 삶을 풍요롭게 할 수 있으나, 엄청난 속도의 기술 진보로 인해 기술이 인간의 존재를 위협하는 시대가 도래할지도 모른다는 우려도 제기되고 있다.

전 세계적 4차 산업혁명에 따른 변화 속에서 지속 가능한 성장을 이루기 위해서는 인간만이 가질 수 있는 창의성 · 상상력 · 사회성 · 윤리성 및 협동심 등을 키우는 교육을 강화하고, 변화에 뒤처지기 쉬운 소외계층에 대한 교육적 지원을 확대할 필요가 있다. 인공지능시대의 새로운 인재상을 정립하고, 미래 교육과 인재개발 시스템의 혁명에 대한 사회적 공론화가 필요하다.[3]

---

3 한국경제신문사 주최 '글러벌 인재포럼 2017' 기조세션 1 "지능정보 사회와 미래인재" 자료에서

이런 의미에서 평생교육의 목표는 인성교육과 창의성 교육이 되어야 한다.

우선 창의성 교육이란 정보를 바탕으로 한 지식기반사회가 요구하는 교육이다. 지식기반사회에서의 지식은 암기해야 할 고정불변의 죽은 지식이 아니다. 항상 더 차원 높은 지식이 되려고 하는 살아 있는 지식이다. 이는 곧 부가가치를 창출할 수 있는 창조적 지식이다. 이렇게 평생 동안 새로운 지식을 학습하고, 공유하고, 전파하고, 가공하여 더 높은 차원의 지식을 창조하는 사람을 '신지식인'이라 한다. 창조적 지식을 창조하는 신지식인, 즉 창의적인 사람은 창의성 교육을 통해서 길러진다.

창의성 교육은 여유로움 속에서 열린 교육을 통해서 이루어진다. 획일화되면 될수록 규제가 되면 될수록 창의성 교육은 실현될 수 없다. 그리고 다양한 경험 속에 학생이 직접 참여하는 가운데서 가능한 교육이다. 교사가 주도하는 수업은 학생의 사고와 능력을 개발할 기회를 주지 않는 죽은 수업이다. 주어진 질문에 답하는 사람이 아니라 창의적인 질문을 생각해 내는 능력이 있는 사람, 답을 찾는 데 그치지 않고 여러 질문을 떠올려 보고 다양한 답을 도출해 내는 사람을 기르는 데 초점을 맞추는 학습 토대가 마련되어야 한다.

둘째, 인성교육은 세계화, 국제화로 개방화되는 사회에서 세계인과 더불어 살아가고, 생존경쟁이 치열한 냉엄한 현실에서, 그리고 예측 불허의 변화에 대처하기 위해서는 새로운 인간상을 요구하는 교육이어야 한다. 기술 발전의 부작용으로 불평등의 문제가 부각될 수 있다. 기술을 이해하는 사람과 그렇지 않은 사람 사이의 지식 차이는 자연스럽게 부와 교육, 정보의 차이로 이어지게 된다. 이는 사회적 관점에서 디지털기술이 다수가 아니라 소수의 전유물이 될 수 있다는 것이다.

"이는 단기적으로 정말 끔찍한 혼란을 발생할 수도 있다. 많은 일자리를 AI가 대체하면서 충분한 급여를 주는 좋은 일자리를 구할 수 없게 된 젊은이들은 불만을 키워 가게 될 것이고, 나쁜 의도를 갖고 있는 누군가가 일자리 부족으로 고통받고 있는 젊은이들을 선동한다면 큰 혼란이 발생할 수도 있다는 가정이다."(한국경제신문사 주최 '글로벌 인재포럼 2017' 존 히긴스 글로벌 디지털재단회장)

로메오 두르셔는 위 포럼에서 "드론이 재난현장에서 사람을 구하는 데도 사용되지만 감옥에 무기를 전달하는 식으로 오용될 가능성도 있다."며, "제도에 적응하기 위해 교육을 받는 것처럼 기술을 제대로 사용하기 위해서는 시민을 교육하는 게 중요하다."고 강조했다.

아울러 한편으로는 경쟁을 해야 하지만, 다른 한편으로는 상호 협동하고 공존하는 방법도 배워야 한다. 우리는 세계시민이 되는 기준을 배워야 하며, 풍부한 인성으로 어떠한 상황에서도 살아남을 수 있는 인간이 되어야 한다. 풍부한 인성은 생활력이 되며, 살아가는 힘이나 생존력이 된다.

평생교육의 내용적 혁신

- 평생교육의 목표인 창의성 교육, 인성교육을 위한 평생교육의 내용

- 전통적 교과지식이 아닌 연계망 지식(networking knowledge), 문제 해결 지식(problem-solving knowledge)의 함양

- 평생교육의 내용적 혁신을 위한 방향

- 차별성 : 학교교육의 차별화, 교육대상자들에 따른 차별화
- 전문성 : 전문적 지식 습득
- 유용성 : 교육내용의 융합화를 통해 교육을 이수한 이후에 활용이 가능하도록 함

교육과정의 핵심은 교육의 내용에 있다. 교육의 내용은 교육목표에 부합하도록 지속적으로 혁신해야 한다. 앞에서 언급한 평생교육의 교육목표를 인성교육과 창의성 교육에 두었을 때 이와 같은 능력을 키울 수 있는 내용들이 요구된다. 변화하는 사회에서 요구되는 지식은 전통적 교과지식이 아니라, 폭발하는 정보와 지식의 신속성 · 다양성 · 복잡성 · 중첩성 등을 조직하고 관리하는 연계망 지식(networking knowledge)이나 문제 해결 지식(problem-solving knowledge)과 같은 적용력이 크고 부가가치가 높은 창조적 지

식이다. 같은 교과지식이라도 명제적 지식보다는 기술적 지식 또는 방법적 지식이 더 요구된다.

창조적 지식과 더불어 구체적으로 요구되는 교육내용은 사회 변화의 전망으로부터 도출될 수 있다. 앞으로의 사회 변화나 사회문제에 대응하기 위한 내용 주제는 각 나라마다 조금씩 차이를 보인다. 교육개혁에서 교육의 내용을 명시적으로 밝히고 있는 나라들을 살펴보면 어떤 내용일 것인지를 생각해 볼 수 있다.

우선 독일의 경우를 보면 문명사적 교육의 주제들로 환경, 평화, 성평등, 건강한 삶의 문화, 매체환경의 변화, 정보화 사회, 문화적 다양성 등을, 프랑스는 16세에 도달해야 할 국민 공통 필수지식으로 환경 대처 능력, 정보 능력, 윤리적 실천, 신체 단련 및 예술 감각, 불어 구사능력, 수와 양의 계산 능력 등 6가지를 제시하고 있다. 이 밖에 다른 나라들도 필수지식이나 문명사적 주제와 같은 어떤 내용들을 명시하지는 않았지만 위의 두 나라와 유사한 교육 내용들이 강조되고 있다. 그러므로 교육 내용에는 환경교육, 평화교육, 세계시민교육과 같은 범세계적인 것이 있는가 하면, 각 나라의 특성에 맞는 국어나 윤리와 같은 필수 내용과 정보나 수리능력과 같은 기초 내용을 모두 중시하고 있음을 볼 수 있다.

교육의 혁신을 위해서는 차별성 · 전문성 · 유용성의 방향으로 고도화되어야 한다. 차별성은 학교교육과의 차별화를 의미하고, 전문성은 교육 이수자가 급변하는 사회에서는 학습을 통해 전문적인 지식을 습득하여야 한다는 것이며, 유용성은 교육을 이수한 이후에 다른 교육과 융합하여 창의적으로 활용할 수 있도록 해야 한다는 것이다.

우선, 평생교육의 정체성을 확보하기 위한 차별화를 강화해야 한다. 교육과정이 제대로 정립되기 위해서는 범주 설정이 선명하게 정립되어야 한다. 평생교육 과정의 범주 설정은 학교교육과의 차별화에서 시작된다. 학교교육과의 차별화를 위해서는 평생교육이 이루어지고 있는 지역의 변화를 파악해야 한다. 현재 한국 내에서도 지역별로 인구구조가 변화하는 양상이 다르고, 산업구조의 변화 양상도 다르다. 가령, 고령화율이 높은 지역이 있는가 하면 낮은 지역도 있고, 새터민이나 외국인이 급증하여 다문화 사회화가 가속된 지역이 있는가 하면 그렇지 않은 지역도 있다. 또한 지역민에 대한 복지서비스도 지역적 편차가 심하여 문화적 혜택을 잘 받는 지역과 그렇지 않는 지역이 있다. 이러한 지역성과 수강생의 욕구를 고려하여 필요한 교육이 무엇인가를 파악한 후, 이를 중심으로 평생교육이 이루어져야 한다. 그렇지 않으면 평생교육의 질적 저하와 학습자의 흥미 저하를 초래하게 될 것이다.

그리고 교육대상자들에 따라 차별화된 교육 내용이 제공되어야 한다. 우선 현업 종사자들에 대하여는 기술 혁신으로 인한 산업구조 재편, 산업 내 경쟁구도의 변화, 직업별 업무 처리 방식 변화 등에 대해 적응할 수 있는 능력을 키워 줄 수 있어야 한다. 예를 들어, 현업실무자와 중간관리자를 대상으로 프로그래밍, 빅데이터, 인공지능 등에 대한 교육을 실시할 경우 미래 업무수행을 위해 요구되는 다양한 자료조사 및 분석능력과 지식 창출능력이 배양되어 생산성 향상에 도움이 될 수 있게 하여야 한다.

또한 인구 변화의 관점에서 볼 때 고령사회와 초고령사회로의 급속한 진입과 평균 수명 연장으로 생애주기와 고령사회에 대비한 역량 개발에 역점을 둘 필요가 있다. 생애주기를 편의상 준비기(1~25세), 전반기(26~50세), 중반기(51~75세), 후반기(76~100세) 등 4단계로 구분해 볼 수 있다. 이를 축구 경기에 비유하면 전반전은 전반기, 후반전은 중반기, 연장전은 후반기에 비유할 수 있다.

한국의 직업교육은 준비기를 통해 전반전 경기에 필요한 역량 개발에 역점을 둔 체제로, 후반전과 연장전을 염두에 둔 중반기와 후반기에 대비한 직업교육체제는 부실한 실정이다. 현재 20~30세의 한국인 기대 수명은 여자 90.8세, 남자 84.2세로 남녀 모두 세계에서 가장 높을 전망이다. 그런데 2017년 현재 노인 빈곤율은 47.7%로 OECD 회원국 중에서 가장 높다. 중반기와 후반기에 접어든 장년 및 고령자들이 일할 수 있는 일자리 확보와 역량 개발이 절박한 이유가 여기에 있다.[4]

고령층을 대상으로 하여는 ICT 활용 능력에 대한 교육을 강화할 필요가 있다. OECD 성인역량평가에 따르면, 한국은 45세 이상의 고령층의 ICT 기술 활용 문제해결능력이 10%대로 최하위 수준에 가까운 상황이다. 이를 크게 향상시킬 수 있는 방안이 시급한 실정이다. 특히 고령층이 스스로 디지털에 대한 필요성을 느끼

---

4 한국대학신문 2017년 11월23일자 이무근 한국과학기술한림원 이사장, "평생직업교육 정책 제언 ① 요람에서 무덤까지 배우는 시대, 당신은 '무엇을'할 수 있나?"중에서

고 배울 수 있도록 인식 전환이 선제되어야 한다. 디지털기술 사용에 대한 동기를 부여하는 한편 고령층 눈높이에 맞춘 스마트 기술 활용 및 디지털 문해력 교육 프로그램을 강화해야 할 것이다. 또한 산업 측면에서 노인들이 쉽게 디지털 기술에 접근할 수 있는 기술 개발도 필요할 것이다.[5]

둘째, 기술 혁신은 항상 노동시장을 파괴해 왔다. 고도로 숙련된 노동력이라야 기술 변화에 탄력적으로 대응할 수 있다. 따라서 평생교육은 근로자들의 전문성을 고도화하기 위해 교육프로그램이 구성되어야 한다. 평생교육의 전문성을 강화하기 위해서는 교육 내용의 보편화가 추구돼야 한다. 평생교육과정은 인격을 도야하는 인간 형성의 보편적 과정으로서 졸업한 학교의 학과나 전공에 관계없이 모든 학습자가 공통적으로 이수해야 하는 교육과정이다. 따라서 인성교육과정에 바탕을 두고 모든 지적 활동의 토대를 형성하는 근원적이고 보편적인 교육과정으로 구성되어야 한다. 따라서 교육 이수자의 다양한 요구에 부응하며 자유롭게 활용할 수 있는 근원적인 원천을 제공하는 교육과정을 형성해야 하며, 근원적인 원천을 바탕으로 전문지식을 쌓을 수 있는 교육과정을 확립하여야 한다. 평생학습을 통해 심화된 근로자의 전문성이 실질적 일자리로 연계될 수 있도록 평생교육과정과 자격제도를 연계하여 전문성에 대한 품질보증이 가능한 제도를 검토해 볼 수 있다.[6]

---

5 미래창조과학부 미래준비위원회 · KISTEP · KAIST 공동 미래전략보고서 『10년 후 대한민국 미래 일자리의 길을 찾다』, 2017, 도서출판 지식공감, p.173

6 미래창조과학부 전게서 p.175

셋째, 평생교육의 유용성을 확산하기 위한 교육 내용의 융합화를 가속화해야 한다. 빠르게 바뀌는 세상의 변화에 대응하려면 한 가지 현상을 다양한 시각에서 바라보는 '통섭적인 접근'이 중요하다. 2000년대 초반, '통섭'이란 단어가 등장하고, 지금은 이와 유사한 '융합'이란 용어가 널리 사용되고 있다. 비즈니스문화는 기술의 급속한 속도를 따라잡기 어렵게 되었다. 이런 환경에서는 능력보다 다양성이 중요하다. 똑똑한 사람 한 명보다는 다양한 구성원이 포함된 팀이 더욱 강력하다는 얘기다. 제조업은 10년 전만 해도 단계별로 분리해 그 분야의 전문가들만 활동했지만 기술 혁신을 통해 여러 분야의 통합이 이루어지고 있다. 앞으로는 전문 분야를 가진 사람들이 함께 일하며 새로운 가치를 만들어 낼 것이다.

또한 기술적인 측면에서 어떠한 기술이 좋은 기술인지를 고민하였을 때, 사용자가 활용하기에 편리한 기술이 좋은 기술인 것이다. 따라서 우선 인간성에 대한 고민이 필요한 것이며, 그것을 바탕으로 새로운 기술과 창의적인 예술 활동이 이루어져야 하고, 인간성을 바탕으로 한 문화가 형성되어야 한다. 이를 위하여 평생교육은 교육과정의 융합화를 통해 지적 연결지평을 확대하고 학제적 열린 사고를 활성화하는 학제적 오픈 플랫폼의 역할을 수행하여야 한다. 더구나 4차 산업혁명의 핵심은 융합과 플랫폼이다. 창의와 혁신의 융합은 4차 산업혁명의 소프트웨어를 만들어 가고 있으며, 개방과 공유의 플랫폼은 4차 산업혁명의 시스템을 창출하고 있다. 리버럴아츠가 지향하는 학제적 오픈 플랫폼 역시 창의와 혁신이며 개방과 공유이다.[7]

---

7 백승수, "4차 산업혁명시대의 교양교육의 방향", 『교양교육연구』 제11권 제2호, 2017, 한국교양교육학회, pp.35~39.

평생교육의 방법적 혁신

- 단순한 암기를 넘어서 활동(activity)을 중심으로 한 교육 추구

- 간접적 · 수동적으로 강의를 듣는 학습에서 직접적 · 능동적으로 활동을 하는 학습으로 전환
- 교육을 받는 사람이 스스로 말하고, 보고, 느끼고, 만지고, 만들고, 해 보면서 자기의 학습 체계를 구축해 나가는 학습 추구
- 다양한 학습 경험을 통해 수많은 지식을 융합하고 숙고하여 암묵적 지식으로 체화하고 지혜로 승화시키는 실천적 교육과정으로 전환
- 탐구 · 토론 · 비평 · 입증 · 맥락화 · 혁신 · 실습 등이 중심이 되는 세미나형, 프로젝트형 수업의 활성화

- 방법적 혁신과 더불어 제도적 혁신도 필요

- 학점은행제 · 독학학위제 · 평생학습계좌 등 평생교육 관련제도의 기능과 역할 제고
- 정부의 지원과 관심 제고
- 제대로 된 직업교육 설계와 운영
- 중소기업 근로자의 참여를 확대하기 위해 근로시간 유연화, 휴직사유 인정 등 노동정책과의 조응 필요
- 대학은 온라인과 오프라인을 활용해 다양한 학습 방법 제공

교육은 본질적 속성상 내용과 방법이 동시에 구현되어야 목적을 달성할 수 있다. 의학 교육이 의학적 내용을 의학적 방법으로 행하는 것과 마찬가지로 평생교육은 평생교육적 방법으로 구현해야 한다. 특히 4차 산업혁명이 도래한 21세기의 평생교육은 단순한 암기를 넘어선 활동(activity)을 중심으로 한 교육을 추구해야 한다. 간접적이고 수동적으로 강의를 듣는 학습에서 직접적이고 능동적으로 활동을 하는 학습으로 전환되어야 한다는 의미이다. 교육을 받는 사람이 스스로 직접 말하고, 보고, 느끼고, 만지고, 만들고, 해 보면서 자기의 학습 세계를 구축해 나가는 학습이 되어야 한다. 지식을 지혜의 수준으로 내면화하여야 한다.

이제 단순 지식의 습득은 필요 없는 시대이다. 누구나 궁금한 것이 있으면 바로 스마트폰으로 검색을 하여 찾아볼 수 있다. 따라서 이제는 다양한 학습 경험을 통하여 수많은 지식을 융합하고 숙고하여 암묵적 지식으로 체화하고 지혜로 승화시키는 실천적 과정이 되어야 한다. 상대방을 배려하면서 인성교육이 함의된 교육을 지향하면서 지적 연결 지평을 융합할 수 있도록 하기 위해서는 비판적 사고를 키우고 토론이 핵심이 되어야 한다.

평생교육을 이수받는 학습자가 자기 주도적으로 자신이 필요한 강좌를 듣고 이를 활용할 수 있도록 참여를 기반으로 하는 교육을 해야 한다. 따라서 탐구, 토론, 비평, 입증, 맥락화, 혁신, 실습 등이 중심이 되는 세미나형, 프로젝트형 수업이 활성화되어야 한다.

김상곤 부총리 겸 교육부장관은 2017년 11월28일 청와대에서 열린 '혁신성장 전략회의'에서 자기 주도적 학습을 통한 핀란드의 혁신성장 사례를 소개했다. 김 총리는 핀란드의 성장과 창업붐을 이끌어 낸 모바일 게임 '클래시 오브 클랜'을 언급하며, "핀란드 노키아에서 정리 해고된 사람들이 세운 슈퍼셀의 작품"이라고 소개하면서 "핀란드 경제가 침체된 상황에서도 창업열풍이 일어날 수 있었던 건 교육 덕분"이라고 말했다. "핀란드 학생들은 스스로 기획하고, 자기 주도적으로 활동을 펼치는 혁신적인 교육을 받았다."는 것이다.[8] 우리나라 교육부 수장이 해외의 사례를 소개하면서 새로운 시대가 요구하는 지식과 기술을 갖춘 사람의 육성을 위한 교육혁신의 필요성을 역설하고 있는 것이다.

한편으로는 평생교육의 방법상의 혁신뿐만 아니라 제도적 혁신도 반드시 필요하다. 2010년대 초부터 정부에서는 공정사회 구현 방안의 중장기 과제로 '학력-경력 호환시스템 구축'을 추진해왔다. 학교 밖의 경험학습과 경력을 학력(학점)으로 인정하고, 대표적인 평생교육제도인 학점은행제의 학점을 정규대학의 학점과 상호 인정함으로써 호환성을 높여 장기적으로 고졸 이후 바로 대학에 진학하지 않더라도 후진학이 가능한 학습 환경을 조성하고자 한 것이다. 또한 산업체 재직자들을 위해 재직 경력이나 재직 중 학습경험을 학점으로 인정하여 학위를 취득할 수 있는 기회를 확대하고 있다. 이러한 선취업 후진학의 생태계 조성은 '교육-노동-복지'의 선순환이 가능한 환경을 조성하는 데에 매우 중요한

8 한국경제신문 2017년 11월 29일자 A4면 "靑 혁신성장 전략회의" 기사 중에서

과제가 되고 있다. 실무 중심의 교육을 통해 노동시장으로 즉시 연계 가능하도록 하고, 취업시장의 활성화에 따른 세수 증대, 이를 통한 복지 확대는 앞으로 모든 정책에서 지향해야 할 중심축이라 할 수 있다.

평생교육 관련 제도인 학점은행제, 독학학위제, 평생학습계좌제도 이러한 생태계 조성을 위한 중심적인 역할을 할 수 있을 것이다. 즉, 고졸 취업자에 대한 후진학 통로로서 학점은행제와 독학학위제는 학위과정의 역할을 대체할 수 있을 것이다. 현재 대학에서도 다양한 형태의 특별전형, 정원 외 입학, 교육과정 개편 등을 통해 후진학 체제를 구축하고 있으나 고졸 취업자에 대한 다양한 수요를 받아들이기는 어려운 실정이다. 따라서 유연한 체제를 지향하는 평생교육의 학위제도로 학점은행제와 독학학위제가 후진학의 기틀을 마련하여 '교육-노동-복지'의 순환에 기여할 필요가 있다. 또한 일과 학습의 경계가 모호해짐에 따라 교육정책과 노동정책의 연계가 중요하다. 그러기 위해서는 현재 교육부, 고용노동부, 지자체로 분화된 시스템을 통합할 필요가 있다.

평생교육을 위해서 정부는 방향 제시가 아니라 지원을 해야 한다. 공급자 지원보다는 수요자를 지원함으로써 시장 수요에 가까운 교육서비스 제공을 유도하여야 한다. 아울러 수요자 중심의 평생교육이 이루어지도록 해야 한다. 일자리를 둘러싼 환경과 작업의 변동성이 커짐에 따라 평생교육의 수요가 커지고 있는 상황에서 정부 부처 중심의 공급자 위주로 운영되었던 기존의 방식에서 탈피하여 수요자 기반의 평생교육을 활성화시켜야 한다는 의미이다. 다양한 수요에 만족하는 교육을 공급하기 위해서는 현자의 경험과 노하우를 제대로 전달할 수 있는 직업교육 공급자에 대한 지원 강화가 필요하다.

이를 위해서 제대로 된 직업교육을 설계할 수 있도록 민간 분야의 직업교육 공급자들이 보다 쉽게 수요를 파악하고 통계 등 데이터를 활용할 수 있도록 체계를 갖추어야 한다. 또한 스마트 기술의 진보로 인해 발생하는 근로자들의 교육 수요를 반영해 교육을 진행해야 한다. 예를 들어, 국내외의 개방형 사물정보(information of everything)에 대한 교육, 인공지능 알고리즘을 결합해 고급지식으로 가공하는 교육, 3D 프린터 등과 같은 다양한 활용 방안 교육 등을 실시할 수 있다. 3D 프린터 등 제조 관련 기술에 대한 활용 능력을 갖춘다면 창업 · 창직 증가 등의 흐름과 양질의 일자리 창출과도 연결될 수 있을 것이다.[9]

한편, 현재 평생교육은 주로 대기업에서 활성화되고 있는데, 중소기업 근로자의 참여를 확대하기 위해서는 근로시간 유연화, 휴직사유 인정 등이 필요하며, 이를 위해서는 노동정책과의 조응이 중요하다. 근로자들이 재훈련을 받을 수 있도록 국가와 기업이 동기를 부여하고 시간을 보장해 주는 것과 관련하여 덴마크는 2주 동안 성인들의 기술훈련을 위해 예산을 편성하고, 취업 중 훈련(in-work training)을 장려하고 있다. 독일 또한 근로자가 일을 하며

9 미래창조과학부 전게서 pp.177, 178

부담 없이 교육을 받을 수 있는 정책을 추진하고 있다. 디지털 기술을 활용해 근로자가 언제 어디서나 교육을 받을 수 있게 되었으며, 이를 통해 교육 기회를 보다 더 향상시킬 수 있게 되었다. 또한 다양한 교육기관과의 협력을 통해 수요에 걸맞은 지식의 구축뿐만 아니라 개인의 교육 스타일에 맞게 시간적 · 공간적으로 관리할 수 있는 유연한 교육이 가능해질 수 있다. 디지털 미디어 확산과 관련된 교육이 중소기업에서도 구조적으로 발전될 수 있도록 국가의 지원이 필요한 때이다.[10]

또한 대학은 변화하고 있는 세상에서 필요한 기술과 능력을 제공함에 있어서 전달 방식이나 주제, 형식 등 다양한 분야에서 온라인과 오프라인 공간을 활용해 다양한 학습 방법을 통해 인재를 길러 내야 한다. 아울러 대학은 온라인으로 입학생을 모집할 수 있도록 허용하는 방안도 가능하다. 단, 대학의 온라인 수업이 현재와 같이 같은 수업자료로 몇 년째 진행하는 방식이 아닌, 매해 자료를 현실에 맞게 현행화를 하면서 학사와 석사 등을 키우는 방식이어야 한다.

---

10 미래창보과학부 전게서 p.177

2장

평생교육의 역할, 그 발전적 과제

- "정부의 경제비전인 사람 중심의 경제로 나아가려면
  혁신의 주인공인 사람에 대한 투자가 가장 중요"

- 4차 산업혁명시대에 불확실한 미래를 선명하게 하기 위하여
  '미래를 만들어 가는 사람을 얼마나 잘 키워 내느냐가 중요'

• 새로운 것을 생각해 내는 창의적인 사람

• 과감하게 도전하고 실패를 자산으로 생각하는 사람

• 새로운 시대가 요구하는 지식과 기술을 갖춘 사람

• 협업과 공유의 가치를 존중할 줄 아는 사람

문재인 대통령은 2017년 11월 28일(화) 청와대에서 새 정부 출범 후 최초로 국무총리를 비롯한 당 · 정 · 청 · 위원회 인사 등 80여 명이 한자리에 모인 가운데 「2017 대한민국 혁신성장 전략회의」를 주재하였다. 문 대통령은 이 자리에서 "혁신성장을 체감할 선도사업을 속도감 있게 추진해 가시적인 효과를 내야 한다."고 주문했다.

새 정부는 '사람 중심의 경제' 패러다임을 구현하는 핵심경제성장정책으로 일자리, 소득주도, 공정경제와 함께 혁신성장의 네 바퀴 성장론을 기본으로 삼고 있는데, 이 가운데 혁신성장은 지금까지 청사진 없이 구호에 머물고 있다는 평가가 많았다는 의미에서 대통령이 직접 나서 혁신성장의 속도를 강하게 주문함으로써 이날 회의를 계기로 혁신성장이 정부 출범 6개월 만에 경제정책의 핵심축으로 부상하게 될 것으로 전망된다.

이날 김동연 부총리 겸 기획재정부장관은 '혁신성장의 방향과 주요 과제'라는 주제 발표를 통해 '과학기술 혁신', '산업 혁신', '사람 혁신', '사회제도 혁신' 등 4개 분야를 대상으로 전방위적인 혁신성장에 나서겠다고 말했다.

【표 13】 4개 분야 혁신성장의 방향과 주요 과제

과학기술 혁신	산업 혁신
▪ AI · 빅데이터 · 바이오 등 기술 고도화 ▪ 연구자 중심 R&D 확대 ▪ R&D 자원배분 혁신, 평가체계 개선 ▪ 연구관리 전문화 · 분업화, 지식재산 창출 ▪ 신제품 · 서비스 관련 신속표준제도 도입	▪ 모험펀드 10조 원 조성 및 M&A 촉진 ▪ 서비스 산업 · 신산업 육성 테스트베드 구축 ▪ 지능형 로봇 · 스마트 공장 확대, 스마트 팜 보급 ▪ 중소기업 전용 R&D 확대, 판로 지원 ▪ 지역 클러스터 전문화, 판교밸리 활성화
사람 혁신	**사회제도 혁신**
▪ 新수업모델 도입, SW · 창의융합 교육 강화 ▪ 특성화고 · 폴리텍 등 학과 개편 ▪ AI · 빅데이터 분야 K-무크 확대 ▪ 미래 유망 분야 산학연계 학과 확대 ▪ 여성 창업 경력 개발, 청년과학기술인 지원	▪ 新산업분야 규제 샌드박스 도입 ▪ 양질의 일자리 창출을 위한 구조개선 ▪ 불공거래 감시 · 처벌 강화 ▪ 사회적 경제3법 제정, 사회적 경제기업 육성 ▪ 연대보증 폐지, 재창업 · 재기사업자 지원

김 부총리는 우리 교육이 "컨베이어벨트 상품이 돌아가듯, 붕어빵을 찍어 내듯 교육한 게 아닌가 반성한다."고 말하면서 이를 타개하기 위한 대안으로 "사람 혁신"이 필요함을 강조하면서, '창의융합형 인재 육성, 특성화고 · 폴리텍 등 학과 개편, 미래 유망 분야 산학연계학과 확대 등 직업능력개발 혁신 등의 정책 방향을 소개했다.

한편, 이날 김상곤 부총리 겸 교육부장관은 '인재 성장 지원 방안'에 대한 발표를 통해 "정부의 경제 비전인 사람 중심 경제로 나아가려면 혁신의 주인공인 사람에 대한 투자가 가장 중요하다."며 "새로운 시대가 요구하는 지식과 기술을 갖춘 사람, 협업과 공유의 가치를 존중할 줄 아는 사람으로 성장할 수 있는 환경을 만들겠다."고 말했다. 김 부총리는 인재 성장을 뒷받침할 지원 방안으로 관계부처(과기정통부, 고용부, 여가부) 합동으로 ① 창의 · 융합교육 강화, ② 직업능력 개발 체계 혁신, ③ 국민 혁신 역량 교육인프라 구축, ④ 여성과 청년과학인재 지원 강화 등 네 가지를 제시했다.[1]

정부가 4차 산업혁명시대에 불확실한 미래를 선명하게 하기 위하여 '미래를 만들어 가는 사람을 얼마나 잘 키워 내느냐가 중요하다'는 점을 인식하고 '새로운 것을 생각해 내는 창의적인 사람', '과감하게 도전하고 실패를 자산으로 생각하는 사람', '새로운 시대가 요구하는 지식과 기술을 갖춘 사람', '협업과 공유의 가치를 존중할 줄 아는 사람'으로 성장할 수 있는 환경을 만들겠다는 의지를 분명히 했다는 점을 높이 평가한다. 앞으로 구체적이고 세밀한 실천 방안들이 만들어져 가시적인 성과를 낼 수 있길 기대하면서 이하에서는 평생교육에 초점을 맞춰 평생교육이 지향해야 할 역할과 발전적 과제에 관해 살펴보고자 한다.

최근 조헌국 교수는 "4차 산업혁명에 따른 대학교육의 변화와 교양교육의 과제"라는 논문에서 4차 산업혁명은 미래사회의 변화에 그치지 않고 대학에도 큰 파급 효과를 미치게 될 것이라고 전망하고, 미래의 대학교육에서 교양고육의 역할을 다음의 4가지로 제

---

1 한국경제신문 2017년 11월29일 A4면 "靑 혁신성장 전략회의" 기사 및 기획재정부 보도자료(2017년11월28일), "김동연 부총리, 「2017 대한민국 혁신성장 전략회의」에서 주제 발표" 중에서

시하고 있다.

> 첫째, 창업의 시대를 위한 핵심 역량과 콘텐츠, 그리고 융·복합 교육과정
> 둘째, 공유의 시대의 플랫폼 경쟁과 협업
> 셋째, 탈도시화, 분산의 시대에서의 시민교육
> 넷째, 포스트휴먼시대의 인성교육

조헌국 교수가 제시한 4차 혁명시대 교양교육이 지향해야 할 4가지 역할은 비단 교양교육에만 국한되는 사항이 아니고, 여기서 다루고 있는 평생교육 부문에도 똑같이 적용될 수 있다고 본다. 따라서, 이하에서는 이 4가지 틀을 평생교육의 발전적 과제로 제시하면서 이를 평생교육의 관점에서 논의코자 한다.

✿ 창업의 시대를 위한 핵심 역량과 콘텐츠, 그리고 융 · 복합교육 과정

- 변화하는 사회와 직업 생태계의 변화에 대응하고 학과와 전공 중심의 사고를 넘어서기 위해서는 다양한 분야를 이해하고 학습할 수 있는 핵심 역량 및 문해 능력 함양 교육이 핵심이 되어야 함

- 미래 문해력(future literacy) 향상
- 기업가 정신 함양, 고등기업가 역량 제고 교육 강화
- 학과와 전공을 뛰어넘는 융 · 복합교육의 실현

변화하는 사회와 직업 생태계의 변화에 대응하고 학과와 전공 중심의 사고를 넘어서기 위해서는 다양한 분야를 이해하고 학습할 수 있는 핵심 역량 및 문해능력 함양 교육이 핵심이 되어야 한다. 21세기 들어서면서부터 이미 UNESCO 및 여러 국가에서 핵심 역량을 각각 정의하고 이를 달성할 수 있는 방안을 논의하고 있다. UNESCO의 DeSeCo(The Definition and Selection of Key Competencies) 프로젝트에서는 핵심 역량을 다음의 표로 정리된 바와 같이 3개의 차원으로 나누고 있다.

【표 14】 DeSeCo 프로젝트의 3개 차원의 핵심 역량

1. 도구를 상호작용적으로 활용하는 능력(use tools interactively)
① 언어, 상징, 텍스트 등 다양한 소통도구 활용 능력(the ability to use language, symbols and texts interactively) ② 지식과 정보를 상호작용적으로 활용하는 능력(the ability to use knowledge and information interactively) ③ 새로운 테크놀로지 활용 능력(the ability to use technology interactively)
2. 이질적인 집단 속에서의 사회적 상호작용 능력(interact in heterogeneous group)
① 인간관계 능력(the ability to relate well to others) ② 협업 · 협동 능력(the ability to cooperate) ③ 갈등 관리 및 해결 능력(the ability to manage and resolve conflicts)
3. 자신의 삶을 자주적으로 관리할 수 있는 능력(act autonomously)
① 사회 · 경제적 규범 등 주변 큰 환경을 고려하면서 행동하고 판단하는 능력(the ability to act within the big pictures) ② 자신의 인생계획, 프로젝트를 구상하고 실행하는 능력(the ability to form and conduct life plans and personal project) ③ 자신의 권리, 필요 등을 옹호 · 주장하는 능력(the ability to assert rights, interests, limits and needs)

* 출처: http://www.oecd.org/pisa/35070367. pdf를 정리

첫 번째 효율적 도구 활용은 지식과 정보, 기술 활용 및 문해 능력을 포함하며, 두 번째인 다양한 집단에서의 역할 수행은 대인관계, 협업, 갈등 조정 및 집단 내에서의 기능을 의미하고, 세 번째 자율적 행동은 종합적 계획 수립 및 자기 주도적 행동 등을 의미한다.

빠르게 변화하는 사회 속에서 끊임없는 변화를 읽고 파악하는 능력이 무엇보다 중요한데, 이를 '미래 문해력(future literacy)'이라 부를 수 있다. 미래 문해력은 트렌드 해석 능력, 유연한 대응 능

력, 계획 수립 능력, 최적화 능력, 미래 탐색 능력으로 구성된다. 즉, 현재에 일어나는 여러 현상에 대한 분석 및 대응뿐만 아니라, 새로운 문제 상황에서의 연습이 반드시 필요함을 알 수 있다. 학문 탐구를 위한 보편적 능력과 의사소통 능력을 함양하기 위한 기초교육, 올바른 가치관 함양과 창의융합적 사고를 강조하는 교양교육, 인성과 정서 능력 함양의 교양교육으로 구분하고 있는데 이 3가지가 모두 미래사회를 위한 인재 양성에 필요한 조건들이다.[2] 이러한 능력은 이미 학교교육을 마치고 사회에서 활동하고 있거나 은퇴한 사람들에게 필요하다. 이들에게는 새로운 기술과 변화하는 사회에 대한 적응 능력을 가르쳐야 한다.

또한 미래의 평생교육의 요구에 부응하기 위해서는 '기업가 정신'을 기르기 위한 교육이 필요하다. 미래사회에 있을 창업 시대로의 전환에 대비하는 것으로서 이미 오랜 세월 현장에서 경험을 쌓은 경력자들이 사업을 통해 성공할 수 있도록 필수적인 지식과 역량, 소위 고등기업가 역량(advanced entrepreneurship skills)을 쌓을 수 있는 교육이 필요하다. 산업현장에서 얻은 본인의 오랜 경험을 바탕으로 사업 기회를 인식하고, 필요한 자원 분배를 통해 사업화를 추진한다면 본인의 일자리는 물론 추가적인 일자리 창출도 가능해질 수 있다.

이러한 고등기업가 역량을 제고하기 위해서는 단순히 기업을

2 조헌국, "4차 산업혁명에 따른 대학교육의 변화와 교양교육의 과제", 『교양교육연구』 제11권제2호(2017. 4), 한국교양교육학회, p. 69

관리하는 능력보다는 더 높은 수준의 역량이 배양되어야 할 것이다. 세부적으로 인사관리, 국제화, 재정관리, R&D 지원 서비스, 혁신, 지식재산권 등 다양한 분야에서 더 발전된 역량을 쌓을 수 있도록 교육프로그램을 제공할 필요가 있다.[3] 이밖에도 지능형 신산업으로의 원활한 전환을 지원하기 위해 IoT · 로봇 등 신기술 훈련 과정이나, 스마트 제조 분야 직부 전환 교육과정도 개설되어야 한다.[4]

2017년 11월 21일부터 서울에서 개최된 '제6차 아셈(ASWEM) 교육장관회의'[5]에서각국 교육 당국의 수장들은 기업가정신을 키우는 게 4차 산업혁명시대에 교육혁신의 핵심 목표라고 한목소리로 강조했다.

아일랜드가 대표적인 사례다. 리처드 브루턴 장관은 "새로운 기업의 3분의 2는 창업 5년 이내 기업에서 나온다. 새로운 기업이 계속 나올 수 있도록 교육현장과 기업을 연결하는 것이 아일랜드 정부의 가장 중요한 과제 중의 하나"라고 말했다. 그러면서 "아일랜드는 10년 이내 유럽 최고가 되기 위해 글로벌 액션플랜을 마련했다."며, "새로운 기업이 계속 태어날 수 있도록 생태계를 구축하고자 하는

3 미래창조과학부 전게서 p.176

4 대통령직속 4차 산업혁명위원회 제2차 회의(2017년 11월 30일)에서는 고용변화에 대응하기 위한 방안으로 지능형 新산업으로 원활한 전환을 지원하기 위해 2017년부터 IoT · 로봇 등 신기술 훈련 과정을 개설하고, 2022년까지 총 5만 명에 대한 스마트 제조분야 직무전환교육을 실시하겠다고 밝혔다.(2017년 11월 30일 대통령직속 4차 산업혁명위원회 보도자료 "「혁신성장을 위한 사람중심의 4차 산업혁명 대응계획」 발표" 중에서)

5 '다음 10년을 위한 협력 · 공동의 관점에서 효과적인 실천'까지를 주제로 제6차 아셈(ASEM) 교육장관회의가 2017년 11월 21일부터 이틀간의 일정으로 서울 신라호텔에서 개최됐다. 스위스, 아일랜드, 라오스, 슬로바키아, 중국, 몽골, 일본, 러시아 등 19개국 장 · 차관(장관 10명)을 비롯해 42개국 회원국 대표단, 유네스코(UNESCO) 등 11개 관계기구에서 220여 명이 참석했다.

것이고, 핵심은 교육과 기업을 연결시키는 것"이라고 말했다. 이를 위해 아일랜드 정부 각 부처에 인큐베이션 관련 부서를 설치했다고 한다. 고용주와 노동계를 연결하는 가교 역할을 할 수 있도록 국가직업능력위원회를 신설한 것도 같은 맥락이라고 한다. 브루턴 장관은 "기업들이 요구하는 인재는 예측 불가능한 상황에서 문제가 생겼을 때 이를 해결할 능력을 가진 인재"라며 "대학 등 고등교육기관만 해도 인턴십 같은 견습제도를 효과적으로 운영해 진학과 취업의 균형을 찾을 수 있도록 노력하고 있다."고 설명했다.
스위스 마우로 델암브로지오 연방교육연구혁신청 장관도 "교육을 국가에만 맡겨 두는 시대는 지났다. 이제 기업들이 다음 세대를 위한 교육을 할 수 있도록 만들어 줘야 한다. 그러려면 교육 내용을 기업과 경제의 현실을 알 수 있도록 구성해야 한다."고 강조했다. 그러면서 "스위스 역시 일자리 부족과 혁신 등 두 가지 문제에 동시에 직면해 있다."며 "이를 통합하기 위한 분야가 바로 교육"이라고 강조했다. 그는 "대학에서 학위를 받아도 취업 못하는 일이 허다하다."며 "한 주에 3~4일은 학교에서 교육받더라도 적어도 하루는 기업에서 교육받는 식으로 교육 콘텐츠가 바뀌어야 취업률을 높일 수 있다."고 말했다.
아시아 국가들도 기업이 교육에 참여할 수 있는 방안에 대한 다양한 사례를 소개했다. 쏘폰 나파쏘론 태국 교육부 차관은 "태국은 교육훈련에 참여하는 기업에 세제혜택을 부여하고 있다."고 말했다. 태국 정부가 지속적으로 확대하고 있는 교육혁신의 핵심은 '듀얼 시스템'이라고 한다. 즉, 학교교육과 직업교육, 국내교육과 해외교육을 함께 받는 식이다. 이를 위해 직업교육위원회를 신설했는데, 420여 개 대학과 21,000개가량의 기업이 이 시스템에 참여

하고 있다고 한다.[6]

새로운 산업혁명을 이끌고 있는 파괴적 신기술들인 사물인터넷, 빅데이터, 인공지능의 특성은 경제 부문 간 연결성과 산업활동의 지능성을 고도로 높이는 데 있다. 앞으로 갈수록 글로벌 전자상거래, 핀테크(금융기술), 원격진료, 자율주행자동차 등과 같이 실물과 가상공간의 결합, 금융·의료 등 서비스업과 정보통신의 연계, 제조업과 인공지능의 합체 등으로 경제활동의 경계와 산업별 고유 영역이 붕괴될 것이다. 소비자와 생산자가 실시간으로 연결되고 산업과 산업의 결합으로 탄생하는 것이 4차 산업혁명시대 융합경제다. 이미 생산과 유통, 제조와 서비스업 간 융합체제를 구축한 아마존, 구글, GE 등이 세계 최고의 기업 가치를 창출하고 있다.[7]

결국 4차 산업혁명의 본질은 융합에 있다. 융합의 개념은 서로 다른 아이디어, 개념, 문화 등이 교차하며 만날 때 창조와 혁신이 싹튼다는 '메디치 효과'[8]로부터 시작된다. 서로 다른 분야의 학문

6 한국경제신문 2017년 11월 22일자 A31면 제6차 아셈교육강관회의 취재 기사 중에서

7 유병규 산업연구원 원장. 한국경제신문 2017년 10월 23일자 오피니언 "혁신성장의 핵심 방안은 산업융합이다" 중에서

8 메디치 효과(Medici Effect)는 서로 다른 이질적인 분야를 접목하여 창조적·혁신적 아이디어를 창출해 내는 기업 경영 방식이다. 서로 관련이 없을 것 같은 이종 간의 다양한 분야가 서로 교류·융합하여 독창적인 아이디어나 뛰어난 생산성을 나타내고 새로운 시너지를 창출할 수 있다는 경영이론이다. 최근 이질적인 부서 간에 협업하거나 통합하여 기존의 틀을 깨는 새로운 개념의 제품이나 아이디어를 창출해 내는 메디치효과를 도모하려는 기업들이 늘어나고 있다. 휴대폰 업체와 기존 명품브랜드 간에 협업을 통해 명품브랜드 휴대폰을 출시한다거나 전혀 다른 업종의 제품 제조방식을 화장품제조에 적용하는 등이 한 예가 될 수 있다. 이러한 경향은 생활용품·화장품업체·전자제품 등의 제조업계뿐만 아니라 백화점·홈쇼핑·대형마트와 같은 유통업체 등 보

과 기술이 융합함으로써 기존의 한계를 극복하고 문제를 해결할 수 있는 길이 열릴 뿐만 아니라 새로운 가치를 창출할 수 있다. 과학기술 간의 융합만으로는 불충분하다. 사람과 사회에 대한 깊은 이해 없이는 사람과 사회의 문제를 발굴하고 해결하는 것이 불가능하기 때문이다.[9]

과학기술과 인문학, 사회과학, 법제도, 문화예술, 디자인 등이 융합하는 이른바 거대융합이 필요한 이유다. 융합의 학문적 · 기술적 · 산업적 가치가 교육 · 연구 · 산업 현장에 뿌리내리고 융합 생태계가 활성화됨으로써 4차 산업혁명의 공고한 기반이 마련될 수 있도록 평생교육이 역할을 주도해 나가야 할 것이다.

김상곤 부총리도 이 점을 인식하여 지난 2017년 11월 28일 열린 혁신성장 전략회의'에서 인재 성장을 뒷받침할 방안으로 창의 · 융합교육 강화를 첫 번째 과제로 뽑으면서 '생각하는 힘'을 길러 주는 교육으로 기존 제도를 혁신하겠다는 의지를 밝힌 바 있다. 이를 위해 앞으로 소프트웨어 교육과 과학 · 기술 · 공학 · 예술 · 수학을 융합한 STEAM 교육을 강화해 나가겠다고 한다. 이를 구체화하기 위하여 2017년 11월 30일 열린 대통령 직속의 4차 산업혁명위원회 제2차 회의에서는 '창의 · 융합형 인재양성을 위해 초 · 중등 STEAM 교육을 확산(연구 · 선도학교, 2017년 57개 → 2018년 100

다 다양한 업체로 확산되고 있는 추세다.(위키백과)

9 김상은, 서울대 융합과학기술대학원장, 한국경제신문 2017년 10월 18일자 기고문 "융합 생태계 구축이 4차 산업혁명의 출발점" 중에서

개)하고, 2018년부터 학교 디지털 인프라 확충, SW교육 활성화, 디지털교과서 보급 확대, 빅데이터 기반 맞춤형 학습시스템 구축 등 디지털 교육혁신도 추진'한다고 밝혔다.[10]

여기서 잠시 우리나라 대학에서 융 · 복합교육을 실현하는 데 있어서 현실적인 걸림돌은 무엇인지를 짚어 보고 넘어갈 필요가 있다.

> 이화여대 최재천 교수는 많은 대학교수들이 융 · 복합교육에 대해 긍정적이면서도 시도하지 않는 이유를 학과와 담당하는 교과목을 중심으로 사고하는 교수들의 폐쇄적 태도에서 찾았다. "대학 안팎의 요구 때문에 교육을 등한시하기로 작심한 교수들이 역설적이게도 자기가 맡은 과목에서 정체성을 찾고 있다."고 지적했다.
>
> 또한 서울대 이태수 교수도 "교수들과 학생들 모두 학과라는 적당한 소단위에 정서적 안정감을 느끼고 있는 것 같다."고 분석했다.[11]

우리나라 대학교육이 안고 있는 문제점에 관한 이 같은 자성과 앞으로 이를 극복하기 위한 자체 노력에 거는 기대와는 별개로,

---

10 2017년 11월 30일 열린 대통령 직속의 4차 산업혁명위원회 제2차 회의에서는 ① 지능화 혁신 프로젝트 추진, ② 성장동력 기술력 확보, ③ 산업인프라 · 생태계 구축, ④ 미래사회 변화 대응 등 4대 분야 전략 과제를 담은 '혁신성장을 위한 사람 중심의 4차 산업혁명 대응계획'을 확정 · 발표하였다. 이 가운데 창의 · 융합형 인재 양성을 위해 초 · 중등 STEAM 교육을 확산(연구 · 선도학교, 2017년 57개 → 2018년 100개)하고, 학교 디지털 인프라 확충, SW교육 활성화, 디지털교과서 보급 확대, 빅데이터 기반 맞춤형 학습시스템 구축 등 디지털 교육혁신도 추진한다고 밝혔다(2017년 11월 30일 대통령직속 4차 산업혁명위원회 보도자료 "「혁신성장을 위한 사람중심의 4차 산업혁명 대응계획」 발표." 중에서)

11 성균관대학교 학부대학 설립3주년 심포지엄 "전환기의 새로운 교육수요와 대학의 융 · 복합교육", (2008. 5월9일), 교수신문 2008. 5. 13. 박수선 기자 기사

평생교육은 제도의 정비를 통해 비교적 용이하게 다양한 분야의 지식과 인력을 융 · 복합할 수 있다는 점에서 평생교육이 융 · 복합 교육을 선도해 나가야 하는 이유를 찾을 수 있다.

또한, 4차 산업혁명으로 인한 과학기술의 발전과 학문의 융합은 지식의 넓이뿐만 아니라 깊이의 확대를 동시에 요구하고 있다. 과거 대학의 가치가 특정 학문 분야에 대한 지적 탐구였다면 평생교육은 다양한 학문 분야에 대한 융합적 접근을 통해 새로운 지적 가치를 생성해 내는 것에 있다.[12]

---

12 조헌국, 앞의 논문 p.70

공유의 시대의 플랫폼 경쟁과 협업

- **MOOC 학습시대의 본격화로 이러닝 콘텐츠를 통한 온라인 평생학습의 새로운 지형 탄생 기반 조성, 안방대학의 시대 도래**

  → **평생교육이 지향해야 할 역할과 틀 구성에 있어서 개방형 플랫폼의 보편화를 전제로 보다 혁신적인 접근 필요**

- 국내 교육기관 간의 경쟁이 아닌 전 세계 모든 교육 플랫폼과의 경쟁을 전제로 준비
- 우리나라 현실과 맥락에 맞는 매력적인 교육 콘텐츠 플랫폼의 개발
- 대학이나 평생교육기관의 참여를 활성화하기 위해 순익을 창출할 방안 마련
- 교양교육과정에 해당하는 교과목을 우선적으로 선별해 콘텐츠를 개발
- 개방적 교육과정에 적합한 핵심 콘텐츠의 개발
- 정부와 민간사업자의 투자와 협력을 유도

혁신과 창의는 늘 인류의 화두였다. 선사시대 돌칼의 등장도 혁신의 결과물이다. 과거 창의는 소수의 천재에 의존했으나 4차 산업혁명이라 불리는 급격한 기술 발전은 혁신의 경로를 바꿔 놓고 있다. 소유가 아니라 공유, 요소경쟁이 아니라 연결경쟁, 독자생

존이 아니라 라이벌과도 손을 잡는 협업의 시대로 패러다임이 바뀌고 있다는 게 전문가들의 분석이다.

'글로벌 인재포럼 2017' 기간 중 국내외 석학 · 기업인 좌담회에서 이민화 벤처기업협회 명예회장은 "1인 인재가 미래를 좌우하는 시대는 지났다."며 "협력하는 괴짜들이 세상을 바꿀 것"이라고 말했다. 창의성으로 똘똘 뭉친 인재들이 서로 연결될 수 있는 시스템을 갖추는 게 중요하다는 의미다. 미국 시사주간지 타임이 2006년 창간호에서 "혁신과 창의는 더 이상 소수의 전유물이 아니다."고 선언했고, 일본이 '초(超)연결사회'를 지향하는 것도 이런 이유에서다.

〈거세지는 4차 산업혁명 – '오월동주' 불사, '어제의 적은 오늘의 동지', '라이벌과도 손잡는다'〉
4차 산업혁명시대를 맞아 글로벌 정보기술(IT)기업들이 새로운 동맹관계를 만들어 가고 있다. 인텔과 AMD처럼 30년 넘은 '앙숙'이 손을 잡는 일까지 벌어졌다. 인공지능(AI)과 사물인터넷(IoT), 클라우드가 지배하는 새로운 시대에 적응하기 위한 움직임이다. 한국에서도 네이버와 카카오의 AI플랫폼을 중심으로 동맹관계가 만들어 지고 있다. 이같은 '이합집산'이 계속되는 이유는 AI시대의 주도권을 잡기 위한 것이다.[13]

13 한국경제신문 2017년 12월 26일자 B1면, "Smart & Mobile" 기사 중에서

【표 15】 주도권 잡기 위해 이합집산하는 글로벌 IT기업

기업 간 협업동맹	주요 내용
마이크로소프트 – 퀄컴	퀄컴 칩셋 탑재된 PC 출시 예정
인텔 – AMD	엔비디아 대응 위해 AMD 그래픽장치(GPU) 내장한 인텔 칩셋 출시 예정
아마존 – 마이크로소프트	AI 플랫폼 강화 위해 아마존 '알렉사'와 마이크로소프트 '코타나' 연동키로
구글 – 시스코	아마존웹서비스(AWS) 대응 위해 클라우드 역량 강화
구글 – 월마트	아마존 대응 위해 온라인 유통부문 협력

소유의 시대에서 공유의 시대로 변하면서 나타나는 교육 콘텐츠 플랫폼의 변화는 교육시스템에도 큰 영향을 미치게 된다. 다양한 스마트 디바이스를 통한 소셜 러닝과 스마트 러닝, 모바일 러닝을 통해 누구나 시간과 공간을 초월해서 쉽게 연결되고, 원하는 학습을 자유롭게 할 수 있는 MOOC의 등장이 그것이다. MOOC란 M(Massive: 대규모), O(Open: 공개), O(Online: 온라인), C(Course: 코스)로 시간과 공간을 초월하여 언제 어디서나 최고의 공부를 손쉽게 만날 수 있는 학습 플랫폼을 의미한다.

MOOC는 미국 하버드대학과 MIT, 스탠포드대학교 같은 명문 대학교를 중심으로 무료로 강좌를 개설하고 누구라도 최고 대학들의 최고 강좌를 들을 수 있도록 개방하는 대형 공개강좌 형태로 운영되고 있다. 글로벌 시대 세계 최고 대학들의 온라인 공개강좌를 통한 고급 지식의 문호개방이라는 의미를 지닌다. 내 집, 내 방, 내 손안에서 원하는 내용의 세계적 명품 콘텐츠들을 자유롭게 튜터의 도움을 받아 공부할 수 있는 유비쿼터스 학습 시스템이라는 점에서 글로벌 미래교육을 선도하는 모델로 크게 확산될 전망이

다. 'MOOC 쓰나미'라는 말까지 나올 정도로 MOOC를 통한 온라인 학습이 급속히 확대 · 전개되면서 오프라인 기반의 전통적 대학들이 다수 문을 닫거나, 교수들과 강의실이 사라지는 현상이 머지않아 확산될 것이라는 충격적 전망이 제기되고 있다.

평생학습계에서도 MOOC를 통한 학습서비스가 확산되면서 이러닝 콘텐츠를 통한 온라인 평생학습의 새로운 지형도가 탄생할 것으로 전망하고 있다. MOOC를 통해 자유로운 시공을 초월한 학습들이 이루어지고 이를 학점이나 자격으로까지 연결하여 인정하는 평생학습 인정 시스템이 구축될 것으로 전망된다. '내 손안의 대학', 누구에게나 365일 24시간 열려 있는 '안방대학 시대'가 도래할 것으로 전망된다. 로봇 교수와 로봇 튜터들이 언제든지 학습을 도와주고, 맞춤식으로 학습 추천 및 지도와 상담까지 친절하게 해 주는 MOOC 학습시대의 도래가 본격화될 전망이다.[14]

2011년 이후 시작된 MOOC 플랫폼은 그 잠재성과 성장을 고려하여 많은 업체들이 참여하고 있으나, 많은 사용자와 콘텐츠를 보유한 Coursera가 점점 점유율을 독식하는 양상을 보이고 있다. 현재에는 북미 대학을 중심으로 MOOC에 참여하고 있지만 향후 인공지능에 의한 번역 기능이 개선될 경우, 중국어 · 프랑스어 · 일본어 등 다른 모국어를 사용하는 학생들도 참여하게 될 것이다.

14 국제미래학회 · 한국교육학술정보원 지음, 전게서 pp.295, 296 (최운실, "미래 평생교육은 어떤 모습일까" 중에서)

즉, 현재는 우리나라 대학 간의 경쟁이었다면 미래의 교육은 전 세계 모든 교육 플랫폼과의 경쟁이 될 것이다. 이는 다른 측면에서 보자면, 전 세계 우수 교육 플랫폼과의 콘텐츠의 공유 또는 공동개발 등 협업의 가능성과 그 필요성을 시사한다고 볼 수 있다.

따라서 국내의 교육이 살아남기 위해서는 우리나라의 현실과 맥락에 맞는 매력적인 교육 콘텐츠 플랫폼의 개발이 필수적이다. 이미 MOOC에 대항하기 위해 서울대, 포항공대, KAIST 등 국내 유수 대학들이 참여해 한국형 온라인공개강좌(K-MOOC)를 출범하였으나, 탑재 강좌 수가 250여 개로 아직 걸음마 단계에 있다. 2017년 교육부가 300여 개로 확대할 것을 목표로 하지만, 이미 4,000여 강좌 이상을 가지고 있는 MOOC에 비교하기에는 무리가 있다. 반면, KOCW(Korea Open CourseWare)의 경우, 2014년 강의 다운로드 건수가 270만 건을 넘어섰으며, 참여대학 역시 180여 개에 이르고 있다. 그러나 K-MOOC나 KOCW 모두 무료로 수익모델을 가지고 있지 않기 때문에 대학의 참여 의사가 낮은 편이다. 콘텐츠의 공급자인 대학이나 평생교육기관의 참여를 활성화하기 위해서는 수익을 창출할 방안이 마련되어야 한다.

MOOC는 다수의 사용자를 대상으로 하기 때문에 소수의 수요가 존재하는 전공 교육과정에 비해 교양교육과정에 더 잘 부합하는 교육 시스템일 수 있다. 따라서 기초 또는 중핵 교육과정에 해당하는 교과목을 우선적으로 선별해 콘텐츠를 개발하는 것이 적절해 보인다. 미래의 개방적 경쟁체제의 도입은 폐쇄적인 교육과정이 아닌 개방적 교육과정으로 갈 가능성이 크다. 이러한 상황에서 다양한 학습자의 필요를 채우고 흥미를 유발할 수 있는 핵심 콘텐츠의 개발이 요구된다.

그러나 개방형 플랫폼 구축과 유지를 위해서는 많은 비용을 필요로 하기 때문에 개별 교육기관이 해결하기엔 한계가 있고 여러 교육기관, 그리고 정부와 관련된 민간사업자의 투자와 협력을 통해 대응하는 것이 바람직하다.[15]

【그림 18】 개방형 교육 플랫폼인 MOOC

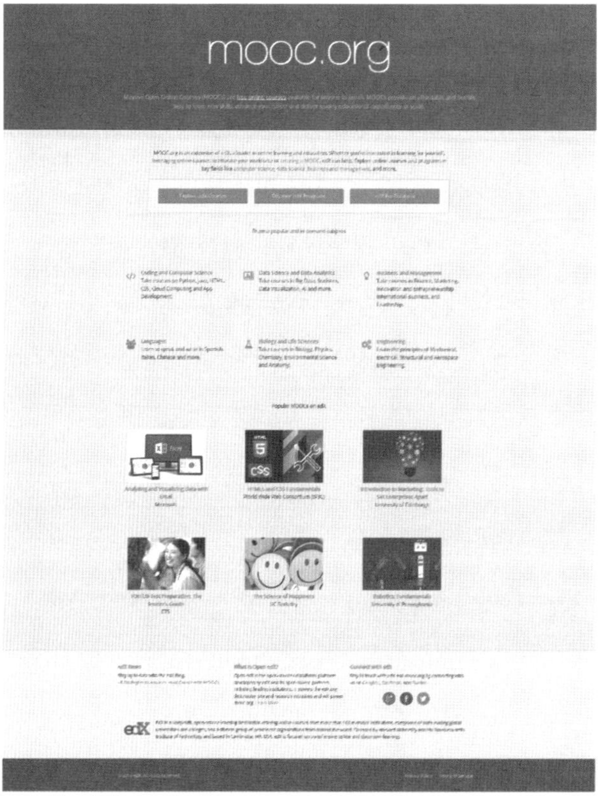

15 조헌국, 앞의 논문 pp.71, 72

개방형 플랫폼의 도입으로 인하여 대학의 위기가 올 것이라는 우려가 있지만, 개방형 플랫폼이 단지 대학 간의 경쟁만 부추기는 것은 아니다. 기본적으로 MOOC의 플랫폼은 대학 교육만을 염두에 둔 것이 아니라, 일반인이나 중 · 고등학생, 타 분야의 전문가 등 다양한 대중을 대상으로 하고 있다. 특히, 미래에는 단지 대학을 통해 전문지식을 습득하고 취업하며, 20~30년간 근무 이후 은퇴하는 생애 주기는 아닐 가능성이 매우 크다.

지식의 활용 주기는 점차 짧아지고, 다양한 분야의 결합과 경계 허물기가 지속되면서 끊임없는 학습의 시대로 접어들고 있다. 따라서 이러한 변화로 인해 특정 지역의 일부 20~25세의 학습자가 아닌, 전 세계에 존재하는 다양한 인종과 계층을 대상으로 할 수 있다.[16] 그러므로 앞으로 평생교육이 지향해야 할 역할과 내용에 관한 틀을 구성함에 있어서 이 같은 개방형 플랫폼의 보편화를 전제로 보다 더 혁신적인 접근이 이루어져야만 할 것이다.

16 조헌국, 앞의 논문 p.73

✲ 탈도시화, 분산의 시대에서의 시민교육

- **탈도시화, 분산의 시대에 지역적 한계를 극복하기 위한 유용한 교육수단으로서의 MOOC**

→ 다양한 학습자의 요구나 수준에 맞는 진행이 가능하도록 개별화 및 맞춤형 학습 기반 조성

- 학습자의 성과를 진단 · 평가하는 연구나 자료의 축적 필요
- 빅데이터 수집을 통해 학생 자료와 이력을 체계적으로 관리
- 증강현실 및 가상현실을 포함한 사이버 물리 시스템(CPS)의 개발
- 글로벌 시민교육(Global Citizenship Education)의 강화

과학기술의 발전은 도시 중심의 집중화된 산업 활동에서 탈도시화의 분산된 삶의 형태를 가져올 것이다. 가상현실 구현 기술(Cyber Physical System)이 성숙해지고 장거리 이동수단이 획기적으로 개선되면 삶의 질을 위해 도심에 살 이유가 더 이상 없게 된다.[17]

이와 같은 탈도시화, 분산의 시대에 있어서 앞에서 언급한 MOOC를 도입하게 됨에 따른 가장 큰 유용성 가운데 하나는 지역적 한계를 극복하기 위한 교육 수단으로서 유용하다는 점이다. 즉, 멀리 떨어져 있는 학습자에게 손쉽게 교육 기회를 제공할 수

17 조헌국, 앞의 논문 p.61

있다는 점이다. 그러나 MOOC가 가지고 있는 한계는 수많은 대중을 대상으로 하기 때문에 다양한 학습자의 요구나 수준에 맞게 단계별로 진행하는 것이 어렵다는 점이다. 향후, 학습자 간 의사소통이 보다 원활해지고 인공지능 튜터 등이 도입되면 이러한 문제는 해결될 수 있을 것이다. 그러나 이러한 교육이 가능하기 위해서는 학습자들의 다양한 수준을 진단할 수 있는 학습 평가 준거 및 도구 개발이 선행되어야 할 것이다. 따라서 교육을 위한 콘텐츠 개발에만 매진하는 것이 아니라, 교육 내에서 학습자의 성과를 진단하고 평가할 수 있는 연구나 자료를 축적할 필요가 있다. 또한 빅데이터 수집을 통해 학생 자료와 이력을 체계적으로 관리하는 것이 향후 교육의 성패를 좌우하게 될 것이다.

인공지능의 도입을 통해 나타날 교육의 큰 변화 중 하나는 개별화 및 맞춤형 학습이다. 직업 교사 중 가장 먼저 인공지능으로 대체될 것으로 예상되는 영역이 문해 교육이다. 글쓰기나 외국어 교육에서의 작문, 회화 지도가 가장 먼저 인공지능으로 대체될 수 있다. 현재는 분반 기준이나 튜터의 부족으로 학생별로 세밀한 지도가 어렵지만, 인공지능이 이를 대신할 수 있게 되면 그 효율성이 극대화될 수 있다. 그리고 얼마나 다양한 종류의 언어 자체를 구사할 수 있는가보다 모국어 구사 능력이 중요해질 수 있다. 따라서 사고와 표현을 통해 의사소통 역량을 강화하는 것이 중요하다.

또한 증강현실, 가상현실을 포함한 사이버 물리 시스템의 개발은 직접 강의실이나 실험실에서만 가능했던 교육 방법들이 가능하도록 할 것이다. 현재는 이를 블렌디드 러닝(Blended Learning)이나 플립 러닝(Flipped Learning)의 형태로 진행하고 있지만 미래사회에 등장할 기술을 통해 시공간의 한계를 넘어서게 될 것이다. 개별화 및 맞춤형 학습의 관점에서 살펴보면 다양한 학습자 간 토론이나 협업이 용이해지며, 인간과 기계가 서로 얽힌 복잡한 집단 학습이 될 것이다.

인공지능의 도움을 받은 교육의 운영은 개방적 플랫폼을 통해 전 세계의 수많은 학습자에게 영향을 미칠 수 있다. 이를 위해 미리 국내 여러 지역 및 해외의 잠재적 수요자를 발굴하고 교육하는 것이 중요하다. 또한 국내 교육기관 외에도 해외 교육기관과의 활발한 국제 교류로 다양한 지식을 습득할 수 있도록 해야 한다.

아울러 가속화되고 있는 다문화시대에 적응할 수 있도록 하기 위해서는 글로벌 시민교육(Global Citizenship Education)[18]도 함께 이뤄져야 한다.[19] 보편성 · 포용성 · 평등 같은 인류 보편적 가치를 바탕으로 이해와 협력을 통해 전 지구적 문제를 함께 풀고 세계 전체의 행복을 추구하는 것은 모든 것이 연결되고 상호연관성을 가지는 4차 산업혁명의 초연결시대에 인류 공동의 목표가 되어야 한다. 이런 맥락에서 글로벌 시민교육을 통한 성숙한 시민의식의 함양은 국가의 경계를 넘어 세계와 소통하는 새 시대의 동력이 되어야 한다.[20]

---

18 인천평생교육진흥원의 박상문 운영위원은 새로운 각도에서 평생교육의 중요성을 제시하고 있다. 즉 "평생교육이 개인의 능력배양보다는 공동체 역할에 필요한 자질향상, 시민적 주체성 강화를 위한 시민교육이 되어야 한다."며 평생교육으로서 시민교육의 필요성에 무게를 두고 있다.(인터넷 신문 인천in 2017년 12월2일자 "평생교육으로서 시민교육의 필요성")

19 조헌국, 앞의 논문 pp.73~75

20 국제미래학회 · 한국교육학술정보원 지음, 전게서 pp.423, 424 (장순흥 한동대학교 총장, "글로벌 시민교육으로 함께 행복한 사회를 만든다" 중에서)

⚙ 포스트휴먼시대의 인성교육

- 인간과 기계의 상호작용을 통해 인간과 기계의 경계가 모호해질 때 인간을 어떻게 정의할 것인지, 로봇에게 자율성을 부여해야 하는지, 로봇이 가져야 할 윤리는 무엇인지 등의 문제에 대한 답은 인문학에서 구해야 할 것

- 인문학은 기술 외부와의 환경적인 영역뿐만 아니라 기술 그 자체에도 결정적인 역할을 수행
- 4차 산업혁명시대에 필요한 창의적 인재는 창의성과 더불어 인성, 즉 사회성과 정서적 역량을 동시에 갖춘 사람

오늘날 과학기술의 발달은 인문학에 대한 고사와 위기를 불러일으키고 있다. 2000년대 초반부터 '인문학의 위기'라는 용어가 등장하였으며, 지금도 이 용어는 계속하여 사용되고 있다. 그러나 4차 산업혁명으로 인해 나타나는 여러 변화와 혁신은 오히려 인문학을 통한 가치와 판단에 의존할 수밖에 없을 것으로 보인다. 인간과 기계의 상호작용을 통해 인간의 경계가 모호해질 때 인간을 어떻게 정의할 것인지, 로봇에게 자율성을 부여해야 하는지, 로봇이 가져야 할 윤리는 무엇인지 등의 문제들[21]은 인문학이 과학기

21 이 문제와 관련하여 '혁신기업가'로 통하는 일론 머스크 테슬라 최고경영자(CEO)는 인공지능(AI)

술 및 공학에 답을 주어야만 해결할 수 있는 문제들이다.[22]

실제로 1990년대 전 세계적으로 게놈 프로젝트가 본격 가동될 무렵 유전체에 대한 공학적 연구와 더불어 그런 기술이 가져올 윤리적·법적·사회적 영향에 대한 연구가 다양하게 병행됐다. 당시 이런 사회적 추세를 'ELSI(ethics, legal, social issues 또는 ethical, legal, social implications)'라 지칭한 바 있다. 최근 들어 또다시 이런 흐름이 짙어지고 있다. 가장 빠르게 발전하고 있는 자율주행자동차 분야만 보더라도 쉽게 확인이 가능하다. 얼마 전 독일 정부는 세계 최초로 자율주행자동차의 윤리적 행동기준을 수립했다고 발표했다. 미국 역시 지난 해 9월 자율주행자동차 안전 가이드라인을 발표하며 관련 기술이 고려해야 할 윤리적 측면들이 무엇인지 제시했다.

여기서 한 가지 주목해야 할 점은 인문학은 기술 외부와의 환경적인 영역뿐만 아니라 기술 그 자체에서도 결정적인 역할을 수행해야 한다는 점이다. 즉, 자율주행자동차의 핵심 기술은 판단능력인데, 이때 판단능력에는 윤리적인 영역도 포함된다. 윤리학은 주행 중 마주칠 다양한 돌출 상황에서 어디에 우선순위를 둬야 할지를 결정하는 중요한 판단기준을 제시하기 때문이다. 자율주행차의 알고리즘이 자신과 타인의 생명에 같은 순위를 부여할지, 자신

발전의 위험성을 계속해서 지적해 왔는데, "기술 발전의 파급 효과를 부정적 측면에서도 생각해야 한다."고 말했다.(한국경제신문 2017년 11월 16일자 A10면 "자녀 자퇴시킨 머스크가 '비밀 학교' 세웠다는데" 중에서)

22 조헌국 앞의 논문 p.75

의 생명에 더 높은 우선순위를 부여할지에 따라 차주의 생명을 지키기 위해 급격히 핸들을 꺾어 주변 자동차를 사고 위험에 노출시킬 수도 있으며, 반대로 타인에게 피해를 덜 주는 대신 차주가 더 큰 상해를 입도록 운전할 수도 있다.

인문학의 도움이 필요한 신기술은 자율주행자동차만은 아닐 것이다. 최근 언급되는 신기술들은 이를 수용할 수 있는 인문적 자양분이 없이는 기술개발 그 자체도 완료되기 힘든 상황이다. 많은 선진국들이 기술 개발이 완료되지 않았음에도 불구하고 이들 기술과 관련된 윤리적 · 제도적 · 법리적 논의와 검토를 서두르고 있는 이유도 여기에 있다.[23]

이외에도 빅데이터를 통한 개인의 이력과 기록들은 사적(私的) 기록물이 가지는 새로운 역사의 의미를 강조하게 될 것이며, 로봇과 인공지능이 가져야 할 유머나 해학을 논한다면 그것은 새로운 문학 장르와도 연결될 수 있다. 현재에도 이미 소셜 미디어(Social Media)의 등장과 다양한 매체의 확장으로 디지털 스토리텔링이 강조되고 있다. 이러한 변화는 앞으로 계속 확대될 것이며, 전통적인 형태로서의 인문학이 아닌, 변화하는 시대에 과학기술에 대해 사색하는 인문학이 강조될 것이다.[24] 스티븐 잡스가 언급한 기술과 인문학의 만남이 앞으로는 더욱 중요해질 것이다.

---

23 한국경제신문 2017년 12월1일자 「박정호(KDI 전문연구원)의 생활 속 경제이야기」 "자율주행차 알고리즘과 인문학" 중에서

24 조헌국, 앞의 논문, p. 75

동시에 첨단과학기술로 인해 인공지능을 통한 개별화, 맞춤형 학습이 보편화될 경우, 인간인지 기계인지 구분할 수 없게 되면서 오는 대인 관계의 혼란과 개인주의적 · 자기중심적 성향이 심화될 수 있다. 과학기술이 오히려 인간의 고립과 상실로 몰아넣을 가능성이 있다. 이를 극복하기 위해서는 인간으로 가져야 할 참된 가치와 인성을 함양하도록 하는 교육이 이루어져야 한다.[25]

앞부분에서 인공지능이 주도하는 4차 산업혁명시대를 이끌어 나갈 인재 육성을 위하여 평생교육의 목표는 창의교육과 인성교육에 두어야 한다는 점을 지적한 바 있다. 그러면 창의성 교육과 인성교육은 서로 어떤 관련성을 갖는 것일까?

먼저 창의성과 정서적 능력과의 관련성이다.[26]

창의성과 관련된 요소는 크게 6가지로 요약될 수 있다. 튼튼한 기초 지식, 알쏭달쏭한 상황을 헤쳐 나갈 수 있는 퍼지 사고력, 문제 해결 대신 문제를 제기할 수 있는 호기심, 새로움을 수용할 수 있는 허심(여유), 안락함에 만족하지 않고 낮은 성공률에 도전할 수 있는 모험심, 그리고 실패하더라도 다시 일어설 수 있는 긍정적 자세 등이다.

암기력은 남의 것, 헌것을 자기 머릿속에 담는 소비적 활동이라면 창의성은 자기 것, 새것을 자기 머릿속에서 만들어 내는 생산

25 조헌국 앞의 논문 p.76

26 국제미래학회 · 한국교육학술정보원 지음, 전게서 pp.410, 411 (조벽, "미래사회는 인성교육으로 지속 가능해진다" 중에서)

적 활동이다. 창의성에는 독창성이 필수적이지만 경제활동이 되기 위해서는 마켓과 소비자 등을 고려한 사회적 적절성이 동반되어야 한다. '세상에 둘도 없는 생각'과 더불어 '세상을 둘러보는 생각'이 필요하다는 뜻이다. 그리하여 의도적으로 기존 체제와 틀에서 벗어나는 행위다. 여기에는 위험을 무릅쓰는 모험심이 따른다. 모험이란 예측 불허한 사항에 도전하는 것이니, 실수와 실패의 부담이 따른다. 실패했다고 주저앉고 포기하고 좌절한다면 결국 절망만 남게 된다. 하지만 실패에 굴하지 않고 희망을 품고 또다시 도전할 때에 성공할 수 있다. 이러한 오뚝이같이 다시 일어설 수 있는 능력을 탄력성 또는 긍정심이라 한다.

6가지 중에 기초 지식과 사고력은 인지적 요인이지만 나머지 4가지인 허심, 호기심, 모험심, 긍정심은 정의적(심적) 요인이다. 정의적 영역은 감정의 세계이다. 감정이 창의성에 깊숙이 개입되어 있는 것이다. 아인슈타인도 진정한 예술과 모든 과학의 원천이 바로 감정이라고 했다. 그러기 때문에 창의성이 중요한 4차 산업혁명시대의 인재는 정서적 능력을 갖추어야 한다는 것이다.

다음으로 창의성과 사회성과의 관련성이다.[27]

4차 산업혁명시대의 인재는 사회성도 갖추어야 한다. 개개인의 창의성만큼 중요한 것이 집단지성이기 때문이다. 창의성의 텃밭인 융합은 다양한 영역의 지식과 재능을 지닌 사람들이 함께 어울

---

27 국제미래학회 · 한국교육학술정보원 지음, 전게서 pp.411, 412 (조벽, "미래사회는 인성교육으로 지속 가능해진다" 중에서)

려 이루어 내는 집단지성을 뜻한다. 집단지성은 다른 생각 패턴을 가진 사람들이 협업할 때 기대할 수 있다. 그러나 아쉽게도 집단은 인간관계로 이루어졌으며, 모든 인간관계에는 갈등이 존재한다.

그래서 집단지성을 발휘하려면 관계를 조율해 나가는 능력이 중요하다. 남과 더불어 일을 하기 위해서 갈등관리, 소통, 신뢰, 배려 등 사려 깊은 행동이 필요하다. 우리의 행동은 생각으로 작동하기도 하지만 감정에 지배받기도 한다. 각자 따로 작동할 때에 문제가 발생할 수 있다. 예를 들어 감정이 동반되지 않는(즉, 마음에 없는) 가식, 허위, 거짓 행동이 있는 반면에 생각 없이 감정 때문에 '욱'하며 나중에 후회되는 미성숙한 행동도 있다. 그러므로 사려 깊은 행동은 생각과 감정, 즉 논리와 심리가 합쳐진 합리적 행동력이다. 이성과 감정이 융합된 상태가 인성이다.

결론적으로 4차 산업혁명시대에 필요한 창의적 인재는 인성, 즉 사회성과 정서적 역량을 갖춘 사람이다. 인성을 지닌 사람이 진정으로 '실력이 있는 사람'인 것이다. 평생교육의 목표가 창의교육과 더불어 인성교육이어야 하는 이유가 여기에 있다.

4차 산업혁명이 대단한 변화를 예고하지만 인류는 늘 그런 큰 변화들 속에 있었고, 그 변화의 흐름을 타고 오늘날에 이르렀다. 앞으로 4차 산업혁명도 우리들이 헤쳐 나가면서 미래의 삶을 거기에 맞게 꾸려 나가야 할 변화일 뿐이다. 그 변화에 걱정만 한다면 기우(杞憂)와 다를 바 없다.

가정 · 학교 · 사회에서 사람이 한가운데 서는 교육

4차 산업혁명에 우리가 어떻게 대응하느냐기회로 삼느냐 아니면 걱정 속에 타조처럼 머리를 모래에 박고 그 위험이 지나가기를 기다리느냐에 따라 이 도전을 오히려 기회로 삼을 수 있고, 우리의 미래도 달라질 수 있다. 거친 흐름과 소용돌이 속에도 연어처럼 연원을 잊지 않고, 지느러미의 힘으로 거센 물길을 차고 올라가고 또 장애를 뛰어오르며 등용문(登龍門)을 통과하듯이, 우리도 4차 산업혁명을 헤쳐 나가는 힘, 즉 능력을 갖추어야 한다. 이는 가정, 학교, 사회에서 사람이 한가운데에 서는 교육을 통해서 다져지는 능력이다.

4차 산업혁명의 논의 한가운데에 있는 세계경제포럼(WEF)는 4차 산업혁명과 "미래교육의 비전"에서 4차 산업혁명 사회에서 요구되는 핵심 기술로 기초문해(foundation skills)문해력과 수리력이 포함되는 기초문해 외에 호기심과 주도를 들었다. 그리고 역량(competencies)과 인성 자질(character qualities)의 두 역량의 구성 요소로 모두 창의성을 꼽았다. 그렇게 필요한 창의성과 창의능력을 기르는 것이 교육이 나아갈 길이다. 그래야만 인공지능(AI)이나 로봇에 휘둘리지 않고 사람이 바로 서는 길로 제대로 나아갈 수 있다.

정석만 통하지 않은 시대 · 정답이 없는 현실

특정 기술에 1:1 대응하는 것, 기존 지식에 1문 1답하는 것은 기계나 로봇이 사람보다 훨씬 더 잘할 수 있음을, 우리는 주판의 대가가 컴퓨터에 밀리고 바둑의 대가가 알파고에 결국 지고 마는 예에서 극명히 보았다. 정답만을 구하는 교육 과정과 평가는 창의적인 교육에 걸림돌이 되는 큰 장애요소다. 정석만이 통하지 않는 시대에 우리는 와 있다. 수업시간에 자유롭게 질문하고 주제에 벗어난 내용도 유연하게 수용할 수 있는 수업 환경이 조성되어야만 한다. 창의적인 인재를 육성하기 위한 기본 토대가 마련되는 지름길이기 때문이다.

필자들이 겪은 우리 교육현장에서 기초문해읽고 쓰고 말하고 발표하기와 질문하고 토론하는 문화가 많이 부족하다는 느낌이다. 우리의 초 · 중 · 고등 교육에 문제가 있고 대학에서도 그렇게 흘러가는 경향이 있다고 생각한다. 수능시험으로 길들여진 우리의 교육현장에서는 "정답"이 아닌 것을 말하기를 꺼리고 실수하지나 않을까 두려워하여 나서지 않는다.[1] 정답으로 채점을 하고 객관적인 상대

---

1 2010년 G20 서울 회의 후 한국 기자들에게 질문의 기회를 주었던 당시 오바마 미국 대통령에

평가라면서 아이들을 줄 세우니 주눅 들고, 살아 있는 교육은 질식되고, 경직된 사회생활과 가치판단이 판을 치게 된다.

정답이란 퀴즈대회에서나 통할 뿐이다. 실제 정답이 없는 것이 현실이다. '1+1=?' 같은 엉뚱한 질문, '컵과 도넛이 같은 위상이냐?'는 질문이 핵심적인 수학적 질문이 될 수 있다. 정의, 자유 등 근본적인 개념의 핵심에 도달하는 데에는 논란의 우여곡절을 거쳐야만 살아 있는 개념으로 우리에게 다가온다. 소크라테스가 거리에서 아테네 청년들과 주고받았던 질문과 대답이 다 그런 것이었고, 스스로 모른다는 것을 깨닫게 하는 가르침 아닌 가르침을 주었다. 공자도 『논어(論語)』에서 보듯이 덕과 인과 같은 개념을 많은 대화로 풀어 나갔음을 알 수 있다.

1:1 대화, 근복적인 질문 허용

이해가 엇갈리고 생각이 다른데, 정답이 하나만 있을 수 없는 상황에 우리는 흔히 봉착한다. 현실적이지 못한무수한 조건이 붙은 그 한계(limit) 안에서만 맞는 이론적인 정답이 실제 현실에서 들어맞지 않는다. 현실적인 지식이란꼭 듀이를 들지 않더라도 생각하고 묻고 함께 찾아가야만 비로소 그 모습을 드러낸다. 그것을 교육의 현장에서 함께 찾고 또 나누어야 한다. 어떤 의미에서는 '학습자의 엉뚱한 질문을

게 한국기자들은 누구도 자발적으로 질문에 나서지 않았다. 그 일화는 한국 특유의 교육문화, 획일화된 교육, "가만있으면 중간은 간다."는 수동적인 의사 표현, 국제화에도 아직 영어로 소통에 자신 없는 한국인의 모습을 내보여준 예로서 과거 우리 교육의 유산으로 여겨진다. 한편, 지난 2008년의 촛불시위와 2016년 말 · 2017년 초의 광화문 거리와 전국 곳곳을 밝힌 촛불의 민심표현은 – 어린아이들과 학생들도 이를 지켜보았고 – 사회 · 정치적 의사표현의 사회교육에서 큰 몫을 할 것으로 기대된다.

받아 주고 다양한 사고를 장려하는 선생님'이 바람직하다.[2]

또 사회 구성원 간 갈등을 해결하고 조정하는 역량을 키우고, 이를 위해서 타인을 이해하고 배려하는 인성을 기르고, 사회적 관점채택(social perspective taking)과 사회정서역량(social and emotional competencies)도 키워야 한다.[3] 창의성을 바탕으로 한 학습은 다른 학문 영역과의 융합을 위한 협업의 효율성을 위한 사회정서기술로 이어져야 한다. 유비쿼터스 학습을 가능하도록 하는 교육 환경 못지않게 여러 과목들을 아우르는 통합의 교육, 융 · 복합의 노력이 있어야 한다.

인성 · 사회성을 배려하고 기본에 충실한 사례들: 교육 수요자의 특색을 살리는 교육

그래야만 4차 산업혁명시대에 맞는 교육이 될 것임에는 의문의 여지가 없다. 이를 실현하려는 갖가지 실험과 많은 시도가 교육의 현장에서 이루어지고 있고, 미국 · 일본 · 핀란드 · 네덜란드의 혁신의 예에서 그런 단초를 읽을 수 있다. 새로운 기술과 환경을 이때 그때, 이곳저곳에 살리면서 아이들의 잠재력과 새로운 추세에

---

2 코미디 프로그램 '봉숭아학당'에 나오는 엉뚱한 질문들도 가르치는 이가 이를 본질적인 문제로 이끈다면 훌륭한 질문으로 탈바꿈한다는 것을 필자는 동 · 서양사상사를 세미나 형식으로 학생들이 발표하고 학생들의 질의응답으로 배우는 과정에서 경험했다. 학생들 스스로 던질 질문을 문제의 본질에 가깝게 유도해 간 예들이 있다. 아울러 다음 연구도 참고가 된다. 성은현 · 이정규, 2015, 「창의적 인재 양성을 위한 교육의 방향」 『영재와 영재교육』 14(2), 31~47.

3 Greenberg, Weissberg, O'brien, Zins, Fredericks, Resnik, & Elias, 2003 Enhancing school-based prevention and youth development through coordinated social, emotional, and academic learning, American Psychologist, 58(6/7), 466~474, 이선영, 「4차 산업혁명시대의 교육심리학」 『한국교육학연구』 23권 1호, 2017 pp.231~260, 243~244쪽에서 재인용.

맞고 재미도 뒷받침되는 교육을 지향하려는 것이 공통점이다. 과거처럼, 공장에서 일률적인 대량생산이나 다식판으로 찍어 내듯 하던 교육이 아니라, 교육의 수요자인 아이들과 학습자들의 특색이나 취향도 살리며 그 길을 스스로 또는 협업하며 찾아가도록 하는 교육이라야 한다.

그런 뭇 시도들 하나하나가 우리에게 주는 시사점들에 열린 자세와 함께, 기본에도 충실한 배움과 가르침의 장이 되어야 한다. 교육의 비효율성과 부작용, "어린이 행복지수 낮은 순위 1위, 청소년 행복지수 낮은 순위 1위, 학업 시간 많은 순위 1위, 사교육비 높은 국가 1위, 공교육비 민간 부담 1위, 국·공립대 등록금 높은 순위 2위, 대학교육 가계 부담 1위, 청소년 자살률 1위, 청년 고용률 낮은 순위 3위"[4]는 우리 교육의 현주소를 보여 주는 증상이며, 그에 대한 대증적인 처방보다는 근본적인 원인 치유에 나서고, 그 굴레에서 벗어야 한다.

UNESCO가 2005년에 제시한 『교육과정의 방향 전환과 재편성을 위한 4가지 학습 원칙들』 보고서에는 기존의 고등교육이 과제로 여겨온 '인식 학습(learning to know)'과 '존재 학습(learning to be)' 외에 새로이 대학의 공동체적 가치에 대한 기여라고 할 수 있는 '실천 학습(learning to do)'과 '공생 학습(learning to live together)'이 추가되어 있다.[5] 추가된 2가지의 학습 원칙은 한 인간이 자신이 속한 공동체와 함께 살아가야 가는 지적이고 정신적이며 도덕적인 존재

4 이혁규, 『한국의 교육 생태계』 서울: 교육공동체 벗.(2015) p.43.

5 Nan-Zhaoo, Zhou, Four Phillars of Learning for the reorientation and reorganization of Curriculum, (UNESCO INTERNATIONAL BUREAU OF EDUCATION, 2005), pp.2~5.)

임을 인식하는 방향으로 전환하여야 함을 뜻한다. 2016년의 세계 경제포럼(WEF)의 교육정책 보고서에서도 문화 · 시민적 문해력과 사회 · 문화에 대한 인지적 관심과 더불어 의사소통능력과 협동능력과 같은 사회적 역량들이 4차 산업혁명에 대비한 인재 역량으로 기술되어 있다.[6]

컴퓨팅 사고를 키우고 강화하는 교육

4차 산업혁명시대에서의 교육 시스템은 긴밀하게 연결될 것이며 학문 간 영역은 허물어져 통합학문이 대세를 이룰 것이다. 특히, 수학 · 과학교육과 기술교육을 '컴퓨팅 사고(computational thinking)'문제를 명확하게 정의하고 사람이나 컴퓨터가 효율적으로 해결책을 찾아가는 사고 과정를 키워 주는 방향으로 강화할 필요가 있다. '컴퓨팅 사고' 중심으로 수학, 과학, 기술 교육의 교육과정과 교육방식을 과감히 개편하여 차세대가 기계와의 경주에서 뒤처지지 않도록 하여야 한다.[7]

---

6 이은정 「변곡점에 선 한국의 대학교육과 4차 산업혁명 : 지식담론에서 교육담론으로의 전환 필요성」(명지대) 『인문과학연구논총』, 38(2), 2017.5, pp. 141~181, 174쪽

7 4차 산업혁명에 대응하기 위해서는 초 · 중등 교과 체제에서 수학, 과학, 기술 분야를 중심으로 '컴퓨팅 사고'를 강화하기 위한 교육전략 및 실행 방안 마련이 필요하며, 교사양성 및 재교육, 입시제도 등 근본적으로 제도를 개선하여야 한다. 사실 이 분야는 영국을 비롯한 다른 국가들이 이미 과감한 변화를 시도하고 있다. 영국은 2014년 컴퓨팅(computing) 과목을 필수로 하여 유치원부터 프로그래밍을 가르치며, 고등학교를 졸업할 시기에는 산업체에서 요구하는 웬만한 정도의 컴퓨팅을 해결할 수 있는 훈련을 시키고 대학입시에도 이 과목을 포함시키고 있다. 우리나라도 최근 논의가 시작되었지만 그 변화의 속도는 턱없이 느리다. 이주호, 「4차 산업혁명에 대응한 교육 대전환」 『철학과 현실』(2017), pp. 130~154, http://www.dbpia.co.kr/Article/NODE07130929, 142~143쪽

또 통합적인 교육예를 들어 수학, 과학, 역사에서의 '스토리텔링'[8]이나 과학에서의 STS교육, STEM교육, STEAM교육[9]으로의 전환이 필요하다. STEM/STEAM과 같은 융·복합학문이 대세를 이룰 미래의 교육에서 가르치는 이는 자신만의 전문 영역을 넘어 다른 학문 영역과의 접합점을 찾고 또 배우는 이로부터도 배우는 호혜성을 이루며, 또 여러 학문 분야들 간에도 조화롭고 협업하는 관계를 유지할 수 있는 능력이 필요하다.[10]

소통·타인 배려의 사회적 기술

이런 능력을 갖추기 위해서는 사회적 기술(social skill)이 따라야 한다. 바람직한 의사소통 능력, 타인과 효과적으로 상호작용, 의견 조율 및 수정, 이상적인 결과를 도출하려고 협력하는 능력은 미래 사회로 나아가는 길을 가르치는 자로서 매우 중요한 역량이다.[11] 이런 역량이 충분히 뒷받침될 때 배우는 이들의 협업 능력도 커질 수 있을 것이다.

---

8 엄밀한 실험과 수치를 기조로 하는 과학에서 농담(chattering)의 유용성의 예로는 친구와 잡담하면서 콜라 잔의 빨대를 손으로 톡톡 치다가 그 궤적에서 거품상자(Bubble Chamber)의 발상을 얻게 된 예화를 들 수 있다. 역사에서의 스토리텔링은 기어츠, 긴즈버그, 린 헌트 등의 예에서 신문화사, 미시사로 발전하고 있다.

9 STEM은 Science, Technology, Engineering, Mathematics(과학, 기술, 엔지니어링, 수학)의 머리글자를 조합한 것이고, STEAM은 Science, Technology, Engineering, Art & Mathematics/Applied Mathematics (과학 기술 엔지니어링에 예술과 수학/또는 응용수학을 합한 것으로, 디자인과 창의성을 합한 교과목을 뜻한다.

10 정창우 외, 「인성 발달을 위한 상호작용 기반 인성교육 실천 방안 탐색」 『윤리교육연구』 40(2016) 1~27.

11 정창우 외, 같은 논문.

소비자 기반(on demand) 생산시대에 인본적 1:1 교육, 작은 수요에 부응하는 교육

걱정이 앞서는 직업과 일자리에서도 조바심보다는 미래지향적인 자세로 임할 필요가 있다. 없어지는 직업 활동도 많겠지만 새 기술과 환경에 새롭게 적응한 형태로 새로운 직업들의 탄생도 얼마든지 가능하다. 예를 들면, 기성복시대에 대량생산시대에 밀렸던 맞춤 양복쟁이와 대장간의 장인(匠人) 정신은 소비자 기반(on demand) 생산과 접합을 이루면 이 시대에 떠오르는 직업이 된다. 또 전통방식의 농사에 스마트 기술과 빅데이터를 접합하면 괄목할 만한 성과를 내는 스마트 농업으로 떠오르게 된다. 명품 장인의 구두처럼 개별 주문에 맞추어 생산하는 소비자 기반(on demand) 생산은 새 시대에 맞는 일자리를 시사한다.

평생교육도 학교라는 틀에만 국한하지 않고 새로운 일자리의 환경에 맞춘 광범위한 교육의 기회를 제공한다. 원래 라틴어로 가르치던 대학에 대한 대안으로 실생활에 와 닿는 교육, 모국어를 사용하는 살아 있는 교육으로 시작된 '평민대학'도 이제는 평생교육의 장으로 자리 잡아 그러한 기회를 마련해 주고 있다.

4차 산업"혁명"으로 소비자 기반(on-demand)의 개개인의 취향에 맞추는 생산이 대세를 이룰 것이라는 점에서, 개개인의 전인적인 발전을 꾀하는 인본적인 교육, "네 자신을 알라"는 집요한 질문으로 가르친 소크라테스의 1:1 교육이 앞으로 우리가 나아갈 방향에 시사점이 된다. 교과서라는 틀 속에 갇힌 교육, 암기 위주의 주입식 교육은 4차 산업혁명의 현장에서는 설 자리가 없다. 학생의 특성과 적성에 따라 공부할 거리와 일자리를 찾아가야 하며, 그러한 개별 교육 수요에 맞추어 가는 교육제도가 이루어져야 한다. 글로벌 기업의 생존전략에서 틈새시장(niche market)이 중요하듯이, 소수의 특출 나고 다른 에너지도 함께 살리는 교육, 작은 수요에 부응하는 교육이 자리 잡아 가야 한다. 오히려 이러한 소수를 위한 노력으로부터 많은 것이 시도되면서 제도권 교육의 위기 상황에 숨통을 터 주는 길을 발견할 가능성도 있을 수 있다.

학교 · 도서관, 방목(放牧)의 장이 되어야

서양의 경우에는 오랜 시행착오의 경험이 축적되어 오늘날 인공지능 · 빅데이터 등 큰 물결로 다가옴에도 불구하고, 기초 연구와 릴레이 하듯 이어지는 후속연구와 세부 연구가 뒤따르는 오랜 전통이 바탕에 깔려 있어 굳이 4차 산업혁명에 놀라지 않으면서 차분하게 대응하는 모양새다. 이러한 서양에서는 초기의 대학들이 기숙사와 함께 크며 도서관이 중요한 몫을 차지했다. 특히 도서관은 학생들의 관심과 학습과 관심의 폭을 넓히는 데에 큰 몫을 해왔다. 마치 풀밭처럼 방목한 소들이 살지게 자라듯이 도서관은 자라나는 세대들에게 그러한 방목의 장의 역할을 해야 한다.

고대 서양의 알렉산드리아 도서관과 에베소 유적지의 대형 공공도서관은 대영도서관과 미국의회도서관으로 이어졌고, 이들 공공 도서관은 거의 모든 자료를 갖추려는 데에 체계적인 노력을 해왔고, 4차 산업혁명시대에 대비라도 하듯 소장자료들 중 고전적인 자료들을 비롯하여 많은 양의 정보를 전산화하여 인터넷에 올려 누구나 쉽게 볼 수 있게 하고 있다.[12] MOOC와 더불어 평생교육이 쉽게 이루어질 수 있는 환경이다. 우리도 "만권당", "규장각"의 예에서 보듯이 그런 전통이 없지는 않았으나 일부의 접근만 허용된 시설이라는 한계가 있고, 특히 근대사에 들어서 그 맥마저 끊긴 것은 안타까운 현실이다.

고전의 정보화, 옛것의 현대화로 먼 미래를 보아야

그 공백을 단기간에 일부는 메꿀 수 있겠지만, 중장기적으로는 스스로 우리도 그런 전통을 수립해 가야 한다. 서양을 그대로 따라 해서는 승산도 없고 신바람도 나지 않는 고난의 길이 된다. 그렇게 하기보다는 우리 나름대로 오랫동안 축적해 온 경험과 가르침에서 우리에게 보다 더 와 닿는 방식의 실마리를 찾아야 한다.[13] 그래야 승산이 있다. 특히 "혁명"적인 상황에서 우리의 장점을 살리는 온고지신의 발상이 오히려 필요한 때이다. 그

---

12 독일의 구텐베르크 프로젝트와 같이 서양에서는 많은 고전을 원본과 번역본을 쉽게 볼 수 있게 해 주는 노력을 오래전부터 해왔고 미국 의회도서관도 소장 자료의 공개에 노력을 아끼지 않고 있다. 또 프린스턴 대학교의 단튼(Robert Darnton) 교수가 도서관장을 맡으면서 많은 소장자료를 인터넷에 올렸고 그런 노력을 계속하고 있는 것은 귀감이 된다. 우리 도서관들도 이제 자료를 인터넷에 올리는 시도를 하고 있다. 한편, 대학도서관 등 우리의 현실은 신간 소장으로 권수를 채우는 데에 급급하고 옛 자료들 – 가령 은퇴하는 대학교수들의 전문서적들 – 은 도서관에서 활용할 수 있도록 정리하는 데에 드는 수고 때문에 여러 핑계를 들어 더 이상 받아들이지 않는 경향이 있다. 이는 전문가들이 수십 년간 축적해 온 지식의 자료들이 흩어지는 현실을 초래하며, 경험 축적에서 뒤처지는 사례로 안타깝다는 생각이 든다.

13 예를 들자면, 근 천 년가량 우리의 교육과 사유의 공간을 채워 온 공자 · 맹자의 "인"을 핵심으로 스스로 사람다워짐을 깨우치게 하는 가르침도 오늘날에 의미가 있는 것을 살려야 한다. 유교문화는 중국의 문화가 아니라 동북아 문화이며 그 문화의 주인이 우리라는 자부심이 지배해 왔다. 또 유교와는 다른 목소리를 가진 노자의 '쓸모없음의 쓸모 있음'과 '빔의 쓸모 있음'의 가르침도 오늘날 혼란과 급변 시대의 우리의 교육과 사유에 또 다른 실마리가 될 수도 있다. 당장은 쓸모없어 보이는 '무용지용'의 교양을, 특히 인문학(文 · 史 · 哲)의 지혜를 저버리지 않고 백년지대계(百年之大計)를 세우는 데 쓸모 있는 점을 살려야 한다.

렇다고 옛것은 버리고 새로운 것만을 고집할 필요는 없다. 또 대단히 새롭고 색다른 무엇보다는 기본으로 돌아가 살피는 것이 중요하다.[14]

서당과 같이 여러 나이의 아이들이 섞여 있고 또 앞서는 아이와 뒤처지는 아이들이 함께 배우던 교육의 장은 오늘날에도 그 정신을 되살릴 수 있다면 훌륭한 사례가 될 것으로 생각된다. 아이들의 학업 진도에 맞는 개별적인 수요에 충실한 훈장의 자세로 우리의 경험에 입각한 4차 산업혁명시대에 맞는 교육과, 세계 어느 나라보다 잘되어 있는 인터넷 환경, 스마트 폰으로 무장한 대한민국의 전산화가 함께 어우러진다면 우리가 따라잡는 추격형이 아니라 새로 두각을 나타내는 우리 교육이 될 수도 있다는 기대를 해 본다. 그런 시대의 문 앞에 우리는 와 있다.

이제는 학생 개개인을 중시하고 인성의 발전의 인본적인 교육 그리고 무용지용의 용(用)을 바라보는 시야 있고 먼 미래를 꾀하는 인본적인 교육이 자리 잡아 4차 산업"혁명"의 높은 파고를 이기게 되기를 기대해 본다. 특히 4차 산업혁명이 일자리에 끼칠 영향에 대처해 우리 교육이 앞으로 나아가야 할 방향에 대해서는 현장의 목소리와 함께 들어야 그 시사점을 얻을 수 있다고 본다.

14 예를 들자면 수신제가치국평천하(修身齊家治國平天下) 같은 앞뒤를 가리는 것.

4차 산업혁명시대, 왜 교육인가?

지능정보화로 특징되는 4차 산업혁명은 단순히 과학기술의 진보적인 발전에만 그치지 않고 사회 전 분야에서 엄청나게 빠른 속도로 전개되면서 우리의 삶의 양식에 대한 총체적인 변화를 가져올 것으로 예상되는데, 이는 과거의 변화 경로에서 벗어나 파괴적 양상을 보이는 패러다임적 변화를 가져올 것으로 예측되고 있다.

이러한 과학기술의 급속한 발전으로 인한 미래사회 변화에 대한 전망은 첫째, 미래사회에서 요구하는 인재가 갖추어야 할 핵심역량은 무엇인가? 둘째, 이러한 새로운 역량을 갖춘 인재의 양성을 위하여 교육은 어떠한 변화와 혁신이 요구되는가에 대한 고찰을 필요로 한다. 교육이 하여야 할 일이 인재를 양성하는 일이니만큼 급격한 기술혁명이 진행되는 4차 산업혁명 사회에서 교육이 적절하게 대응하기 위해서는 먼저 교육에서 추구해야 할 인재상이 무엇인지를 살펴보고, 이러한 인재 곧 교육받은 인간상(educated person)을 올바로 제시하는 일은 4차 산업혁명시대 교육의 방향과 목표를 보여 주게 되기 때문이다.[15]

미래사회에서 요구되는 핵심 역량은?

미래사회에서 요구하는 인재는 단순히 기존 지식과 정보를 잘 암기하고 기억을 적절히 활용하여 주어진 문제에 대한 답을 찾아낼 줄 아는 20세기형 추격형 인재(fast follower)가 아니라 창의적인

15 조난심, "4차 산업혁명과 교육", 『교육비평』 통권 제39호(특집호), 2017.5.31., p.334

스토리텔링을 통해 신지식을 도출하여 새로운 가치를 창출할 줄 알며, 흩어진 파편적 지식에서 세상의 가치를 판단하고 소통과 융합을 통한 창의적인 방법으로 인류 역사에 기여하는 지혜를 남길 수 있는 21세기형 선도형 인재(first mover)이다.[16]

주어진 문제에 대한 답을 찾기보다는 오히려 무엇이 문제인지를 찾아내고 스스로 문제를 만들어 낼 줄 아는 문제제기능력 또는 문제창출능력을 갖춘 인재의 육성을 위해서는 학교교육의 내용과 방법에 혁신적인 변화가 요청되고 있다. 이는 ① 기존의 지식 중심의 '교과교육'이 어떻게 달라져야 하는지, 그리고 ② 강의식, 지식 중심의 '교육방식'이 어떻게 달라져야 이러한 미래 핵심 역량들을 습득할 수 있는지를 고민할 것을 요청하는 것이다.[17]

이상의 문제들에 대하여 제2장에서는 학교의 정규교육과정을 중심으로 집중적인 논의를 한 바 있다. 제4장과 제5장에서는 학교의 정규교육과정을 제외한 학력보완교육, 문자해득교육, 직업능력향상교육, 인문교양교육, 문화예술교육, 시민참여교육 등을 포함하는 모든 형태의 조직적인 교육활동으로서의 평생교육이 지향해야 할 새로운 방향과 그 발전과제에 관한 논의를 진행하였다.

세기의 미래학자로 불리는 앨빈 토플러는 4차 산업혁명시대 교

---

16 김지원, "인공지능 시대의 새로운 교육패러다임에 대한 연구", 경북대학교 대학원 박사학위논문, 2017. 2., p.116

17 조난심, 앞의 논문 p.336

육의 미래를 전망하며 창의성을 꽃피우지 못하는 제도권 교육의 한계를 비판하였다. 그는 "상자 밖에서 생각하라"는 의미심장한 말을 남겼다. 20세기가 '틀을 만드는' 제도권 교육의 시대였다면, 21세기는 '틀을 깨는' 창조적 열린 학습의 시대임을 의미한다. 정해진 규격화된 틀을 벗어나 지금까지와는 전혀 다른 창조적 방식으로 생각하고 학습해야 하는 시대가 본격화되고 있음을 시사하는 것으로서, 학교 체제에서 평생교육체제로 교육의 중심축이 옮겨져 왔음을 의미한다.

4차 산업혁명시대 평생교육의 중요성

4차 산업혁명시대에 평생교육의 중요성이 부각되고 있는 이유는 다음과 같이 정리할 수 있다.

【표 16】 평생교육의 외적 · 내적 필요성

[평생교육의 외적 필요성]

① 과학기술의 발달과 생활양식의 급격한 변화 등 빨라진 사회변화 속도에 따른 재교육 필요성 제기
② 평균수명의 연장과 삶의 질의 향상에 따른 자기 성장과 자기 실현 욕구의 증대
③ 매스컴의 발달과 정보의 급증으로 지식기반사회의 도래
④ 민주화를 위한 정치적 도전
⑤ 고도산업화에 따른 인간소외 · 비인간화 경향(인간관계의 상실), 이데올로기의 위기

[평생교육의 내적 필요성]

① 학교교육의 경직성과 폐쇄성 등 학교교육의 한계성 및 학교교육의 위기 내지 역기능 해소
② 지식의 민주화를 위한 새로운 교육체계 요구(교육기회 평등 요구)
③ 학교교육 이외의 교육기회 확대, 다양한 교육을 원하는 성인의 수요 증가

위에 열거된 여러 가지 필요성 가운데 여기서 특별히 주목하고자 하는 것은 '학교교육의 경직성과 폐쇄성 등 학교교육의 한계성'의 문제이다. 4차 산업혁명시대에 '사람 혁신', '교육 혁신'을 통해 '새로운 것을 생각해 내는 창의적인 사람', '과감하게 도전하고 실패를 자산으로 생각하는 사람', '새로운 시대가 요구하는 지식과 기술을 갖춘 사람', '협업과 공유의 가치를 존중할 줄 아는 사람'으로 성장할 수 있는 환경을 만들겠다는 의지에 이의를 다는 사람은 없을 것이다.

그러나 정작 각론으로 들어가면 이야기가 그리 간단하지만은 않다. 특히 정규제도권 내의 학교교육의 변화와 혁신의 문제는 원칙론적인 담론만큼 결코 간단한 사안이 아니라는 점을 부인하는 사람도 없어 보인다. 학교교육 기본 시스템에 대한 패러다임의 변화를 추구하는 것이 그만큼 시간과 노력이 많이 요구되는 현실적으로 어려운 문제라는 점을 감안한다면, 평생교육의 패러다임을 전환시켜 나가는 것은 상대적으로 내외부의 저항도 심하지 않다고 볼 수 있어 교육혁신에 대한 정책시행의 우선순위가 이에 두어져야 할 일이다.

4차 산업혁명시대 평생교육의 발전 방향

4차 산업혁명시대 평생교육의 발전 방향은 다음의 두 개의 큰 축에서 모색되어야 한다. 첫째, 과학기술의 급속한 발전으로 인한 미래사회 변화에 적응하고 생존할 수 있기 위하여 교육은 어떠한 변화를 모색할 것인가의 문제와 함께, 둘째, 여기에서 한 걸음 더 나아가 우리가 주도적으로 미래사회의 변화를 선도해 나가기 위하여 교육은 어떠한 혁신을 추구해 나갈 것인가의 문제에 대한 해법을 아울러 찾아내야 한다.

첫 번째 관점에서 평생교육은 다음과 같은 역할의 수행을 그 목표와 방향으로 삼아야 한다.

① 성인, 근로자, 전직 희망자, 중·고령자 등 직업교육을 희망하는 모든 사람에게 일과 학습 삶을 연계할 수 있는 평생직업교육기회 제공

② 학교중심의 직업교육만으로는 학생들에게 기업에서 요구하는 취업역량을 향상시키는 데 갖는 한계를 개선하기 위하여 학교 내 역량교육과 병행하여 학교 밖에서 학습경험을 이수할 수 있는 도제과정, 현장실습, 인턴십 등의 제공

③ 초고령사회로의 급속한 진입과 평균수명의 연장으로 생애주기 변화와 고령사회화에 대비한 역량개발교육의 제공

④ 빠르게 변화하는 정보문화와 기계문명의 속도에 제대로 적응하지 못하는 교육취약층과 다문화 근로자들, 결혼이주자들을 위한 생활문해(life literacies)역량, 기초문해교육의 수행

⑤ '초장수 시대'를 맞아 60세를 기준으로 하던 학교본위 교육패러다임은 사라지고, '요람에서 무덤까지' 전 생애주기를 가로지르는 평생학습이념이 확산될 것이라 전망된다. 가정·학교·사회의 삼위일체의 범(汎) 생애 학습과 삶 전체를 가로지르는 통(通) 생애학습을 근간으로 하는 100세 시대의 새로운

교육 패러다임으로서 평생학습의 이행자 역할 수행[18]

두 번째 관점에서 평생교육의 목표와 방향은 창의 · 융합 역량함양 교육에 초점이 맞춰져야 한다.

새로운 산업혁명을 이끌고 있는 파괴적 신기술들인 사물인터넷, 빅데이터, 인공지능의 특성은 경제부문 간 연결성과 산업 활동의 지능성을 고도로 높이는 데 있다. 앞으로 갈수록 글로벌 전자상거래, 핀테크(금융기술), 원격진료, 자율주행자동차 등과 같이 실물과 가상공간의 결합, 금융 · 의료 등 서비스업과 정보통신의 연계, 제조업과 인공지능의 합체 등으로 경제활동의 경계와 산업별 고유영역이 붕괴될 것이다. 소비지와 생산자가 실시간으로 연결되고 산업과 산업의 결합으로 탄생하는 것이 4차 산업혁명시대 융합경제다.

결국, 4차 산업혁명의 본질은 융합에 있다. 서로 다른 분야의 학문과 기술이 융합함으로써 기존의 한계를 극복하고 문제를 해결할 수 있는 길이 열릴 뿐만 아니라 새로운 가치를 창출해 낼 수 있다. 융합의 학문적 · 기술적 · 산업적 가치가 교육 · 연구 · 산업 현장에 뿌리내리고 융합 생태계가 활성화됨으로써 4차 산업혁명의 공고한 기반이 마련될 수 있도록 평생교육이 역할을 주도해 나가야 할 것이다.

---

18 국제미래학회 · 한국교육학술정보원 지음, 『4차 산업혁명시대 대한민국 미래교육보고서』, 2017. 4., pp.289, 290 (최운실, "미래 평생교육은 어떤 모습일까?" 중에서) 평생학습시대에는 학력(學歷)주의를 넘어 학력(學力)주의 시대로의 전환이 예측된다. 오랫동안 통념화 되어왔던 '교육=학교'라는 학교주의를 대신하여 "언제, 어디서나, 누구든지, 누구에게서나, 무엇이든" 배움을 주고받는 '열린 학습사회' 패러다임이 되어야 한다는 주장이다.

이를 위해 평생교육은 지식 전달 및 전수가 아니라, 지식을 스스로 창출하고, 응용하고, 적응할 수 있는 기초능력을 길러 줘야 하며, 새로운 정보를 산출할 수 있는 창의적 사고능력, 엄청난 정보 중 유용한 정보를 선별할 수 있는 비판적 사고능력, 자신의 사유내용을 공동체 구성원과 공유할 수 있는 사회적 의사소통능력, 이런 능력을 통해 핵심적인 문제를 찾고 그 문제를 해결할 수 있는 폭넓고 깊이 있는 안목과 통찰력, 종합적 사고능력을 함양하는 일이 되어야 한다.[19]

창의 · 융합 역량 강화를 위한 교육과정

창의 · 융합역량의 강화를 위하여 ① 프로젝트기반 교육과정, ② 자기주도형 교육과정, ③ 창업지원 교육과정과 같은 평생교육 프로그램의 도입이 필요하다.

먼저 프로젝트기반 교육과정이란 프로젝트기반 학습(Project-based Learning)을 말하며, 팀을 구성해서 문제발견능력의 양성에서부터 목표설정, 계획, 실행, 평가의 과정을 거쳐 문제해결능력을 향상시키는 학습법을 말한다. 4차 산업혁명시대에 예상되는 문제들은 많은 경우에 개인의 힘만으로는 해결하기 어려운 복합적이고 다층적인 문제들일 가능성이 많고, 그런 만큼 학생들이 미래사회

19 손동현, 2014년 3월15일 열린연단에서 '교양교육의 이념'이라는 제목의 강연 내용 중에서 (http://blog.naver.com/wjlee3742/140208702051에서 인용. 2017.12.14. 검색)

에서 성공적으로 살아남기 위해서는 타인들과 협업하면서 집단지성을 발휘하는 것을 학습하고 경험할 필요가 있다. 이러한 학습을 위해 권장되는 학습이 바로 프로젝트 학습(PBL)이다. 여기서 유의해야 할 점은 문제 해결 중심으로 학습이 이루어질 경우에는 교과 간 벽을 허물고 교과들을 통합 · 융합하여 문제해결을 위한 학습을 할 수 있도록 해야 할 것이다. 이러한 학생 집단 탐구활동 중심의 프로젝트 학습은 그 자체로 미래 사회에 필요한 집단지성을 기르는 과정인 동시에 우리 사회 공동체를 유지시켜 주는 핵심적인 기능을 할 수 있다.[20]

다음으로, 자기주도형 교육이란 학습자 스스로가 주체가 되어 자기에게 필요한 지식과 정보를 찾거나 또는 직접 만들고 활용하며 동시에 타인과 공유해 나가는 학습체제를 의미한다. 자기주도 교육은 정해진 계획표에 따라 교육이 이루어지는 것이 아니라, 주어진 상황과 필요에 따라 학습자 스스로가 만들어 가는 학습체제라고 할 수 있다. 4차 산업혁명사회는 최첨단 · 초연결 · 초가상의 지능사회가 될 것이다. 이러한 사회에서는 지식을 암기하고 주입하는 교육이나 문제풀이식의 교육은 존재할 수가 없다. 수많은 정보의 바닷속에서 자기에게 필요한 지식을 선택하고 활용하여 문제를 해결하고 자기 주도적으로 학습을 이어 가기 위해서는 창의적인 문제해결력과 의사소통능력 그리고 스스로 학습을 이끌어 갈 수 있는 자기관리능력이 필수적으로 요청되는 것이다. 무엇보다

20 조난심, 앞의 논문 pp.340, 341

도 자기 스스로 문제를 해결해 가는 창의적인 능력은 미래교육의 핵심적인 요소라고 할 수 있다.[21]

끝으로 창업지원 교육과정이란 기술과 사업성은 있으나 자금 또는 시설 확보에 어려움을 겪고 있는 창업자나 예비창업자들을 대상으로 개인 또는 공동작업장 등의 시설을 제공하고 경영 · 세무 · 기술지도 등의 지원과 교육 등을 실시하여 창업에 따른 위험부담을 사전에 차단하고 성공적인 정착을 통해 원활한 성장을 이끌어 나갈 수 있도록 지원하는 교육과정이다. 교육의 방식으로는 워크샵, 세미나, 액션러닝, 퍼실리테이션, 케이스스터디, 시뮬레이션, 롤 플레인 등 다양한 방법이 적용되는 데 실패하지 않도록 정답을 알려 주는 교육보다는 오히려 실패를 통해 학습함으로써 더 나은 정답을 찾아가도록 지도하는 것이 교육의 본질적 목표가 되어야 한다. 창업지원교육은 학교가 나서서 학생과 기업을 연결하고 지원관리를 해 나갈 때 그 효과성을 높일 수 있을 것이다.

4차 산업혁명, 사람 혁신 · 교육 혁신이 그 해답

미래사회에서의 교육은 사회 구성원이 갖고 있는 능력과 잠재력을 최대한 성장시키며 모두의 창의적 역량을 극대화될 수 있도록 돕기 위한 교육으로 전환되어야 한다. 소수를 위한 교육이 아닌 모

21 허숙, "4차 산업혁명시대의 도래와 학교교육의 변화", 『월간교육』 2017년 7월호(통권 제17호), p.42

두를 위한 다수의 학습, 인생의 특정 시기에 국한된 교육이 아닌 전 생애에 걸친 확장적 평생학습의 모습으로 전개되어야 한다.[22]

대한민국의 경제 발전을 이끌어 온 원동력은 '사람'이었고, 그 기초에는 교육이 있었다. 이제 단순히 과학기술의 진보적인 발전에 머물지 않고 사회 전 분야에 걸쳐 엄청나게 빠른 속도로 우리의 삶의 양식에 대한 총체적인 변화를 가져올 4차 산업혁명시대를 맞이하여 앞으로 10년 후, 아니 어쩌면 바로 5년 뒤에 단순한 생존의 문제를 넘어 지속가능한 성장을 선도하는 국가로 당당히 서기 위한 해답도 역시 사람에서 찾지 않으면 안 된다.

지금 우리가 더 이상 지체하지 말고 '사람 혁신', '교육 혁신'을 위하여 진지한 고민과 해법을 서둘러 찾아야 하는 이유가 여기에 있다.

22 국제미래학회 · 한국교육학술정보원 지음, 전게서 p.297

참고문헌

【참고문헌】

• 1부, 2부, 3부

老子, 『道德經』
베이컨, 『신기관』 Francis Bacon, Novum Organum
http://www.constitution.org/bacon/nov_org.htm

콩트, 『실증철학요강』 M. Auguste Comte, *Cours de Philosophie Positive;*
http://www.gutenberg.org/files/31881/31881-h/31881-h.htm
부르크하르트, 『이탈리아르네상스문화』 Jacob Christoph Burckhardt, *Die Kutlur der Renaissance in Italien*, Sonderausgabe 2004 für Nikol Verlagesgellschaft mbH & Co,KG, Hamburg.
다윈, 『종의 기원』 Charles Darwin, *On the Origin of Species by Means of Natural Selection, on the Preservation of Favored Races in the struggle for Life*, London, 1859;
http://darwin-online.org.uk/converted/pdf/1861_OriginNY_F382.pdf
데카르트, 『철학원리』 René Descartes, *Principia Philosophiae* 영문: *The Principles of Philosophy*
http://www.gutenberg.org/cache/epub/4391/pg4391-images.html
엥겔스, 『영국노동계급의 상황』 Friedrich Engels, *Die Lage der Arbeitenden Klasse*, Barmen 1845, Walter Kumpmann (ed.), dtv text-bibliothek, 1973.
마르크스 · 엥겔스, 『공산당선언』 Marx/Engels, *Kommunist Manifesto*. 1848; 영문: *Manifesto of the Communist Party*
https://www.marxists.org/archive/marx/works/download/pdf/Manifesto.pdf
루소, 『불평등기원론』 Jean-Jacques Rousseau, *Discours sur l'origine et les fondements de l'inégalité parmi les hommes*, 1754.
http://www.constitution.org/jjr/ineq.htm
루소/이환 역, 『사회계약론』 서울대학교출판부, 1999; Jean-Jacques Rousseau, *Du contrat social*, 1762; 영문: *The Social Contract, or Principles of Political Right* :
http://www.gutenberg.org/files/46333/46333-h/46333-h.htm
루소, 『에밀』 Jean-Jacques Rousseau, *Émile, ou de l'éducation*, (1762), GF Flammarion, Paris, 1966.
http://www.gutenberg.org/files/30433/30433-h/30433-h.htm
토마스 모어, 『유토피아』 Thomas More, *Utopia* : E. Surtz/J. H. Hexter (ed.) *The Yale Edition of the Complete Works of St. Thomas More*, Vol. 4. , New Haven, 1965

플라톤/천병희 역, 『국가』도서출판 숲, 2013;
헬라어 원문
https://geoffreysteadman.files.wordpress.com/2012/06/platorepublic-july12.pdf
; 독일어: Karl Vretska (trans.) Platon *Der Staat* (Politeia), Reclam, Stuttgart 1997.
스펜서, 『철학체계』 Herbert Spencer, *System of Philosophy* 10 volumes, London.
First Principles http://oll.libertyfund.org/people/165
Principles of Biology; Principles of Psychology
http://oll.libertyfund.org/titles/spencer-the-principles-of-psychology-1855
Principles of Sociology
http://oll.libertyfund.org/titles/spencer-the-principles-of-sociology-3-vols-1898
Principles of Ethics
http://oll.libertyfund.org/titles/spencer-the-principles-of-ethics-2-vols-1879-lf-ed
토크비유, 『아메리카민주주의』 ; Alexis Tocqueville, *Démocratie Amérique* (1835) Introduction. 영문전문:
https://ebooks.adelaide.edu.au/t/tocqueville/alexis/democracy/complete.html
Reinhard Zöllner, *Einfürung in die Geschichte Ostasiens*, Erfurter Reihe zur Geschichte Asiens Band 1, Iudicium, München 2007

〈단행본 외국문헌 alphabet 순〉

Paul Dam, *Nikolaj Frederik Severin Grundtvig*. *(1783-1872)* Copenhagen : Royal Danish Ministry of Foreign Affairs, Press and Cultural Relations Department, 1983. 김장생 옮김, 『위대한 국가 지도자의 모범 덴마크의 아버지 그룬트비』 누멘, 2009
John Dewey, *The School and Society*, 1899
Dewey, *The Educational Situation*, 1901
Dewey, *My Pedagogic Creed*, 1897
푸코, 『감시와 처벌』 Michel Foucault, *Surveiller et punir : Naissance de la prison*, Paris : Gallimard, 1975.
Frey, C. IV, & Osborne, M A, "The Future Of Employment", 2013
기어츠, 『문화의 해석』「문화체계로서의 종교」 Clifford Geertz, "Religion as a cultural system". *The interpretation of cultures: selected essays*, Basic Books, New York, 1973, pp. 87-125.
존 그리빈/최주연 역, 『과학의 역사』 1, *에코리브르, 2005*
N.F.S. Grundtvig, *Værker I Udvalg* (그룬트비 선집), Georg Christensen/Hal Koch (eds.) Glyndalske Boghandel Copenhagen 1940 (9권);
N.F.S. Grundtvig, Haandbog in N.F.S. *Grundtvigs Skrifter* (그룬트비히 문선) Ernst J. Borup/Frederil Schrøder (eds.) H. Hagerups Forlag, Copenhagen, 1929 3권: I. Grundtvigs Skoletanker (그룬트비 교육사상), II. *Volkelige Grundtanker* (民 사상) III. *Kirkelige Grundtanker*. (교회사상)

Yuval Noah Harari, *Sapiens : A Brief History of Humankind*, Vintage Books, London, 2011; 조현욱 번역 『사피엔스』 김영사, 2015
일리인/동완 역, 『인간의 역사』 범한출판사, 1982.
Maria Montessori, *Il segreto dell'infanzia* 구경선 『어린이의 비밀』 지만지 2008
오웰/권지야 역, 『1984』을유문화사, 2012; George Owell, *Nineteen Eighty-Four. A Novel*, 1948
Klaus Schwab, Richard Samans "The Future of Jobs; Employment, Skill and Workforce Strategy for the Fourth Industrial Revolution, Global Challenge Insight Report", (WORLD ECONOMIC FORUM Publishing, 2016. www3.weforum.org/docs/Media/WEF_FutureofJobs.pdf
클라우스 슈밥/송경진 옮김, 『4차 산업혁명』, 새로운현재, 2016.
Leslie Forster Steveson, David L. Haberman, Ten Theories of Human Nature, Oxford University Press, 1998, 레슬리 스티븐슨. 데이비드 L. 헤이비먼. 박중서 옮김, 『인간의 본성에 관한 10가지 이론,』 갈라파고스 2006
토인비(서머벨 편)/노명식 역, 『역사의 연구』 II, 삼성출판사, 1983, 396-397쪽.
투쌩-사마, 『음식의 역사』 Maguelonne Toussaint-Samat, *Histoire naturelle et morale de la nourriture*, Éditions Bordas, coll. « Cultures » 1987.
Barry J. Wadsworth, *Piaget's Theory of Cognitive Development: An Introduction for Student of Psychology and Education*, 1972, David Mckay Company, New York, 1972; 鄭兌煒 옮김 『피아제의 인지발달론』 교육신서 19, 박영사, 1993(중판) 64-101쪽.

〈단행본 국내문헌 가나다순〉

국제미래학회 · 한국교육학술정보원, 『4차 산업혁명시대 대한민국미래교육보고서』 광문각(2017)
김영한, 『르네상스의 유토피아 사상』, 탐구당, 1989
김정욱 · 박봉권 · 노영우 · 임성현, 『2016 다보스 리포트: 인공지능발 4차 산업혁명』 매일경제신문사, 2016
김정환, 『페스탈로치의 교육철학』, 고려대출판부, 1995
김정환, 『페스탈로치의 생애와 사상』 박영사, 2008
김호동, 『아틀라스 중앙유라시아』, 사계절 2016
미래창조과학부, 미래준비위원회, KISTEP, KAIST, 『10년 후 대한민국 미래일자리의 길을 찾다』, 2017
송순재 · 고병현 · 카를 K. 에기디우스 편저, 『위대한 평민을 기르는 덴마크 자유교육』 민들레 2011
이광규, 『문화인류학개론』, 일조각 1985(수정중판)
이원순 · 윤세철 · 허승일 『역사교육론』, 삼영사, 1980
조지형, 『역사의 진실을 찾아서: 랑케 & 카』, 김영사, 2006 「랑케 근대 역사학의 아버지」

차하순, 『서양사총론』 탐구당 1990 (제4판), 231-237쪽.
한상복 · 이문웅 · 김광억, 『문화인류학개론』 서울대학교출판부 1991(수정판)
황영희 『Pestalozzi의 가정교육사상에 관한 연구』 고신대학교 교육대학원 석사학위논문. (2002)

〈논문〉

Pestalozzi Children's Foundation in Trogen, Switzerland
www.pestalozzi.ch (2017. 11월 검색)
Johann Heinrich Pestalozzi, *Die Abendstunde eines Einsiedlers* (1780) 김정환 옮김 『은자(隱者)의 황혼녘』 서문당, 1998
Heinrich Pestalozzi, Lienhard und Gertrud. *Ein Buch für das Volk. Vierter* Band 1820 (Ausgabe 1869)
Christian Jürgensen Thomsen, "Kortfattet udsigt over midesmaeker og oldsager fra Nordens oldtid", in the *Nordisk Tidsskrift for Oldkyndighed* (Scandinavian Journal of Archaeology), 1832, 1833.
https://en.wikipedia.org/wiki/Three-age_system
(2017.7.20 접근)
Lev Nikolaevich Tolstoi, "The School at Yasnaya Polyana". Tolstoy, Lev N.; Leo Wiener; translator and editor. (1904) *The School at Yasnaya Polyana The Complete Works of Count Tolstoy: Pedagogical Articles*. Linen-Measurer, Volume IV. Dana Estes & Company.
톨스토이, ***АЗБУКА*** http://feb-web.ru/feb/tolstoy/chronics/g63/g63.htm
고일홍, 「문명이전의 풍요로운 사회」, 강성용 · 고일홍 외 『문명 밖으로: 주류문명에 대한 저항 또는 거부』 서울대학교 HK 문명연구사업단 문명공동연구 0-2, 2011 pp. 19-38.
교육부, "창의혁신인재 양성을 위한 대학 학사제도 개선방향", 2017
권정선 · 김회용, 「듀이 철학에서 상상력의 교육적 의미」 한국교육철학학회(구 교육철학회) 『교육철학연구』 37권 2호(2015) pp. 23-45.
김나라 · 최지원, 「해외사례 분석을 통한 자유학기제 운영 방향과 과제-아일랜드, 덴마크, 스웨덴, 영국 사례를 중심으로-」 『진로교육연구』 27권 3호 (2014) pp.199-223.
김명윤, 「에밀에 나타난 루소의 교육방법」, 상명대학교 『인문과학연구』 제14권 (2004) pp. 1-19.
김봉국, 「연장된 신체로서의 도구: 데카르트의 망원경 이론」 『한국과학사학회지』 30권 1호, 2008, pp.79-108
김영석, 「영국산업사회의 성립과 노동계급」, 안병직 외 지음 『유럽의 산업화와 노동계급』 까치 1997, pp. 15-119.
김준, 「맹자의 교육사상 : 인성론(人性論)를 중심으로」 울산대학교 교육대학원 석사논문 (2000)
김선미, 「Pestalozzi의 教育思想에관한 연구」 관동대학교교육대학원 석사학위논문. (2005)

김재만, 「특집 : 오천석 박사 팔순기념 – (주제 : 민주주의와 교육) : 도덕교육의 교육학적 의미 – 존 듀이를 중심으로 –」『교육학연구』 18권 1호 (1980) pp.31-47.
박가열, 「4차 산업혁명과 미래의 직업세계」『한국진로교육학회 학술대회지』(2017), pp. 31-63.
http://www.dbpia.co.kr/Article/NODE07175843 (2017. 11월 검색)
박성례 「다윈100주기 기념 진화론 심포지움 -양계초의 경우」 한국과학사학회지 4권1호 (1982, 다윈100주기 기념 진화론 심포지엄), pp. 141-145.
박세일 · 이주호 · 김태완 편, 『한국교육의 미래전략』, 한반도선진화재단, 2016.
서진아, 「페스탈로치 사상과 진로교육에의 함의」 순천대학교대학원 석사학위논문. (2013)
송순재, 「덴마크의 자유교육 : 자유학교, 자유중등학교, 시민대학을 중심으로」 감리교신학대학교, 『신학과세계』 69 (2010.12), pp. 357-410.
송순재, 「페스탈로치 인간학의 교육학적 의미」,감리교신학대학교 『신학과세계』 31(1995.12) pp. 137-180
심우엽, 「Vygotsky의 이론과 교육」『고등교육연구』 16-1, 2003, pp. 207-223.
양서영, 「다윈100주기 기념 진화론 심포지엄 – 오늘의 진화론」 한국과학사학회지 4권1호 (1982, 다윈100주기 기념 진화론 심포지움), pp. 140-141
안승문, "심층분석2 : 한국 교육의 현실과 과제", 2013. 3. 15., 참여연대 사회복지위원회, http://www.peoplepower21.org/Welfare/1008492 (2017. 11. 16. 검색)
안종배, 「4차 산업혁명에서의 교육 패러다임의 변화」, 『미디어와 교육』 제7권 제1호, 2017, 한국교육방송공사
안홍선, 「식민지시기 사범교육의 경험과 기억: 경성사범학교 졸업생들의 회고를 중심으로」『한국교육사학』 29-1 (2007. 4)
이광소, 「공자의 교육방법적 원리」『한국어문학국제학술포럼 Journal of Korean Culture』 29(2015.5) pp. 177-215
이광주(편), 『역사와 문화』 문학과지성사 1992(7판), pp. 75-95 「랑케와 부르크하르트」
이근재, 「사회적 상호작용학습을 통한 가능적 발달범위(ZPD) 연구」『부산교육학연구』 15권 1호, 2002 pp.143-154
이길상, 「서구 교육이론의 한국적 수용 양상 – 해방 이후 진보주의 교육사상을 중심으로 –」 한국교육사학회간행물 : 『한국교육사학』 39권 3호 (2017) pp. 79-104
이선영, 「4차 산업혁명시대의 교육심리학」『한국교육학연구』 23권 1호, 2017 pp.231-260
이원일, 「톨스토이의 대안학교 교육에 대한 기독교 교육적 성찰」(영남신학대학교), 『신학과 목회』 27 (2007.4), pp. 211-251
이은정, 「변곡점에 선 한국의 대학교육과 4차 산업혁명 : 지식담론에서 교육담론으로의 전환 필요성」(명지대) 『인문과학연구논총』, 38-2 (2017.5.) pp. 141-181.
이전, 「인류의 진화에 관한 논의」『사회과학연구』 27(2009), pp. 27-45.
이주호, 「4차 산업혁명에 대응한 교육 대전환」, 『철학과 현실』 통권 제112호, 2017
장필성, 「사피엔스: 인류의 현재와 미래에 대한 소크라테스적 물음」『과학기술정책』

26-4 (2016), pp. 54-57
정금자, 「M. Montessori 敎育理論과 그 背景」『特殊敎育硏究』 Vol.15 (1988)
정해진, 「대안교육의 사상적 기반으로서의 그룬트비 교육사상과 실천」. 고려대학교석사학위논문(2004)
정해진, 「풀무학교의 근대 교육사적 의의」『한국교육학연구』 19권 3호 (2013) pp.233-268.
조병한, 「근대 중국의 개혁과 서양인」『한국사 시민강좌』, 34 (2004), pp. 223-235.
조헌국, 「4차 산업혁명에 따른 대학교육의 변화와 교양교육의 과제」, 한국교양교육학회, "교양교육연구", 11(2), 2017
청소년 스트레스 관리 프로그램,
https://sites.google.com/site/2jojjangjjang/project-updates/untitledpost (2017. 11. 16. 검색)
최재천, "생명의 본질과 지식의 통섭(統攝)"
http://astro1.snu.ac.kr/home/kor/colloquium/file/jchoi.pdf (2017. 11월 검색)
한국경제신문사 주최 "글로벌 인재포럼 2017"
한국고용정보원, "기술변화에 따른 일자리 영향연구"(2017), "인공지능 로봇 일자리대체 전망"(2017.1.3 보도자료)
한국교육개발원, 「2015 고등교육기관 졸업자 건강보험 및 국세DB연계 취업통계연보」, 교육통계서비스 공개자료실
http://kess.kedi.re.kr

한석수, (한국교육학술정보원) "4차 산업혁명과 미래교육"
http://cms.dankook.ac.kr/web/generaledu/-15?p_p_id=Bbs_WAR_bbsportlet&p_p_lifecycle=2&p_p_state=normal&p_p_mode=view&p_p_cacheability=cacheLevelPage&p_p_col_id=column-2&p_p_col_count=1&_Bbs_WAR_bbsportlet_extFileId=66794 (2017. 11월 검색)

〈기타 자료 검색〉
http://www.danishfolkhighschools.com/schools (2017. 11월 검색)
www.q21.org (2017. 11월 검색)
www.piedmont.kl2.ca.us (2017. 11월 검색)
www.universityschool.bham.ac.uk (2017. 11월 검색)
www.yis.ac.jp (2017. 11월 검색)
www.kasavuori.fi (2017. 11월 검색)
www.facebook.com/steveJobsSchool (2017. 11월 검색)
www.wpsdk12.org (2017. 11월 검색)
www.mpsvt.org (2017. 11월 검색)
www.minerva.kgi.edu (2017. 11월 검색)

• 4부, 5부

〈단행본〉
곽삼근, 『한국 평생교육의 사회철학적 과제』, 2005, 집문당
교육부 · 한국교육개발원, 『2016 한국성인의 평생학습실태』, 2016
국제미래학회 · 한국교육학술정보원 지음, 『4차 산업혁명시대 대한민국 미래교육보고서』, 2017 .4., 광문각
권이종 · 이상호, 『평생교육개론』, 2010, 교육과학사
류태호, 『4차 산업혁명 교육이 희망이다』, 2017. 7., 경희대학교 출판문화원
미래창조과학부 미래준비위원회, KISTEP, KAIST 미래전략 보고서 『10년 후 대한민국 미래 일자리의 길을 찾다』, 2017, 도서출판 공감
박세일 · 이주호 · 김태완 편, 『한국교육의 미래전략』, 2016, 한반도선진화재단
박찬홍 · 배종민 · 우광식 · 정영돈 공저, 『사람중심으로 만들어 가야 할 4차산업혁명』, 2017, 도서출판 책과 나무
안택호, 『내 아이의 미래 일자리』, 2017, 도서출판 행복에너지
이정호, 『4차 산업혁명과 미래직업』, 2017, 북 카라반
정민승, 『성인학습의 이해』, 2010, 한국방송통신대학교 출판부
한승희, 『평생교육론 - 평생학습사회의 교육학』, 2006, 학지사
한국경제신문, 『Global HR Forum 2017 Program Book』, 2017. 11.

〈논문〉
김지원, "인공지능시대의 새로운 교육패러다임에 대한 연구", 경북대학교 대학원 박사학위논문, 2017. 2.
김진형, "4차산업혁명 인공지능시대의 교육", STSS지속가능과학회 학술대회지, 2016, 지속가능과학회
백승수, "4차산업혁명시대의 교양교육의 방향", 『교양교육연구』 제11권 제2호, 2017, 한국교양교육학회
손동현, "새로운 교육수요와 교양기초교육", 『교양교육연구』 1(1), 2006, 한국교양교육학회
안종배, "4차산업혁명에서의 교육 패러다임의 변화", 『미디어와 교육』 제7권 제1호, 2017, 한국교육방송공사
이주호, "4차산업혁명에 대응한 교육 대전환", 『철학과 현실』 통권 제112호, 2017, 철학문화연구소
이지연, "4차산업혁명을 대비한 청소년 진로교육의 방향" 한국진로교육학회 2017년 춘계학술대회지, 2017, 한국진로교육학회
조난심, "4차 산업혁명과 교육", 『교육비평』 통권 제39호(특집호), 2017. 5. 31., 교육비평
조헌국, "4차산업혁명에 따른 대학교육의 변화와 교양교육의 과제", 『교양교육연구』 제11권 제2호, 2017, 교양교육학회
한준상, "미래 한국 평생교육정책의 비전", 『한국평생교육』 제1권제1호, 2013, 한국평생

교육학회
허 숙, "4차 산업혁명시대의 도래와 학교교육의 변화", 『월간교육』 통권 제17호, 2017. 7월호, 월간교육

〈기고문, 기사 및 보도자료〉
김상은, "융합생태계 구축이 4차산업혁명의 출발점", 한국경제신문 2017. 10. 18일자
노대래, "4차산업혁명 핵심은 '인력 4.0'이다", 한국경제신문 2017. 11. 3일자 다산칼럼
한국경제신문 「박정호(KDI자문연구원)의 생활 속 경제이야기」 "자율주행차 알고리즘과 인문학", 2017. 12. 1일자
유병규, "혁신성장의 핵심방안은 산업융합이다", 한국경제신문 2017. 10. 23일자 오피니언
박상문, "평생교육으로서 시민교육의 필요성", 인터넷신문 인천in 2017.12. 2.일자
이무근, "「평생직업교육정책 제언①」 요람에서 무덤까지 배우는 시대 - 당신은 '무엇을' 할 수 있나?", 한국대학신문 2017. 11. 23일자
한국경제신문사 주최 '글로벌 인재포럼 2017 - 인재가 미래다'(2017. 10. 31 ~ 11. 2) 발표자료 및 기사
한국경제신문, "자녀 자퇴시킨 머스크가 '비밀학교'세웠다는데"2017.11.16.일자 A10면
한국경제신문, "靑 혁신성장 전략회의", 2017. 11. 29일자 A4면
한국경제신문, "제6차 아셈교육장관회의", 2017. 11. 22일자 A31면
한국경제신문, "4차 산업혁명과 인재교육", 2017. 11. 27일자 A5면
한국경제신문, "Smart & Mobile", 2017. 12. 26일자 B1면
한국경제신문, "2018 미국경제학회", 2018. 1. 9일자 A12면
교수신문, 성균관대학교 학부대학 설립3주년 심포지엄 "전환기의 교육수요와 대학의 융 · 복합교육", 2008. 5. 9일자
기획재정부 보도자료(2017.11.28.), "김동연 부총리, 「2017 대한민국 혁신성장 전략회의」에서 주제발표"
대통령 직속 4차 산업혁명위원회 보도자료(2017.11.30.), "「혁신성장을 위한 사람중심의 4차 산업혁명 대응계획」 발표"

〈기타 검색자료〉
Newspeppermint, "공유자본주의(Shred Capitalism)란 무엇인가", 2015. 11.27 (2017. 11. 3.검색)
http://newspeppermint.com/2015/11/26/sharedcapitalism/ (2017. 11. 3.검색)
오마이뉴스, "불평등 해소를 위한 공유자본주의", 2016. 2. 15
http://www.ohmynews.com/NWS_Web/view/at_pg.aspx?CNTN_CD=A0002172480 (2017. 11. 3.검색)
매일경제신문, "KM리더 '4차산업혁명' 강연회", 2015. 5. 10
http://news.mk.co.kr/newsRead.php?year=2016&no=335961 (2017. 11. 4.검색)
안승문, "심층분석2 – 한국교육의 현실과 과제", 2013. 3. 15. 참여연대 사회복지위원회
http://www.peoplepower21.org/Welfare/1008492) (2017. 11. 10.검색)

청소년 스트레스관리 프로그램

https://sites.google.com/site/2jojjangjjang/project-updates/untitledpost (2017. 11. 16.검색)

법제처, 『대한민국법제60년사』

http://www.moleg.go.kr/knowledge/book60yrHistory?jang=8&jeol=9&book50yrSeq=1046 (2017. 11. 13.검색)

매일경제신문 2013. 1. 11일자 "한국, 평생교육 빈곤국 - 교육예산비율 0.8%"

http://news.mk.co.kr/newsRead.php?no=27057&year=2013 (2017. 11. 17.검색)

오마이뉴스, "평생교육하는 대한민국, 안녕들 하십니까?", 2015. 4. 6

http://www.ohmynews.com/NWS_Web/View/at_pg.aspx?CNTN_CD=A0002096453 (2017. 11. 17.검색)

SW 중심사회, "SW미래직업 : 4차 산업혁명과 함께할 SW미래직업 - 20년 후 사라지는 직업 vs 주목받는 직업", 2016. 7. 29

https://www.software.kr/um/um02/um0210/um0210View.do?postId=21587 & (2017. 11. 20.검색)

http://www.archives.go.kr/next/search/listSubjectDescription.do?id=003270 (2017. 11.13.검색)

손동현, 2014년 3월15일 열린연단에서 '교양교육의 이념'이라는 제목의 강연 내용 중에서 http://blog.naver.com/wjlee3742/140208702051에서 인용. (2017. 12. 14. 검색)

Executive Summary : Key Competencies for a successful life and a well-functioning society - "The Definition and Selection of Key Competencies"